Lexikon | *obras de referência*

LUIZ EDUARDO DE CASTRO NEVES

uma gramática *substantivo comum*
simpática
adjetivo

© 2021, by Luiz Eduardo de Castro Neves

Direitos de edição da obra em língua portuguesa adquiridos pela LEXIKON EDITORA DIGITAL LTDA. Todos os direitos reservados. Nenhuma parte desta obra pode ser apropriada e estocada em sistema de banco de dados ou processo similar, em qualquer forma ou meio, seja eletrônico, de fotocópia, gravação etc., sem a permissão do detentor do copirraite.

LEXIKON EDITORA DIGITAL LTDA.
Rua Luís Câmara, 280 – Ramos
21031-175 Rio de Janeiro – RJ – Brasil
Tel.: (21)2221 8740 – 2560-2601
www.lexikon.com.br – sac@lexikon.com.br

1ª edição - 2019

Editor / Revisor
Paulo Geiger

Produção
Sonia Hey

Projeto Gráfico, Capa e Ilustrações
Juliana Montenegro

Revisão
Perla Serafim

CIP-BRASIL. CATALOGAÇÃO NA PUBLICAÇÃOS
INDICATO NACIONAL DOS EDITORES DE LIVROS, RJ

N425g
Neves, Luiz Eduardo de Castro
Uma gramática simpática / Luiz Eduardo de Castro Neves ; ilustrações Juliana Montenegro. - 1. ed. - Rio de Janeiro : Lexikon, 2019.
424 p. ; 21 cm.

Inclui bibliografia e índice
ISBN 978-85-8300-119-5

1. Língua portuguesa - Estudo e ensino (Ensino Fundamental). 2. Língua portuguesa - Gramática. I. Montenegro, Juliana. II. Título.

CDD: 372.61
CDU: 373.3.016:811.134.3'36

Todos os textos utilizados nesta obra são de autoria única e exclusiva do autor.

pronome possessivo

substantivo

advérbio de tempo

adjetivo

Para Mirelle, Letícia e Rafael, sempre,
Zé Roberto e Cecilia, meus irmãos amados,
Eduardo Parente, Marcelo Barbosa e Pedro Janowitzer,
compadres queridíssimos.

substantivo

adjetivo grau superlativo absoluto sintético

Agradecimento ao autor

Quando Luiz Eduardo mostrou-me sua *Gramática simpática* pedindo uma opinião, eu parei um instante para pensar. Não em aceitar ou não, estava curioso e interessado o bastante para aceitar na hora, o que fiz. Pensar que durante mais de cinquenta anos eu trabalhei com e para essa ferramenta resistente, antiga, nova, renovada, compartilhada por centenas de milhões, sempre a mesma e sempre mudando, e ainda comportando surpresas e novidades. A língua portuguesa.

A língua é um código de comunicação com dois elementos: os signos que representam coisas, concretas e abstratas, com os quais nos referimos a tudo que existe no mundo real e imaginário — são as palavras. Para registrar e para termos todos nós a mesma referência a esses signos (se não tivermos, não haverá comunicação, memória, informação, aprendizagem), existem os dicionários. O outro elemento é a maneira como juntar, montar as palavras para que não sejam signos soltos, para que transmitam de maneira correta, inteligível e agradável ideias, conceitos, fatos, conhecimentos. Para que isso se faça de maneira igual por todos (se não for assim, não haverá comunicação) existem regras. É a gramática.

Aprendemos a falar e a escrever sem conhecer as definições das palavras (nos dicionários) nem a gramática (nas gramáticas). Ouvindo e lendo o que é dito e escrito, intuímos significados e aprendemos a como organizá-los para comunicar ideias. Mas quando nosso universo se amplia, quando surgem novos conhecimentos, novos horizontes culturais, novas formas de comunicação e de expressão, quando precisamos ou queremos nos expressar melhor, informar melhor, ensinar melhor, registrar melhor, as regras e as referências deixam de ser somente uma reserva de registros e se tornam ferramentas úteis e necessárias. Dicionários e gramáticas.

Em geral regras são chatas e pesadas e muitas vezes difíceis de entender e de lembrar. Gramáticas e gramáticos às vezes são vistos como carga desagradável e obsoleta, e muita gente diz: Afinal, a língua ficou tão ágil no Twitter, no Facebook, no Whatsapp e no Telegram... Para quê? Gramática é coisa desnecessária e antipática...

E aí vem o Luiz Eduardo, que não é gramático, e (não por causa disso) nos demonstra o contrário. Com leveza e bom humor, nos induz a querer saber mais, à medida que aprendemos sem muito esforço, com muitos exemplos, ilustrações e historinhas, essas coisas ex-terríveis que se chamam regras gramaticais. Sem infantilizar, sem amenizar, "apenas" tornando fácil apreender e aprender. Está tudo lá, mas nada pesa nem enfastia. É uma gramática que pode ser "lida", como um dos livros de história do mesmo autor, e que pode ser consultada a qualquer momento, como se requer de uma gramática como referência. Não concorre, não disputa, não se arroga alternativa a nenhuma gramática existente. "Apenas" oferece um caminho leve, sem deixar de ser completo, para bons textos no falar e no escrever.

Por essa razão é simpática tanto no texto como no nome. Para comprovar tudo o que disse, basta continuar, nas páginas que se seguem. E por isso, antes e depois disso, é justo que agradeçamos ao autor. Ele pensou principalmente em nós.

Paulo Geiger

POR QUE UMA GRAMÁTICA?

Boa pergunta! Porque gosto de estudar com meus filhos. Tento contribuir para que tenham instrumentos próprios e a curiosidade que nos impulsiona. Nesta minha revisita aos bancos escolares, quando comecei a me deparar com perguntas às quais não sabia responder, decidi fazer uma imersão na língua portuguesa. Logo percebi que havia sido fisgado pela matéria e me lançado numa inesperada aventura de escrever uma gramática. Procurei fazer dela uma leitura leve, com textos que facilitem a compreensão.

Resolvi dividi-la em seis partes principais:

A primeira chamei de **Sons e grafias**. A origem da língua: sons que se tornam letras, as sílabas. Os encontros das letras, os acentos. Inclui ortografia e pontuação.

A segunda: **Morfologia**. A estrutura das palavras, sua formação e as classes de palavras (substantivos, adjetivos, artigos, pronomes, verbos, advérbios, preposições, numerais, conjunções e interjeições).

A terceira: **Crase**. Resolvi colocar a crase em destaque, tal como acontece em outras gramáticas, para que fique claro que ela não se confunde com os acentos. Além disso, percebi que o estudo da crase dependia da compreensão de conceitos tratados na morfologia.

A quarta: **Sintaxe**. Trata da estrutura das orações e de seus termos principais e acessórios. Sujeito, predicado, complementos nominal e verbal e agente da passiva. Adjunto adnominal, adjunto adverbial e aposto. Incluí, no início deste capítulo, a oração e seus termos, cuja compreensão é necessária para a análise sintática. Ao final, inclui a concordância nominal e verbal, indispensáveis para que se escreva corretamente.

A quinta: **Morfossintaxe**. Ao contrário do que acontece em algumas gramáticas, achei que seria melhor que a morfologia e a sintaxe estivessem bem compreendidas para que seus conceitos se fundissem neste capítulo.

Por fim, a sexta, que entendi ser o encerramento deste estudo: **Figuras de Linguagem**, a sofisticação da comunicação.

Ao longo da gramática, incluí um tópico chamado "Testando os seus conhecimentos", composto de exercícios sobre o assunto estudado e de interpretação de texto, em razão de sua utilidade para o aprendizado.

Como não sou formado em letras, e ciente da responsabilidade que implica a edição deste estudo, submeti os originais a algumas pessoas em quem confio, por sua formação e seu interesse na língua portuguesa. Agradeço a minha mulher Mirelle, a meus pais Doris e Roberto, aos meus irmãos Cecilia e Zé Roberto e aos amigos Marcelo Barbosa, Adriana Borgerth e Beatriz Velloso, por suas valiosas contribuições. Ao amigo Paulo Cesar de Barros Mello um especial agradecimento pelas incansáveis e cuidadosas releituras.

Agradeço também à Verinha Affonseca, diretora pedagógica da escola onde minha filha estuda, que, com sua larga experiência no ramo educacional, deu-me mais segurança quanto à utilidade didática do trabalho. Carlos Augusto Lacerda, querido amigo que publicou três livros que escrevi, apresentou-me a Paulo Geiger, tradutor renomado, editor de obras de referência há mais de 50 anos e autor do livro "A nova ortografia sem mistério". Seu profundo conhecimento da língua portuguesa e sua generosidade intelectual foram muito importantes para diversos ajustes, melhoramentos e correções. A ele, minha admiração e gratidão permanentes. Agradeço à Juliana Montenegro por tornar o trabalho mais leve e simpático, a Sonia Hey pela inestimável ajuda em todo o processo de edição e à Lexikon Editora pela publicação.

No começo, éramos nômades e morávamos em cavernas. Depois, desenvolvemos a agricultura, aprendemos a domesticar alguns animais, aprimoramos nossas técnicas de busca de alimentos. O domínio do fogo foi fundamental para nos aquecer, nos defender, iluminar as noites escuras, preparar nossa comida, mas a descoberta da escrita foi o marco divisor no desenvolvimento da humanidade. Com ela, termina a Pré-História.

É fundamental nos comunicarmos bem. Quem simplesmente diz "Ó ô auê aí ô" pode estar transmitindo uma mensagem, mas ainda tem um longo caminho pela frente. Conhecer a língua é muito importante! Exprimir corretamente ideias, conceitos e sentimentos, mais ainda! A língua portuguesa não é fácil, mas é fascinante. Eu me diverti bastante com este estudo. Espero que esta **gramática simpática** também seja útil e interessante para você. Boa leitura!

Rio de Janeiro, novembro 2019
Luiz Eduardo de Castro Neves

Reforma ortográfica[1]

A reforma ortográfica pegou muitos de surpresa. Alguns estavam angustiados ante a perspectiva de como a vida seria dali em diante. Coube ao hífen dizer para o trema que ele não seria mais necessário.

— E o que vai fazer a linguiça? — perguntou o trema ainda em estado de choque.

— Viverá sem você! — respondeu o hífen, secamente.

O trema ainda tentou reagir, mas o hífen foi categórico:

— Querido, não adianta argumentar. As regras já foram criadas e atingirão a todos. Eu, por exemplo, vou ter que me adaptar: estou cheio de novas regras!

— Mas você pelo menos vai continuar existindo. E eu?

— Você ainda vai permanecer nos livros antigos e em alguns nomes — disse o hífen tentando trazer um pouco de conforto.

O trema não conseguia esconder seu desespero:

— Você acha que eu deveria procurar um advogado?

— Tarde demais! — concluiu o hífen.

---

[1] Em 2009, a língua portuguesa passou por uma reforma ortográfica, com intuito de unificar o idioma nos oito países que usam o português como língua principal. Dentre as mudanças, deixou de existir o trema (aqueles dois pontinhos que ficavam em cima do *u*), houve alteração nas regras do hífen e na acentuação de algumas palavras. A lingüiça passou a se escrever linguiça (e não mudou de gosto) e ideia perdeu o acento (ótima ideia?).

SUMÁRIO

PARTE 1: SONS E GRAFIAS

1 FONÉTICA E FONOLOGIA 2

FONEMA 2

Classificação dos fonemas 3

VOGAIS 3

SEMIVOGAIS 3

CONSOANTES 4

Classificação das vogais 4

Classificação das consoantes 5

SÍLABAS 6

Classificação das palavras quanto ao número de sílabas 6

Sílaba átona e sílaba tônica 8

Classificação das palavras quanto à posição da sílaba tônica 8

ENCONTROS DE VOGAIS 10

DITONGO 10

TRITONGOS 11

HIATOS 11

ENCONTRO DE CONSOANTES 12

Dígrafo 12

2 ORTOGRAFIA 16

LETRA E ALFABETO 16

A CEDILHA 18

ACENTUAÇÃO GRÁFICA 22

Acento agudo 23

Acento circunflexo 23

Acento grave 23

Regras gerais de acentuação 26

PROPAROXÍTONAS 26

PAROXÍTONAS 26

OXÍTONAS 27

O TIL 28

O TREMA 29

O ACENTO DIFERENCIAL 29

O apóstrofo 29

O hífen 30

Usa-se hífen 32

Não se usa hífen 34

Hífen na separação de sílabas 35

Antônimo, sinônimo, homônimo e parônimo 37

Por que, porque, porquê e por quê 40

Há, a e ah! 43

3 Pontuação 45

Ponto 45

Ponto de interrogação 45

Ponto de exclamação 46

Dois-pontos 46

Vírgula 46

Ponto e vírgula 48

Travessão 48

Aspas 49

Reticências 50

Parênteses 50

Parte 2: Morfologia

4 Etimologia 56

5 Estrutura das palavras 58

Morfemas 58

Radical 58

Vogal temática 58

Desinências 59

Afixos 60

Alguns radicais 61

Sufixos 64

Sufixo nominal 64

Sufixo verbal 65

Sufixo adverbial 66

Ainda sobre prefixos 67

6 Formação das palavras 69

Derivação 69

Derivação por acréscimo de afixos 69
(prefixal, sufixal, parassintética)
Derivação sem acréscimo de afixos 70
(regressiva, imprópria)

COMPOSIÇÃO 71
Composição por justaposição 71
Composição por aglutinação 71

HIBRIDISMO 72
ONOMATOPEIA 72
ABREVIAÇÃO 73
SIGLAS 73
CLASSES DE PALAVRAS 76
LOCUÇÕES 78
(verbal, adjetiva, adverbial)

7 SUBSTANTIVO 80
Classificação dos substantivos 80

FLEXÃO DE GÊNERO 84
Masculino / feminino 84
Substantivos biformes 84
Substantivos uniformes 84

FLEXÃO DE NÚMERO 85
Singular / plural 85

FLEXÃO DE GRAU 86
Aumentativo / diminutivo 86
Diminutivos eruditos 86

PLURAL NOS SUBSTANTIVOS SIMPLES 90
Regra geral 90
Substantivos terminados no ditongo nasal *ão* 90
Substantivos terminados em *r* e *z* 90
Substantivos terminados em *s* 91
Substantivos terminados em *x* 91
Substantivos terminados em *l* 91
Substantivos terminados em *m* 92
Plural dos nomes em *zinho* ou *zito* 92
Substantivos usados somente no plural 92

XIV UMA GRAMÁTICA SIMPÁTICA

PLURAL NOS SUBSTANTIVOS COMPOSTOS 94

Sem hífen 94

Com hífen 94

COLETIVOS 96

8 ARTIGO 101

CLASSIFICAÇÃO 101

Curiosidades sobre artigos... 104

9 ADJETIVO 107

Classificação 107

Flexão de gênero 108

Flexão de número 108

GRAUS DO ADJETIVO 109

Comparativo 109

Superlativo 109

SUPERLATIVO ABSOLUTO 109

SUPERLATIVO RELATIVO 109

PLURAL DOS ADJETIVOS SIMPLES 112

PLURAL DOS ADJETIVOS COMPOSTOS 112

CONCORDÂNCIA DO ADJETIVO COM O SUBSTANTIVO 114

LOCUÇÃO ADJETIVA 114

10 PRONOME 119

PRONOMES PESSOAIS 121

Pronomes pessoais do caso reto 121

Pronomes pessoais do caso oblíquo 122

ÁTONOS 122

TÔNICOS 122

PRONOMES REFLEXIVOS E RECÍPROCOS 123

Pronomes de tratamento 126

PRONOMES POSSESSIVOS 129

Concordância dos pronomes possessivos 130

PRONOMES DEMONSTRATIVOS 131

PRONOMES RELATIVOS 136

PRONOMES INTERROGATIVOS 138

Flexão 138

Emprego dos interrogativos 138

PRONOMES INDEFINIDOS 140

Locuções pronominais indefinidas 141

SUMÁRIO XV

COLOCAÇÃO DOS PRONOMES 143

    Próclise 143

    Mesóclise 144

    Ênclise 145

    Colocação dos pronomes nas locuções verbais 149

        VERBO PRINCIPAL NO PARTICÍPIO 149

        VERBO PRINCIPAL NO INFINITIVO OU GERÚNDIO 149

    Hífen 150

    Pronome oblíquo no começo das frases 150

11 VERBO 152

VOZES DO VERBOS 155

    VOZ ATIVA 155

    VOZ PASSIVA 155

    VOZ REFLEXIVA 156

OS TEMPOS VERBAIS 158

    Indicativo 158

    Subjuntivo 159

    Imperativo 160

    Gerúndio 164

    Particípio 165

    Infinitivo 166

    Uma dica para conjugação 171

ESTRUTURA DO VERBO 172

    Radical 172

    Vogal temática 172

    Desinência 173

FORMAS RIZOTÔNICAS E FORMAS ARRIZOTÔNICAS 173

LOCUÇÕES VERBAIS 174

CLASSIFICAÇÃO DOS VERBOS 175

    Quanto à flexão 175

    Quanto à função 179

VERBOS REGULARES 180

VERBOS IRREGULARES 183

TEMPO COMPOSTO 189

    Conjugação do tempo composto 191

12 ADVÉRBIO 197

    Locução adverbial 197

XVI UMA GRAMÁTICA SIMPÁTICA

Advérbios interrogativos 198
Flexão em grau 198
Advérbios *bem* e *mal* 199
Advérbios terminados em *mente* 199
Classificação dos advérbios 200

13 PREPOSIÇÃO 204
Preposições simples 204
Preposições compostas (locuções prepositivas) 205

14 NUMERAL 210
Cardinais 210
Ordinais 210
Multiplicativos 211
Fracionários 211
Coletivos 211
Algarismos 212

15 CONJUNÇÃO 215
Conjunções coordenativas 215
Conjunções subordinativas 216

16 INTERJEIÇÃO 221
Locuções interjetivas 222

PARTE 3: CRASE
17 CRASE 226
A crase deve ser usada 226
A crase é opcional 228
Não há crase 229
Casos especiais: crase antes de *casa* e *terra* 230

PARTE 4: SINTAXE
18 A ORAÇÃO E SEUS TERMOS 238
Frase 238
Oração 238
Período 239
Tipos de frases 239

19 ANÁLISE SINTÁTICA 242
TERMOS ESSENCIAIS DA ORAÇÃO 243

Sumário XVII

Sujeito 243

CONCORDÂNCIA ENTRE SUJEITO E VERBO 243

Tipos de sujeito 243

SUJEITO DETERMINADO 243

SUJEITO INDETERMINADO 244

ORAÇÃO SEM SUJEITO (NÃO HÁ SUJEITO) 244

Colocação do sujeito na oração 246

Predicado 248

TIPOS DE PREDICADO 248

NOMINAL 248

VERBAL 248

VERBO-NOMINAL 249

Verbos de ligação 252

Verbos Transitivos 254

Verbos Intransitivos 255

AINDA SOBRE O PREDICADO NOMINAL E O PREDICADO VERBO-NOMINAL 258

Predicativo do sujeito 258

FUNÇÃO DE PREDICATIVO DO SUJEITO 259

Termos integrantes da oração 261

Complemento nominal 261

Complemento verbal 263

OBJETO DIRETO 263

OBJETO INDIRETO 264

Agente da passiva 266

Ainda sobre complemento nominal 268

Formação da voz passiva 270

Voz passiva analítica 270

Voz passiva sintética (usa-se a partícula *se*) 272

Ainda sobre o objeto direto e o objeto indireto 274

(objeto direto preposicionado, objeto direto pleonástico e predicativo do objeto) 274-275

Termos acessórios da oração 277

Adjunto adnominal 277

Adjunto adverbial 279

Aposto 281

(explicativo, enumerativo, resumitivo ou recapitulativo)

Vocativo 281

XVIII UMA GRAMÁTICA SIMPÁTICA

Algumas comparações 285
COMPLEMENTO NOMINAL X OBJETO INDIRETO 285
COMPLEMENTO NOMINAL X ADJUNTO ADNOMINAL 286
PREDICATIVO DO SUJEITO X PREDICATIVO DO OBJETO 291
PREDICATIVO DO OBJETO X ADJUNTO ADNOMINAL 292
ADJUNTO ADNOMINAL X APOSTO 293
SE (FUNÇÕES) 295

20 O PERÍODO E SUA CONSTRUÇÃO 297
PERÍODO SIMPLES E COMPOSTO 297
Orações coordenadas 299
(assindéticas, sindéticas)
ORAÇÕES SUBORDINADAS 301
ORAÇÕES SUBORDINADAS SUBSTANTIVAS 301
ORAÇÕES SUBORDINADAS ADJETIVAS 304
ORAÇÕES SUBORDINADAS ADVERBIAIS 306
Orações reduzidas 312
REDUZIDAS DE INFINITIVO 312
REDUZIDAS DE PARTICÍPIO 313
REDUZIDAS DE GERÚNDIO 313

21 CONCORDÂNCIA VERBAL 316
Regra geral 316
Casos diferentes 316
Concordância de alguns verbos diferentes 319

22 CONCORDÂNCIA NOMINAL 323
Regra geral 323
Casos diferentes 323

23 REGÊNCIA 329
REGÊNCIA VERBAL 329
Regência de alguns verbos 332

PARTE 5: MORFOSSINTAXE

24 MORFOSSINTAXE 340
Classes gramaticais que não têm função sintática 340
(preposição, conjunção, interjeição)
Classes gramaticais que têm uma só função sintática 341
(artigo, advérbio)

Os verbos 342
Os substantivos 343
Os adjetivos 345
Classes gramaticais que, por vezes, substituem os substantivos 347
FUNÇÕES SINTÁTICAS DO NUMERAL 347
FUNÇÕES SINTÁTICAS DOS PRONOMES 349
PRONOME POSSESSIVO 352
PRONOME DEMONSTRATIVO 352
PRONOME RELATIVO 355
PRONOME INTERROGATIVO 356
PRONOME INDEFINIDO 358

PARTE 6: FIGURAS DE LINGUAGEM
25 FIGURAS DE LINGUAGEM 362
Figuras de sintaxe (ou de construção) 362
Figuras de pensamento 363
Figuras de palavras 365

ÍNDICE DE ASSUNTOS 371
REFERÊNCIAS BIBLIOGRÁFICAS 377
GABARITO 379
ÍNDICE (AFETIVO) DE NOMES 396

A GRAMÁTICA SIMPÁTICA
E SEUS TEXTOS

Reforma ortográfica, IX

1 FONÉTICA E FONOLOGIA
Sílabas, 6
Conversa com monossílabas, 7
O corpo humano, 9
Encontros de vogais, 10
Desafio, 13
O leão que achava que era um tritongo, 14

2 ORTOGRAFIA
A ortografia,17
A louca, 18
A dieta real, 20
À noite, 21
O baú de Jacó, 22
Acento agudo, 23
Acentos, 24
O til, 28
Alice no país do hífen, 30
O contra-almirante, 36
Uma noite no teatro, 39
O cumprimento do cavalheiro, 39
Porque, 40
Curiosos, 41
___ você não veio ontem?, 42
Conversa de insetos, 44

3 PONTUAÇÃO
Classificados do futuro, 51
Encomenda, 51
Cadê o Chico, 51
A bruxa, 52
A proposta, 52

4 ETIMOLOGIA
Etimologia, 56
Pai e filho, 57

5 ESTRUTURA DAS PALAVRAS
Sufixos aumentativos/diminutivos, 64
Sufixo verbal, 65
Sufixo adverbial, 66
Recém-casados, 68

6 FORMAÇÃO DAS PALAVRAS
Derivação, 70
Composição, 71
Hipersensibilidade onomatopaica, 72
O inventor de palavras, 74
O que aconteceu?, 75
As classes de palavras, 79

7 SUBSTANTIVO
Concretos e abstratos, 81
Substantivos, 82
Alguns aumentativos e diminutivos, 87
O astronauta brasileiro, 88
Caixa de costura, 89
De óculos, com anzol azul, 93
De óculos, com anzóis azuis, 93
Os abaixo-assinados dos tenentes-coronéis, 95
Coletivos, 98
Cáfila, 99
Final alternativo, 100

8 ARTIGO
A aranha, 102
O cachorro da vizinha, 103
Numa duma, 103
As roupas, 105
Mercadinho, 106

9 ADJETIVO
Arqui, extra, hiper super, 110
Comparativo, superlativo, relativo, 110
O urso, 111
Os novos acordos luso--brasileiros, 113
No médico, 115
Adjetivos, 115
Caixa de costura, 117
O porteiro noturno, 118

10 PRONOME
Pronomes, 120
Caso reto, 121

XXII UMA GRAMÁTICA SIMPÁTICA

Retos e oblíquos, 124
Cena final, 125
Perguntas informais para pessoas formais, 127
Como você quer ser chamado?, 127
Possessivos, 129
A escolha da princesa, 133
Montanha-russa, 134
Mal-entendido, 134
O não da noiva, 135
Relativos, 137
O sábio, 139
Indefinidos, 140
Locuções pronominais, 141
Um dia, 142
"Eu" ou "mim", 142
Os pronomes, 142
Jânio, Eloá e eu, 147
O correto local dos pronomes, 148
O varal, 148
Oblíquos, 150
Os pronomes nas locuções verbais, 150
O pôr do sol,151

11 VERBO
Segunda pessoa, 154
O tom, 156
A ferida, 157
O imperador, 162
O soldado, 163
Escalando, 164
Cartão apaixonado, 165
As gravatas-borboletas, 168
Gerúndio e particípio, 169
A corda, 169
Coisas do coração, 170
Irregular, 176
O inspetor e os defectivos, 178
O galo e o lobo, 186
A fofoqueira, 187
Alguém do futuro, 188
A prova, 190
Rotina, 190
O mensageiro do rei, 195

12 ADVÉRBIO
Os advérbios, 201
Identificando os advérbios, 202
E-mail, 203

13 PREPOSIÇÃO
Veja as preposições simples na dor e no amor, 205
Fora de cogitação, 206
Os piratas, 207
A epiglote, 208

14 NUMERAL
Pizzas, 213
A barraca de biscoitos, 214

15 CONJUNÇÃO
Conjunções, 218
Mas, 219

16 INTERJEIÇÃO
Interjeições, 223
Amigos, 223

17 CRASE
A crase, 231
Padaria Braga, 233
Um dia de sol, 234
A floricultura, 235

18 A ORAÇÃO E SEUS TERMOS
Tipos de frases, 240
O camelo, 241
O saci, 241

19 ANÁLISE SINTÁTICA
Um sujeito indeterminado, 245
As nuvens, 247
A compra da segunda lua, 250
Órion, 251
Verbo de ligação, 253
Acordei intransitivo, 256
Três irmãos, 257
Trabalho, 260
Mudanças, 260
Diálogo, 262
Cotidiano, 265
Campeonato, 267
O velho circo, 269
As placas, 273
Um romântico, 276
À venda, 278
Pela rua, 280
O tapete mágico, 280
Vocativo, 282
O descobrimento, 282
Festa no céu, 283
Conselho, 283
A feira de monstrinhos, 284

A GRAMÁTICA SIMPÁTICA E SEUS TEXTOS XXIII

Diferenças, 285
Complemento nominal ou
adjunto adnominal?, 287
A mulher do vizinho, 287
Um menino falante, 289
Os três porquinhos, 289
A fábrica de amor, 290
A audiência, 291
Um anjo torto, 294
Um barão excêntrico, 294
Se, 296

20 O PERÍODO E SUA CONSTRUÇÃO
O carro velho, 300
De manhã, 300
A invasão marciana, 303
O cocoricó que irritava, 305
Somos diferentes?, 305
Lobo bom, 308
Sim / Não, 309
Cartas para Julieta (e suas
respostas), 310
A princesa e o sapo, 314
As pessoas da aldeia, 315

21 CONCORDÂNCIA VERBAL
Uma porta misteriosa, 320
A festa do conde drácula, 321
O batalhão, 321
A rima, 322

22 CONCORDÂNCIA NOMINAL
Meio sonolenta, 328

23 REGÊNCIA
A regência, 331
Uma rosa, 331
Histórias de vovó, 335
A mala extraviada, 336

24 MORFOSSINTAXE
Os sem função sintática, 340
O mágico, 341
Um e o outro, 342
A feira e a fera, 344
O canto da sereia, 344
A abelha, 346
Açougue, 347
A água milagrosa, 348
Ele, 351
Confusão, 351
Nossas coisas, 352
Difícil situação, 353
Colmeia, 354
Fim de festa, 357
Interrogatório, 358
Três pedidos, 359

25 FIGURAS DE LINGUAGEM
Hipérboles,364
Catacrese, 367
Como explicar?, 367
O terno cinza, 368
Despedida, 369

PARTE 1:

SONS E GRAFIAS

Fonética

Fonologia

Encontros de vogais e de consoantes. Ditongos, tritongos, hiatos. Sílabas.

Ortografia

Letra e alfabeto. Acentos gráficos (agudo, circunflexo, grave), o til, a cedilha, o trema, o apóstrofo, o hífen.
Antônimo, sinônimo, homônimo e parônimo.

Pontuação

Sinais de pontuação (ponto, ponto de interrogação, ponto de exclamação, vírgula, ponto e vírgula, dois-pontos, aspas, travessão, reticências e parênteses).

1. FONÉTICA E FONOLOGIA

FONÉTICA é o estudo dos sons da fala. Ela estuda como o som foi produzido, os órgãos utilizados para a emissão do som (tais como o pulmão, a língua, a faringe e a laringe onde se encontram as cordas vocais).

FONOLOGIA é o estudo dos fonemas (sons) de uma língua. Ela estuda a função do som em uma determinada língua.

> Em outras palavras, a fonética estuda como o som é produzido e a fonologia estuda a função que o som tem na língua.

FONEMA

Fonema é a menor unidade sonora de uma língua. Ele não se confunde com a letra. O *fonema* é o *som da fala* e a *letra* é a *representação desse som* (grafia).

Às vezes, a mesma letra representa mais de um fonema. Veja a letra *x*: pode soar como *z* (exemplo), como *x* (caixa), como *ss* (máximo) ou como *ks* (reflexo).

Por vezes, algumas letras não possuem som. Veja os exemplos: o *h* em "hoje" ou em "hospital", o *s* em "nascer" ou "piscina", o *gu* e o *qu* em "guerra" e "queijo", o *x* em "exceção" e "excelente".

O número de letras de uma palavra não corresponde necessariamente ao número de fonemas (sons produzidos). Por exemplo, a palavra "hora" tem quatro letras (h-o-r-a), mas três fonemas (o-r-a) e a palavra "táxi" tem quatro letras (t-a-x-i), mas cinco fonemas (t-a-k-s-i).

Classificação dos fonemas

Os fonemas se classificam em vogais, semivogais e consoantes.

Vogais

Vogais são fonemas que resultam da livre passagem da corrente de ar pela boca, ou pela boca e cavidades nasais.

São vogais: **A, E, I, O, U**

> Não há sílaba sem vogal e só há uma vogal por sílaba.

Assim, quando duas vogais se encontram em uma sílaba, uma será vogal e a outra semivogal.

> "A" sempre é vogal.

Vogais têm som mais forte e demorado.

Semivogais

Semivogais têm som mais fraco e rápido.

> O "i" e "u" serão sempre semivogais quando se encontram com outra vogal na sílaba.

cai-xa (*a* é vogal; *i* é semivogal)
coi-sa (*o* é vogal; *i* é semivogal)
pá-tio (*i* é semivogal; *o* é vogal)

Consoantes

Consoantes são fonemas que resultam de algum obstáculo na passagem do ar[2]. Só formam sílabas quando juntos a uma vogal. São consoantes: **B, C, D, F, G, J, K, L, M, N, P, Q, R, S, T, V, X, Z**.

K, Y e W: Em razão do novo acordo ortográfico da língua portuguesa, as letras *k, y* e *w* voltaram a fazer parte do alfabeto brasileiro. A classificação de Y e W dependerá do som que produzirem:

K – será sempre consoante.

Y – será vogal se for a base da sílaba (*chantilly*);

será semivogal se estiver com outra vogal (*office boy*).

W – será vogal se tiver som de "u" (*windsurf*);

será consoante se tiver o som de "v" (Wagner).

A letra H não é considerada consoante nem vogal porque ela sozinha não produz som.

Classificação das vogais

Quanto à zona de articulação

ANTERIORES: a ponta da língua se dirige em direção à parte anterior do céu da boca.

(*é*) pé, (*ê*) ces-to, (*i*) fi-lha

MÉDIAS: a língua permanece baixa, quase em repouso.

(*a*) ma-la

POSTERIORES: a parte posterior da língua se dirige em direção à parte posterior do céu da boca.

(*ó*) pó, (*ô*) fo-go, (*u*) fu-ga

---

2 REPARE: consoantes, ou seja, "soam com". Por isso, quando alguém estuda canto faz exercícios apenas com as vogais: "a-a-a-a-a-a-a-a-a, e-e-e-e-e-e-e, i-i-i-i-i-i-i, o-o-o-o-o-o-o, u-u-u-u-u-u-u-u-u". Nelas, há livre passagem de ar pela boca.

Quanto ao papel das cavidades bucal e nasal

ORAIS: a corrente de ar sai do pulmão e passa pela boca.

bo-ca, chu-va

NASAIS: a corrente de ar sai do pulmão e passa pela boca e pelo nariz.

ma-çã, mãe

Quanto ao timbre

ABERTAS: vogais pronunciadas com a boca bem aberta.

ca-sa, per-to

FECHADAS: vogais pronunciadas com a boca quase fechada.

o-vo, a-vô

REDUZIDAS: vogais pronunciadas com pouca sonoridade.

ca-sa, pon-te

Quanto à intensidade

TÔNICAS: são as proferidas com maior intensidade na palavra.

ga-to, cas-ca

ÁTONAS: são as proferidas com menor intensidade na palavra.

ga-to, cas-ca

Classificação das consoantes

As consoantes também se classificam de acordo com o *modo de articulação* (se há ou não bloqueio de ar), *ponto de articulação* (local onde a corrente de ar é articulada), quanto à *função das cordas vocais* (se as cordas vocais vibram ou não), quanto à *função das cavidades bucal e nasal*.

Sílabas

Tente falar as palavras abaixo de modo bem lento:

ca-sa   a-par-ta-men-to

Você deve ter percebido que houve uma pausa entre cada som emitido. A cada um desses pedacinhos, chamamos de sílaba.

***

— Sí-la-bas. As pa-la-vras são di-vi-di-das em sí-la-bas.
— Em sí-la-bas?
— Is-so mes-mo! Em sí-la-bas!
— En-ten-di!

Classificação das palavras quanto ao número de sílabas

Quanto ao número de sílabas, as palavras podem ser:

MONOSSÍLABAS: têm uma única sílaba.

eu, não, pé, sim, sol

DISSÍLABAS: têm duas sílabas.

ca-ma, me-sa, so-fá, ca-fé

TRISSÍLABAS: têm três sílabas.

ca-sa-co, go-ri-la, ma-cha-do

POLISSÍLABAS: têm quatro ou mais sílabas.

for-ma-tu-ra, a-ven-tu-ra, cri-a-ti-vi-da-de

***

CONVERSA COM MONOSSÍLABAS

— Pai, quer pão?
— Sim. Vê se tem mel?
— Não tem, não.
— Mãe, tô com dor no meu pé.
— Só no pé? Põe um gel.
— Mãe, dá a mão?
Ela vê o céu e ri com fé.
— Sim, meu amor[3].

---

[3] *Amor não é monossílaba*, mas não deve ficar fora de nenhum diálogo entre pais e filhos.

Sílaba átona e sílaba tônica

SÍLABA ÁTONA: a sílaba ou as sílabas que soam com menos intensidade na palavra.

ca-fé, som-**bra**, mú-**si**-*ca*

SÍLABA TÔNICA: a sílaba que soa com mais intensidade na palavra.

ma-te, li-**mão**, bis-**coi**-to

> Há apenas uma sílaba tônica por palavra.

Classificação das palavras quanto à posição da sílaba tônica[4]

De acordo com a posição da sílaba tônica, as palavras se classificam em:

OXÍTONAS: a sílaba tônica é a última sílaba da palavra.

pa-le-**tó**, ca-**fé**, a-ni-**mal**, an-**zol**

PAROXÍTONAS: a sílaba tônica é a penúltima sílaba da palavra.

ca-ma, **cha**-ve, chu-**vei**-ro, **fá**-cil

PROPAROXÍTONAS: a sílaba tônica é a antepenúltima sílaba da palavra.

fí-si-ca, **mú**-si-ca, **câ**-ma-ra, **pú**-bli-co, es-**plên**-di-do

> Todas as palavras proparoxítonas são acentuadas.

---

4 Para descobrir qual é a sílaba tônica, fale a palavra devagar, em voz alta, como se a estivesse chamando: ca-**fé** – cho-co-**la**-te – **ár**-vo-re – **flo**-res – so-**fá** – to-**ma**-te.

Veja como as palavras são diferentes de acordo com a posição da sílaba tônica:

- **sá**bia (proparoxítona):
Ela é uma professora muito *sábia*.

- sa**bi**a (paroxítona):
A professora *sabia* que o dever tinha sido feito.

- sabi**á** (oxítona):
A professora tinha um *sabiá*.

TESTANDO OS SEUS CONHECIMENTOS

***

O CORPO HUMANO

Dedo, mão, braço, tornozelo,
peito, cintura, costas,
boca, olho, pé, joelho.

Pescoço, cílios, panturrilha,
rim, pâncreas, pulmão, coração,
sobrancelha, cabeça, virilha.

☺ Responda:
1) Quais palavras são monossílabas?
2) Quais palavras são dissílabas?
3) Quais palavras são trissílabas?
4) Quais palavras são polissílabas?
5) Quais palavras são oxítonas?
6) Quais palavras são paroxítonas?
7) Quais palavras são proparoxítonas?

Encontros de vogais

Encontros vocálicos são encontros de duas ou mais vogais em uma palavra.

***

O her*ói* quer*ia* escrever algo p*oé*tico para s*ua* amada, mas nunca tinha inspira*çã*o. Uma n*oi*te, simplesmente escrev*eu*: m*eu* cora*çã*o é s*eu*. Dep*oi*s, dorm*iu* despr*eo*cupado.

Ditongo

Encontro em uma mesma sílaba de uma vogal com uma semivogal.

Ditongos crescentes e decrescentes

DITONGO CRESCENTE: a semivogal vem antes da vogal.

á-gua, qua-tro, co-lé-gio

DITONGO DECRESCENTE: a vogal vem antes da semivogal.

pau, pai, mão

Ditongos orais e nasais

DITONGO ORAL: quando a vogal é oral.

mau, seu, pai, he-rói

DITONGO NASAL: quando a vogal é nasal.

quan-do, fre-quen-te, põe, mão

Tritongo

Encontro formado por semivogal + vogal + semivogal. Nos tritongos, as semivogais pertencem à mesma sílaba.

Tritongos orais e nasais

TRITONGO ORAL

a-ve-ri-guei, en-xa-guou, Pa-ra-guai

TRITONGO NASAL

quão, sa-guão, sa-guões

Hiato

Encontro de duas vogais que pertencem a sílabas diferentes.

pa-ís, sa-ú-de, lu-a, i-dei-a

> Você reparou que a palavra hiato contém um hi-a-to?

Encontros de consoantes

Encontros consonantais são encontros de duas ou mais consoantes, sem vogal entre elas.

> Vou repetir: **encontro consonantal** ocorre quando duas ou mais consoantes se encontram na mesma palavra, sem vogal entre elas. **Entendeu?**

Podem ser:

ENCONTROS PERFEITOS: as consoantes pertencem à mesma sílaba.

pe-dra, ma-gro

ENCONTROS IMPERFEITOS: as consoantes pertencem a sílabas diferentes.

por-ta, gar-fo

Dígrafo

Dígrafo é o encontro de duas letras que, ao serem pronunciadas, emitem um único som. Os dígrafos podem representar sons consonantais ou vocálicos e, por esta razão, são classificados em:

DÍGRAFOS CONSONANTAIS: *lh, nh, ch, rr, ss, qu, gu, sc, sç, xc, xs.*

alho, canhão, cachorro, pássaro, queijo, águia, piscina, cresço, exceção, exsudar

DÍGRAFOS VOCÁLICOS: *am, an, em, en, im, in, om, on, um, un.*

tampo, tanto, tempo, tento, limbo, lindo, pombo, tonto, comum, mundo

TESTANDO OS SEUS CONHECIMENTOS

***

DESAFIO

Em uma reunião festiva, vários bichos foram separados de acordo com algumas características assinaladas em diversas placas. Um deles ficou na dúvida para onde deveria ir, porque poderia ir para dois lugares. Outros não se encaixavam em nenhuma das placas.

☺
1) Veja a lista dos bichos que foram à festa e os separe de acordo com as classificações abaixo:

aranha, babuíno, besouro, bode, boi, burro, cabra, cachorro, carrapato, cisne, cobra, coelho, corvo, crocodilo, elefante, galinha, jacaré, mosca, passarinho, tigre, vespa.

2) Quais os que não se encaixaram nas placas?
3) Quais bichos ficaram na dúvida para onde ir? Por quê?

***

O LEÃO QUE ACHAVA QUE ERA UM TRITONGO

O leão andava cheio de si e se gabava de ser um tritongo.

— Que nada — disse a leoa — você é apenas um ditongo e um hiato. Tritongo, tritongo mesmo, só se você for para o Uruguai.

— Só lá? — perguntou o leão, desolado.

— Ah! No Paraguai também! — ela respondeu.

— E você, leoa? — perguntou o leão, curioso.

— Eu sou dois hiatos. E estou satisfeita assim — respondeu a felina.

— Satisfeita? Como pode? — questionou o leão.

— Gosto de ser dois hiatos. Não faria questão de ser um tritongo nem gostaria de ser dígrafo, como os pássaros ou os cachorros — comentou a leoa.

— Quer dizer que eu também não sou dígrafo, mas os cachorros são?! — insurgiu-se o leão.

— Querido, os cachorros são dois dígrafos — explicou a leoa calmamente.

— Dois dígrafos? E eu nada? — bradou o rei.

A leoa concordou.

— E como rei? — perguntou o monarca, irritado.

— Aí, você deixa de ser hiato e fica apenas sendo ditongo — respondeu a leoa.

— Estão tomando meus poderes! — gritou o leão.

— Quais poderes? — perguntou a leoa.

— Os poderes que recebi de minha mãe e de meu pai! — respondeu o leão.

— Seu pai e sua mãe eram ditongos! Quais poderes você acha que perdeu? — insistiu a leoa.

— Quais poderes? Você disse que eu era hiato e ditongo e agora sou apenas ditongo — disse o rei.

— Mas *quais* é um tritongo — esclareceu a leoa.

— Quer dizer que agora já temos um tritongo por aqui? — perguntou o rei, confuso.

— E nosso filho será um dígrafo! — explicou a leoa.

— Peraí! Meus pais eram ditongos, nós somos ditongos e hiatos, mas nosso filho será um dígrafo? Não entendo mais nada! — concluiu o leão.

Histórias que os bichos gostam de contar,
Luiz Eduardo de Castro Neves, Odisseia, 2013.

☺ Agora que leu o texto, responda:
1) Por que o leão não é um tritongo?
2) A leoa disse que os cachorros têm dois dígrafos, quais seriam eles?

2. Ortografia

Letra e alfabeto

Letra é a representação escrita do som.

Alfabeto é o conjunto de letras de um sistema de escrita.

O alfabeto da língua portuguesa tem 26 letras: a, b, c, d, e, f, g, h, i, j, k, l, m, n, o, p, q, r, s, t, u, v, w, x, y, z.

Com o novo acordo ortográfico, as letras k, w, y voltaram a fazer parte do nosso alfabeto.

Elas são usadas em nomes próprios estrangeiros (William, Yale), em palavras de origem estrangeira (*kit*, *show*, *playboy*) e em abreviaturas de uso internacional (kg, km).

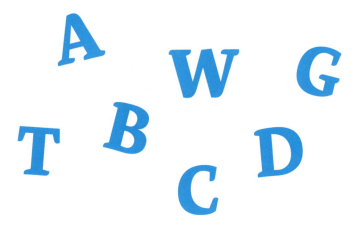

***

A ORTOGRAFIA

A ortografia nos ajuda a escrever corretamente,
mas nem sempre é fácil.

Viajar é com "j", mas viagem é com "g".
Um concerto de música (com "c") não se confunde
com o conserto (com "s") de algo que se quebrou.
Coloque "acento" nas palavras e sente-se nos "assentos".
Às vezes, "s" tem som de "z" (casa, francesa, aplauso).

E veja o "x", que complicação:
pode ter som de "x" (xarope, ameixa, baixo),
pode ter som de "z" (exemplo, exame, exílio),
pode ter som de "cs" (tóxico, sexo, látex),
pode ter som de "ss" (máximo, próximo, auxílio),
pode ter som de "s" (sexto, texto, expectativa).

Por outro lado, "ch" tem o som de "x" (chá, chuva, chave)
e é preciso saber quando usar "ss", "c" ou "ç",
quando eles têm o som de "s" (discussão, parece, diferença).

Estes são só alguns exemplos.
Só para que você perceba que sem a ortografia correta
vira bagunça (que se escreve com cê-cedilha).

A CEDILHA

Coloca-se embaixo do *c*, antes de *a*, *o* e *u* para dar ao *c* o som de *s*.

TESTANDO OS SEUS CONHECIMENTOS

★★★

A LOUCA

A louca se espantava com a cedilha:
como um simples rabicho
podia dar sentido ao palhaço, à criança
e tudo mais que lhe vinha à cabeça?
Mexia no açúcar, pinçava o caroço da maçã.
Coçava o pescoço, mexia no beiço,
e, de lenço no braço, curtia a preguiça.
A louca jamais foi à missa,
porque não achava graça,
mas poderia ser amiga de uma noviça
e até, em oração, rezado o terço.
Tinha uma crença,
que resumia em uma sentença:
"cedilha, desde sua concepção,
foi fruto de traição!"
(já que ela só seria castiça
se começasse com "ç").
E, como forma de reparação,
açodada, usava a cedilha a qualquer preço
(por isso, não dizia conhecia, mas sim conheço).
No mais, pensava em viver na roça,
em pular na poça,
beber cachaça,
e viver da caça.
E, de noite, tomada de cansaço,
percebia a troça
(ou, quem sabe, um simples tropeço)

e, sem embaraço,
via na imperfeição
o seu avesso:
a louça lavava a louca.

☺ Responda:
1) Por que a louca achava que a cedilha foi fruto de traição?
2) A louca achava a cedilha perfeita? Por quê?

20 UMA GRAMÁTICA SIMPÁTICA

☺ 1) Complete o texto abaixo com j, g, ch, x, c, ç, ss, s, z.

***

A DIETA REAL

O leão estava sentado no __ardim do palá__io, ao lado de seu __afariz preferido, quando o macaco, seu fiel escudeiro, se apro__imou:

— Ma__estade, desculpe interromper seu descan__o real, mas Vo__a Ma__estade precisa fazer um re__ime.

— Um re__ime?

— Sim, a leoa disse que Vo__a Ma__estade está acima do pe__o e que não há outro ___eito.

O leão procurou ganhar tempo.

— Bom, por favor, diga à leoa que tenho que fazer uma via__em para tratar de a__untos de grande importância para o mundo animal e assim que voltar cuido disto.

O macaco insistiu:

— Ma__estade, a leoa disse que é ur__ente.

— Ur__ente? Então, será que não tem algum __arope que eu possa tomar e resolver isto de forma imediata?

— Ma__estade, não há po__ão má__ica. É preciso fazer muita __inástica e uma dieta cuidado__a. Vamos ver: va__em, berin__ela, amei__a, abaca__i, suco de tan__erina. À noite, uma __ícara de __á e algumas torradas com __eleia.

— E churrasco de __ebra?

— Nem pensar, Ma__estade. É pé__imo para a di__estão.

O rei estava a__itado.

— Não posso permitir isto! Afinal, sou ou não sou o rei dos animais? Pode deixar que cuidarei disto. Falarei com a leoa imediatamente e direi a ela que não me importo em ficar acima do peso! Não vou viver sem meu churrasco preferido! Não farei dieta nenhuma!

O macaco procurou intervir:

— Ma__estade, se me permite a su__estão, eu não falaria hoje. A leoa está com uma enorme en__aqueca e irritadí__ima.

2) Responda:
a) O que leão tentou fazer para adiar a dieta decidida pela leoa?
b) O que fez o leão se irritar de vez e decidir que não faria a dieta?
c) Depois do conselho do macaco, você acha que o leão falou com a leoa naquele dia?

***

À NOITE

No começo os abraços eram constantes,
a qualquer hora, por todo o momento.
Depois, à medida que a menina crescia,
os abraços diminuíam durante o dia
e só eram vistos à noite.

Ele não precisou de médicos ou feiticeiros,
de pesquisas nos mais grossos livros
ou nos sites especializados
para perceber que a mudança era natural,
uma consequência do tempo.

E, simplesmente, passou a gostar da noite.
Esperava por ela,
só para ter os abraços,
doces, apertados, amorosos, puros,
tal como se ainda fosse o começo.

☺ Por que ele passou a gostar mais da noite?

ACENTUAÇÃO GRÁFICA

Toda palavra com duas ou mais sílabas tem uma sílaba tônica (aquela que é pronunciada com maior intensidade). Por vezes, para identificar estas sílabas, são colocados acentos. Os acentos também servem em alguns casos, para indicar se a vogal na sílaba tônica é aberta ou fechada. Há acentos graves, agudos e circunflexos.[5]

***

O BAÚ DE JACÓ

Esaú abriu o baú de Jacó
e encontrou muitos acentos:
os *agudos* (avó, fé, nós, lápis, música),
os *circunflexos* (avô, metrô, ônibus, paciência)
e os *graves* (à noite, às duas horas, às vezes).
Abraçou seu avô, cantou para sua avó
(de quem sempre foi o xodó).
Descobriu que o acento grave é usado na crase
e, com inteligência, colocou todos em uma só frase:
Às vezes, nós andamos de metrô.

---

5 Se não existisse o acento, haveria muita confusão com algumas palavras (veja a diferença entre vovô e vovó; entre coco e... deixa pra lá).

Acento agudo

Usados nas vogais abertas *a, e, i, o, u* para indicar a sílaba tônica, de acordo com certas regras. **Nem sempre a sílaba tônica é acentuada.**

***

Momento **ú**nico:
Depois do cas**ó**rio, n**ó**s no sof**á**,
ouvindo m**ú**sica, tomando caf**é** e comendo aça**í**,
com dor no p**é** de tanto dançar.

Acento circunflexo

Usados na representação de vogais fechadas *â, ê, ô*, em certos casos, quando a sílaba é tônica:

***

Uma ocorr**ê**ncia me deixou at**ô**nito:
o g**ê**nio da l**â**mpada virou camel**ô**.

Acento grave

Usados para indicar a crase (quando há junção da preposição *a* com o artigo *a*).[6]

***

Às três da tarde, foi **à** praia.
Sentada **à** sombra da barraca, estava **à** vontade.

---

6 A crase será estudada nas páginas 226 a 235.

UMA GRAMÁTICA SIMPÁTICA

TESTANDO OS SEUS CONHECIMENTOS

***

ACENTOS

☺ Coloque os acentos agudos, circunflexos e graves, nas frases abaixo:

Sobre artes
O musico fez um show esplendido. Ao final, o publico aplaudiu de pe. A critica tambem elogiou bastante.

Sobre ciencias
Vejo o fossil de um reptil. Sera que foi o ultimo da sua especie? Sera que foi contemporaneo dos dinossauros?

Sobre finanças
O milionario excentrico gastava em abundancia e sem prudencia. Entrou em decadencia. Agora, vive na penuria.

Sobre os destinos do mundo
Na conferencia de paises, o consul advertiu que a unica saida sera assinar um armisticio e procurar a paz, ja que as consequencias da guerra serão catastroficas.

Sobre mim
Estou miope. Preciso de oculos. Procuro uma medica oftalmologista. Quando ela chega, curiosamente, sou eu que olho a sua iris. E amor a primeira vista.

Em casa, retiro os tenis e deito no sofa. Pego um album de familia. Sinto saudades dos meus avos.

Sobre duvidas (serias ou sem importancia)
Cha ou cafe? Com ou sem açucar?

Sentiu a turbulencia do avião. Acenderam as luzes de emergencia. Cairam as mascaras de oxigenio. Sera que deveria ter ido de onibus?

Sobre o cotidiano
As vezes, vou a praia de taxi.

Um pequeno indio brinca com o cipo na arvore.

Sobre misterios
A substancia liquida encontrada pela policia foi colocada em um plastico e enviada para a pericia. O mordomo e sempre suspeito.

Sobre delirios
Se encontrasse um genio da lampada, pediria para viver nos tropicos e curtir o ocio.

Sobre disputas simples
Par ou impar?

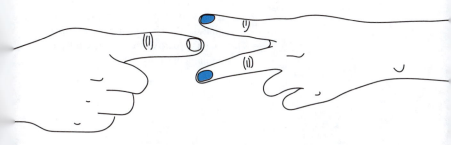

Regras gerais de acentuação

PROPAROXÍTONAS

Sílaba tônica: antepenúltima. São todas acentuadas.

música, física, câmara, lâmpada

PAROXÍTONAS

Sílaba tônica: penúltima. São acentuadas quando as palavras terminam em

- *i*, *u* (e também *is*, *us*, *um*, *uns*)

táxi, lápis, vírus, álbum, álbuns

- *l*, *n*, *r*, *x*, *ps*

automóvel, hífen, ímpar, tórax, bíceps

- *ã*, *ão* (seguidos ou não de *s*)

ímã, ímãs, sótão, órgãos

- ditongo oral (seguido ou não de *s*)*

insônia, vácuo

> *ATENÇÃO: não são mais acentuados ditongos abertos (*ei* e *oi*) quando o ditongo cai na penúltima sílaba (paroxítonas): assembleia, jiboia, ideia.

Oxítonas

Sílaba tônica: última. São acentuadas as terminadas em

– *a*, *e*, *o* (seguidos ou não de *s*)

vatapá, café, vocês, inglês, cipó, cipós, camelô

– ditongo nasal grafado: *em* (seguido ou não de *s*)

armazém, convêm, ninguém, parabéns

– ditongos crescentes abertos: *éi*, *éu* e *ói* (seguidos ou não de *s*)

papéis, chapéu, dói, heróis

– *i(s)* e *u(s)*, quando em hiato

daí, baú, Grajaú

Observação:

Os verbos *ter* e *vir* não são acentuados na terceira pessoa do singular do indicativo, mas recebem acento circunflexo na terceira pessoa do plural.

ele tem – eles têm   ele vem – eles vêm

Os verbos derivados de *ter* e *vir* (deter, conter, manter, invervir, convir etc.) recebem acento agudo na terceira pessoa do singular e acento circunflexo na terceira pessoa do plural do presente do indicativo.

ele mantém – eles mantêm   ele intervém – eles intervêm

Não se inclui acento na terceira pessoa do plural do presente do indicativo dos verbos *crer*, *dar*, *ler* e *ver* (e seus derivados).

eles   creem / deem / leem / veem / descreem / releem

O TIL

O til é um sinal usado em cima do *a* e do *o* para indicar um som nasal na pronúncia dessas vogais. O til não é um acento, mas um sinal gráfico.

***

O TIL

O til pula feito rã em cima do *a*,
na maçã, na irmã, na lã e na avelã,
mas não esconde sua admiração
pela união do *a* com o *o*,
da qual é fã.
Às vezes, aparece na junção do *a* e do *e*,
mãe, pães,
em outras, sobe no *o* (quando ele não se opõe:
corações, orações).
Em geral, anda de caminhão ou de avião,
e, não sem razão, fecha o portão.
Gosta de montão dos aumentativos,
(fortão, casarão, cachorrão)
e tem motivos para pular no chão.
Aparece no limão, no mamão,
nos verões, nas canções, nos grãos.
O til é ligação, transformação,
que, com coração, faz duas letras darem as mãos
para que vivam como irmãs.

O TREMA

O trema foi abolido no Novo Acordo Ortográfico e ainda existe em outras línguas. (Antes do acordo, escrevia-se "lingüiça". Agora, escreve-se "linguiça").

O ACENTO DIFERENCIAL

Antes do Novo Acordo Ortográfico, algumas palavras recebiam acentos diferenciais. Por exemplo, *pára* (verbo) e *para* (preposição). Esta distinção não existe mais. O Novo Acordo Ortográfico manteve apenas a distinção entre *pôr* (verbo) e *por* (preposição); *pôde* e *pode*; *porquê* e *porque* (ver página 40) e *quê* e *que*.

O APÓSTROFO

O apóstrofo serve para assinalar a supressão de um fonema.

Vozes d'África, banana d'água, 'cê (= você)

O hífen

O hífen é um sinal gráfico usado para ligação de palavras compostas ou derivadas por acréscimo de prefixos ou sufixos (couve--flor, guarda-chuva, grão-duque, recém-eleito, cajá-mirim), para ligar pronomes átonos a verbos (visitei-o, perdi-me, apresentar-te--ei) e para separar sílabas (a-be-lha, ca-der-no, vi-o-lão).

***

ALICE NO PAÍS DO HÍFEN

No dia em que se encontrou com o hífen, Alice foi sincera:
— Por que dizem que você é um *mal-educado* que se mete onde não deve?

O hífen deu uma gargalhada:
— Que nada! Sou **indispensável na separação de sílabas e na formação de algumas palavras.** Veja: se-pa-ra-ção. Além disso, **o que fariam duas palavras que juntas ganham um sentido único se eu não existisse?** Deveriam sempre se fundir em uma? Como ficariam, por exemplo, a *bomba-relógio*, o *cachorro-quente*, a *segunda-feira*?

Alice começou a se interessar pelo assunto. O hífen ficou mais animado para ir adiante:
— Em regra, só separo quem deve ser separado! A começar pelos advérbios **mal e bem, quando encontram palavras com "h" ou vogais.** Afinal, gosto do *bem-amado*, evito *mal-estar* e sou *bem--humorado*. Também me intrometo quando **prefixos terminados por vogal, "r" ou "b" se encontram com palavras iniciadas por "h"**: *anti-higiênico, super-homem*.

Alice deu um sorriso. O hífen seguiu:
— Também interfiro com o **ex**, no sentido de anterior, e com o **vice**. *Ex-namorados* deveriam ficar juntos? Por que me excluiriam de um encontro do *ex-aluno* com o *vice-reitor*?

Alice achou graça. O hífen foi em frente:
— Como ficariam os **substantivos compostos ligados pelas mesmas vogais ou pela mesma consoante** se eu não estivesse por perto? *Arqui-inimigos* ficariam atrelados? Que tragédia! Por isso, separo *anti-inflamatório, micro-ondas, semi-intensivo, inter-racial, super-romântico* e outros tantos encontros assim. Mas atenção: **não me meto nas palavras que têm o prefixo "co", "pro" e "re", ainda que a outra palavra comece com a mesma vogal.** Por isso,

escreva *cooperar*, *coordenar*, *proativo* para não ter que *reescrever*.
— E posso saber por que essas distinções, senhor hífen? — perguntou Alice.
— Porque tenho minhas manias, ora bolas! Mas sou **bem-intencionado** e *superecológico*. Estou nas palavras compostas que nomeiam **espécies botânicas ou zoológicas**: como, por exemplo, *erva-doce*, *couve-flor*, *bem-te-vi*, *mico-leão-dourado*.
Alice parecia tão interessada com os esclarecimentos, que o hífen desatou a falar:
— Estou em lugares e nomes compostos **iniciados por grão ou grã**: na *Grã-Bretanha* mora um *grão-vizir*... Gosto da preposição **sem** e dos advérbios **recém**, **além**, **aquém**. Sou um *sem-vergonha* que se intromete com *recém-casados*? Entro nas **formas pronominais nos casos de mesóclise ou ênclise**: pedir-lhe-ei, estuda-me.
A menina achou graça novamente.
— Ah! Também apareço em **palavras com prefixos hiper**, **inter**, **super**, **quando o segundo elemento iniciar com "r" ou "h"**: daí *hiper-resistente*, *hiper-humano*, *super-religioso*, por exemplo.
— Acabou? — perguntou Alice já se cansando com tantas explicações.
O hífen abriu um sorriso:
— Sou mesmo cheio de regras e não falarei de todas. Mas saiba que entro nas **palavras com o prefixo sub, se a palavra seguinte foi iniciada por "b", "r" ou "h"**, como em *sub-região* ou *sub-humano*. Enfim, não me meto em tudo, tanto que no encontro de **palavra terminada em vogal com outra que começa com "r" ou "s" deixo a consoante se duplicar**: *contrassenso*, *antissocial*, *contrarregra*, *ultrarresistente*, e **não me meto nas locuções**. Daí *fim de semana*, *à vontade*, *sala de jantar*, *café com leite*. Mas **permaneço nas locuções já consagradas pelo uso**, como *água-de-colônia*, *arco-da-velha*, *pé-de-meia*, ao *deus-dará*, à *queima-roupa*...
— Locuções consagradas pelo uso? Quais são elas? — perguntou Alice, curiosa.
— Quando tiver alguma dúvida sobre mim, consulte um bom dicionário — respondeu o hífen, *bem-humorado*.

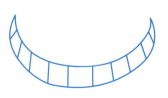

32 UMA GRAMÁTICA SIMPÁTICA

USA-SE HÍFEN NOS COMPOSTOS

– em palavras compostas, cujos elementos conservam sua autonomia fonética, mas formam conceito único:[7]

> água-marinha, ano-luz, arco-íris, conta-gotas, meia-noite

– nos compostos iniciados pelos adjetivos *grã* ou *grão* ou por forma verbal ou quando os elementos estão ligados por artigo:

> Grã-Bretanha, grã-fino, grão-duque, Grão-Pará,
> Passa-Quatro, Todos-os-Santos

– nas espécies botânicas e zoológicas:

> bem-te-vi, erva-doce, joão-de-barro, mico-leão-dourado,
> pimenta-do-reino

– nos compostos com advérbio *bem* e *mal*, quando seguido de palavras iniciadas por *vogal* ou *h*:

> bem-estar, mal-educado, mal-humorado

> OBSERVAÇÕES: O advérbio *bem* não se aglutina com palavras começadas por consoante, tal como ocorre com o advérbio mal:
> bem-comportado, malcomportado
>
> Em muitos compostos, *bem* aglutina-se com o segundo elemento:
> benfazejo, benfeito, benfeitor etc.

– com os advérbios *além*, *aquém* e *recém* e a preposição *sem*:

> além-mar, aquém-fronteiras, recém-nascido,
> sem-vergonha

– nas sequências de palavras (duas ou mais palavras que juntas formam não uma única palavra, mas um encadeamento vocabular):

> ponte Rio-Niterói, Liberdade-Igualdade-Fraternidade,
> latino-americano

---

7 CONCEITO ÚNICO: separados, ano e luz têm significados diferentes de ano-luz.

FONÉTICA E FONOLOGIA **33**

– nas onomatopeias que usam duas ou mais vezes a mesma palavra:

blá-blá-blá, corre-corre, nhém-nhém-nhém, tique-taque

– com os sufixos tupi-guarani, combinados com palavras oxítonas:

amoré-guaçu, cajá-mirim, capim-açu

Usa-se hífen com prefixos e sufixos

– com prefixos *ex-* (estado anterior, cessamento), *sota-*, *soto-*, *vice-* e *vizo-*:

ex-namorada, sota-capitão, soto-mestre, vice-cônsul, vizo-rei

– nas formações com os prefixos tônicos (acentuados) *pós-*, *pré-*, *pró-*, quando o segundo elemento tiver significado próprio:

pós-operatório, pré-exame, pró-democracia

> Atenção: as formas átonas (não acentuadas) se aglutinam com o segundo elemento: pospor, predizer, preexistência, proativo

– com *circum-* e *pan-* seguidos de palavras iniciadas por *vogal*, *h*, *m* ou *n*:

circum-escolar, circum-hospitalar, circum-murado, circum-navegação, pan-americano, pan-hispânico, pan-mágico, pan-negritude

– quando o prefixo termina com a mesma vogal que inicia a segunda palavra:

anti-inflamatório, contra-almirante, micro-ondas

> Esta regra não se aplica aos prefixos *co-* e *re-* (independentemente da vogal que inicia a segunda palavra): coautor, coordenar, reeditar, refazer

– com os prefixos *hiper-*, *inter-* e *super-* se o segundo elemento for iniciado por *h* ou *r*:

> hiper-humano, hiper-resistente, inter-hemisférico, inter-racial, super-herói, super-romântico

– com o prefixo *sub-*, diante de palavras iniciadas por *b*, *h* ou *r*:

> sub-biblitecário, sub-humano[8], sub-raça, sub-região

– quando o segundo elemento começa com *h*:

> anti-higiênico, proto-história, super-homem

O HÍFEN TAMBÉM É USADO

– nos casos de ênclise ou mesóclise:

> perdê-lo, encontrar-te-ei

NÃO SE USA HÍFEN

– quando a primeira palavra termina com *vogal* e a segunda se inicia com *r* ou *s* (duplica-se a consoante):

> antirreligioso, contrarregra, antissemita, ultrassônico, minissaia

– em prefixo terminado em *vogal* quando a segunda palavra se inicia por *vogal diferente* ou *consoante* (com exceção de *h*, *r* ou *s*):

> aeroespacial, antiaéreo, autoanálise, autodidata, semicírculo, semifinal, seminovo, supercompetente

– em locuções[9]:

> café da manhã, fim de semana, cão de guarda, à toa

---

8 Sub-humano também se escreve sem hífen e sem *h*: subumano.
9 Locuções são grupo de duas ou mais palavras que têm o significado de uma única palavra (exemplo: bola da vez). Não se preocupe, veremos locuções na página 78.

> Exceto as que estão consagradas pelo uso:
> água-de-colônia, arco-da-velha, cor-de-rosa, ao deus-dará,
> à queima-roupa, pé-de-meia etc.
>
> *Na dúvida, consulte um dicionário.*

ATENÇÃO:

NUNCA se usa hífen com os prefixos:

co-

– mesmo se a palavra seguinte começar com *r* ou *s*, estas letras se duplicam.

> correlação, corréu, cosseno

pre- e *re-*

– mesmo se a palavra seguinte começar com *e*, estas letras se duplicam.

> preexistir, preestabelecer, reeducar, reembolsar

– nos prefixos *co-*, *des-*, *in-* e *re-* quando seguidos de palavra começada com *h*, a palavra perde o *h* e não se usa hífen.

> coerdeiro, desabituado, inóspito, reabilitação

HÍFEN NA SEPARAÇÃO DE SÍLABAS

Separam-se:

– os dígrafos *rr*, *sc*, *sç*, *ss*, *xc* e *xs*:

> car-ro, nas-cer, des-ço, pas-sá-ro, ex-ce-ção, ex-su-flar

– os hiatos:

> hi-a-to, bo-a-to, sa-ú-de

– encontros consonantais em que consoantes iniciem sílabas:

en-con-tro, con-so-an-te, por-ta

Não se separam:

– os dígrafos *ch*, *lh*, *nh*, *gu* e *qu*:

chu-va, pa-lha-ço, so-nho, guer-ra, qui-be

– ditongos e tritongos:

pei-xe, Pa-ra-guai

TESTANDO OS SEUS CONHECIMENTOS

***

O CONTRA-ALMIRANTE

O *contra-almirante coordenou* a *contraofensiva* vitoriosa. Sentiu-se um *super-herói* ao derrotar o *arqui-inimigo* da nação na missão *ultrassigilosa*.
Recém-chegado do combate, foi elogiado por sua *ex-chefe* e condecorado pelo *vice-presidente*.
Depois, *bem-humorado*, tomou um chá de *erva-doce*.

☺ Você consegue identificar as regras que motivaram a inclusão ou exclusão do hífen nas palavras grifadas?

Antônimo, sinônimo, homônimo e parônimo

Do grego: *anti*: indica algo contrário ou oposto; *omynia* significa nome, palavra; *syn:* com, junto; *homos*: o mesmo; *paronymos*: de nome parecido.

Antônimos

Antônimos são palavras que têm significados contrários. Podem ser formados com

– prefixos de negação:

> feliz e *in*feliz
> igual e *des*igual
> moral e *a*moral
> social e *anti*ssocial

– palavras diferentes:

> alegre e triste

Sinônimos

Sinônimos são palavras que têm o mesmo significado de outra.

> belo e bonito
> carro e automóvel

Homônimos

Homônimos são palavras com a mesma pronúncia ou grafia, mas com significados diferentes.

– Com a mesma pronúncia:

acento (sinal gráfico)   conserto (verbo consertar)
assento (local onde se senta) concerto (de música)

chá (bebida)   seção (divisão)
xá (soberano do Irã)   sessão (reunião)

cheque (pagamento)   sexta (dia)
xeque (xadrez)   cesta (recipiente)
                        sesta (descanso)

– Com a mesma grafia:

banco (de sentar)   manga (de camisa)
banco (de dinheiro)   manga (fruta)

Parônimos

Parônimos são palavras que têm grafia e pronúncias parecidas, mas com significados diferentes.

cavalheiro (homem gentil)   imergir (afundar)
cavaleiro (que cavalga)   emergir (vir à tona)

comprimento (extensão)   inflação (alta de preços)
cumprimento (saudação)   infração (violação)

emigrar (deixar o país)   ratificar (confirmar)
imigrar (entrar no país)   retificar (corrigir)

TESTANDO OS SEUS CONHECIMENTOS

***

UMA NOITE NO TEATRO

O _____ (chá / xá) do Irã foi a um _____ (conserto / concerto). Ao seu lado, um _____ (cavalheiro / cavaleiro) que tomava um _____ (chá / xá) reclamou que seu _____ (acento / assento) estava molhado.

☺ Complete o texto acima com as palavras corretas.

***

O CUMPRIMENTO DO CAVALHEIRO

O *cavalheiro* sempre *cumprimentava* todos. Revoltava-se com o *tráfego* e se angustiava com o *tráfico*. Era preocupado com a *inflação* e com as mais variadas *infrações* praticadas. No entanto, não pensava em *imigrar* e apoiava quem *emigrava*. Sentado no seu *banco* favorito da praça, tomava *chá* e dizia *ratificando* suas convicções:
— Se algo estiver errado, vamos *retificar*! As coisas têm *conserto*.

☺ Identifique os homônimos e parônimos no texto acima.

POR QUE, PORQUE, PORQUÊ E POR QUÊ

Existem quatro tipos de porquê. Já está na hora de você saber o porquê de cada um deles.

POR QUE = por qual razão, por qual motivo;

PORQUE = pois, devido a, em razão de;

PORQUÊ = causa, razão, motivo (normalmente acompanhado de artigo);

POR QUÊ = usado nos finais das frases.

Síntese de como diferenciar os porquês

– Os sem acento são os que mais usamos:

Por que (separado e sem acento) é usado para perguntas e menção de causa.

Porque (junto e sem acento) é usado para respostas e explicações.

– Os com acento são menos usados:

Porquê (junto e com acento) corresponde a motivo, razão.

Por quê (separado e com acento) é usado no final das frases.

***

— Por que vocês querem aprender isto? — perguntou o curioso.
— Porque quero falar corretamente — respondeu o interessado.
— Não consigo entender o porquê desta pergunta — reclamou o irritado.
— Você quer mesmo saber por quê? — completou o desconfiado.

TESTANDO OS SEUS CONHECIMENTOS

***

CURIOSOS

Um curioso encontrou outro curioso e o curioso era saber quem era o mais curioso. Eram perguntas que não encontravam respostas, mas sim novas perguntas. Por quê, para quê, quem, o quê, e o que mais fosse objeto de indagação. Até que um deles pareceu dar-se por satisfeito. Dava a impressão de que nada mais queria perguntar. Ficou em silêncio. O outro quis saber:
— *Por quê?*
—*Porque* não quero saber mais nada — respondeu tranquilamente.
O outro quase enlouqueceu.
— Mas *por quê?*
— *Porque* estou satisfeito assim.
O curioso estava baratinado:
— *Por que* você mudou? Qual é o *porquê* disso?
O ex-curioso riu. Não sabia explicar e não tinha qualquer interesse em descobrir a razão. O curioso permanecia aflito.
— Como pode? Está tomando algum remédio?
— Não.
— Foi algo que eu disse? Você perdeu o interesse pelas coisas do mundo?
— Não.
— Há algo que eu possa fazer?
— Nada.
— Você não tem medo disso tudo?
— Medo? *Por quê?*
O curioso respirou aliviado. Havia esperança.

☺ Explique a razão de colocação dos porquês no texto.

☺ Complete o texto com *por que*, *porque*, *porquê* e *por quê*.

***

_____ VOCÊ NÃO VEIO ONTEM?

— _____ você não veio ontem?
— Você anda muito curioso. _____?
— Eu não sou nada curioso. _____ você está dizendo isso?
— _____ você me faz perguntas demais. Não sei _____ você quer saber de tudo.
— Muito curioso? Saber de tudo? Você me critica sem parar e não sei _____.
— Sinceramente, não estou entendendo o _____ da sua irritação.
— É muito simples: você não veio ontem e eu quero saber _____. _____ você não me conta?
— _____ você me pergunta demais.

Há, a e Ah!

Não confunda:

Há[10]

– verbo haver (= existir) fica sempre no singular:

Há muitos alunos inteligentes nessa escola. (= existem)

– verbo haver (= fazer) indicando tempo passado:

Há três meses que não vejo a Jayne. (= faz três meses)

A – preposição. Utilizada, entre outras funções, para indicar uma ação futura ou a distância de algum lugar.

Raphael e Cláudio viajarão daqui *a* uma semana.

A farmácia fica *a* duas quadras da casa da Liana e do Michel.

Ah! – interjeição.

Ah! Que bom que Aninha, Guilherme e Vera vieram!

---

10 Quando o verbo *haver* é usado no sentido de existir, ele fica sempre no singular:
Existia um gambá na minha rua. / Existiam muitos gambás na minha rua.
Havia um gambá na minha rua. / *Havia* muitos gambás na minha rua.
Mas, quando usado como verbo auxiliar, concorda com o sujeito:
Eles haviam dito o contrário.

TESTANDO OS SEUS CONHECIMENTOS

***

CONVERSA DE INSETOS

— ____ quanto tempo não te vejo, percevejo!
— Que saudades de você, besouro!
— Lembra daquele sapo maldito? Ele se mudou ____ um ano!
— ____ Que coisa boa! ____ sapos demais nesse mundo. Pobres de nós, insetos.
— E os inseticidas, percevejo? ____ veneno mais terrível? Daqui ____ pouco, morreremos todos.
— ____ mundo injusto! Você tem visto aquele grilo falante? Ele continua morando ____ três quadras daqui?
— Claro! Ele saiu ____ uns quinze minutos e voltará daqui ____ uma hora.

☺ Preencha as lacunas com *há*, *a* ou *ah!*.

3. Pontuação

A PONTUAÇÃO é fundamental para organizar as frases.[11]

> SINAIS DE PONTUAÇÃO:
> ponto .
> ponto de interrogação ?
> ponto de exclamação !
> dois-pontos :
> vírgula ,
> ponto e vírgula ;
> travessão —

Ponto

Sinal que marca o final das frases declarativas. É o sinal que indica a maior pausa. Pode ser:

PONTO SIMPLES: quando utilizado entre os períodos das orações.

PONTO PARÁGRAFO: quando utilizado no final de um parágrafo (o parágrafo é utilizado para separar ideias).

PONTO FINAL: quando encerra um texto.

Ponto de interrogação

Sinal usado no final das frases interrogativas diretas.

— Quantos filhos você tem?

— Em que bairro você mora?

Veja a diferença entre as frases interrogativas

— Você sabe o nome dele? (interrogativa direta)

— Diga-me o nome dele. (interrogativa indireta)

---

11 Imagine que confusão fui à feira comprei banana abacate morango e melão mas esqueci a pontuação

Ponto de exclamação

Sinal utilizado no final de frases para expressar emoção, surpresa, admiração, indignação, raiva etc.

> — Oh! Que alegria ver você aqui!
> — Você é o máximo!

Também pode ser usado com ponto de interrogação.

> — Como você deixou isto acontecer?!

Dois-pontos

Os dois-pontos são utilizados para:

– introduzir uma fala ou citação:

> Como dizia o poeta: "fundamental é mesmo o amor".

– introduzir uma explicação:

> Eram várias frutas: banana, abacate, melão, morango e tangerina.

Vírgula

A vírgula marca uma pausa de pequena duração.

Veja as orações e a diferença que a vírgula faz:

> — Henrique, vem comer.
> — Henrique vem comer.

Na primeira oração (Henrique, vem comer), alguém está pedindo que Henrique venha comer.

Na segunda oração (Henrique vem comer), alguém está informando que Henrique virá comer.

A vírgula deve ser usada para

– separar elementos de uma lista:

> Gustavo foi à feira e comprou: banana, batata, tomate, alface e hortelã.

– separar o lugar, o tempo ou modo indicado no início da frase:

> Depois de dias, choveu.

– separar orações independentes (exceto se separadas pela conjunção *e*):

> Carol canta, dança e sapateia.

– indicar a omissão do verbo:

> Rafael gosta de sair; Eduardo, de ficar em casa.

– isolar o vocativo:

> Vamos logo, Pedro.

– isolar o aposto ou explicações que estão no meio da frase:

> João Henrique, que é carioca, adora praia.

> Atenção: Jamais use vírgula para separar o sujeito do predicado ou o verbo do objeto direto.

Ponto e vírgula

Sinal que representa uma pausa mais longa do que a vírgula, mas menor do que o ponto. Serve para organizar o período.

É usado:

– para separar orações, quando se quer marcar uma pausa entre elas:

> Michel viajou para França; Daniel, para o Chile.

– para separar itens de uma enumeração (como ocorre em receitas culinárias, manuais e artigos de lei):

> Ingredientes:
> leite condensado;
> chocolate em pó;
> manteiga.

> Vamos nos dividir em sete grupos: Rafael, Felipe e Manuela; Eduardo e Bruna; Duda e Bia; Clara e Luiza; Guilherme e Henrique; Joana e Marina; Rafael, Maria Laura e Maria Antônia.

– para separar orações coordenadas muito extensas ou que já possuam vírgula:

> O comandante avisou aos soldados que teriam que acordar mais cedo, se esforçar mais nos exercícios, manter os alojamentos limpos; todos ficaram preocupados.

Travessão

É usado principalmente em dois casos:

– para marcar a mudança do interlocutor no diálogo:

> — Você já foi ao Nordeste?
> — Não. Vale a pena?
> — Claro! É lindo!

– para isolar frases ou palavras (neste caso, equivale a parênteses ou vírgulas):

> O rapaz — já cansado de tanto trabalhar — foi se deitar.

Aspas

As aspas (duplas) são utilizadas:

– no início e no final de uma citação para separá-la do resto do contexto:

> Como dizia o poeta: "é impossível ser feliz sozinho".

– para identificar palavras ou expressões em língua estrangeira ou que sejam estranhas à língua culta (como gírias e expressões populares):

> Acabei de fazer um "post" no meu "Instagram".

– para acentuar o sentido de uma palavra ou expressão:

> Donna disse "sim" para Raphael.

– para mostrar que a palavra está em sentido diverso do usual (normalmente pejorativo ou irônico):

> Calor, fome, cansaço, foi uma "ótima" tarde.

Usam-se aspas simples

Quando a parte do texto que se quer destacar já está dentro de um trecho com aspas:

> Ele disse: "sempre faça o 'back up' dos arquivos".

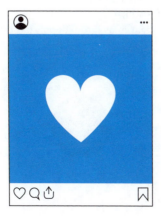

Reticências

Marcam a suave interrupção de uma frase. Podem ser usadas:

– para indicar que o narrador ou personagem interrompe uma ideia que começou a exprimir:

> — Eu estava lá, mas...

– para indicar hesitações na oralidade:

> — Eu estive pensando... Será que... Não sei se...
> — O que é? Vai! Diz logo!
> — Você... Você quer casar comigo?
> — É que...

– em trechos suprimidos de um texto:

> Constituição Federal
> Artigo 1º – A República Federativa do Brasil (...) tem como fundamentos:
> (...)
> III – a dignidade da pessoa humana.

Parênteses

Servem para separar informações, explicações ou comentários acessórios:

> Vasco da Gama (grande navegador) nasceu na cidade de Sines (Portugal).
> Vou te ligar mais tarde (depois das duas).

TESTANDO OS SEUS CONHECIMENTOS

☺ Coloque a pontuação correta nos textos a seguir.

***

CLASSIFICADOS DO FUTURO

Imagino que no futuro será possível ver nos classificados o seguinte anúncio__ Vendo apartamento em Saturno__ três quartos__ sol da manhã__ com bela vista para os anéis__ Prédio com sistema de oxigênio próprio__ Aceito troca por casa em Marte__ Imperdível__

***

ENCOMENDA

__ Oi__ Tudo bem__
__ Tudo__ E você__
__ Estou ótima__
__ Estou te ligando porque queria saber se__
__ Saber o quê__
__ É que você vai viajar e queria pedir que me trouxesse uma encomenda__
__ Sem problemas__ O que é__
__ Uma bota de esqui__
__ Uma bota de esqui__

***

CADÊ O CHICO

__ Oi __ Sofi, você viu o Chico__
__ Ele saiu com o Felipe e com a Luisa__
__ Você sabe se a Catarina e o André foram com eles__
__ Não__ Por que você não pergunta para a Carol__
__ Porque ela saiu com o Bruno__

UMA GRAMÁTICA SIMPÁTICA

***

A BRUXA

A bruxa chega em casa__
__ Querido__ você sabe onde está minha poção de embeleza-mento__
__ Acho que está em cima da pia da cozinha___ ao lado da sua vassoura __ ele responde__
__ Meu bem__ você já conseguiu consertar o meu caldeirão__
__ Hoje__ liguei para a loja__ Disseram que fica pronto na se-mana que vem__
__ Uma semana para consertar um simples caldeirão__ Como é que eu trabalho durante todo este tempo __ ela reclama__
__ Querida__ o furo estava enorme__ Tiveram que mandar para um especialista__ O que foi que você colocou ali dentro__
__ Meu bem__ você sabe onde está minha poção contra estresse__

☺ Leia o texto abaixo:

***

A PROPOSTA

— Eu, sair da savana?
— É, Majestade. Vossa Alteza vai viver no zoológico, como acontece com muitos animais. Só que será em Nova York!
— No zoo do Central Park? Eu vi no cinema que...
— Majestade, não dá para acreditar em tudo que a gente vê no cinema... O zoo do Central Park é pequeno. O zoo do Bronx tem uma área enorme e as acomodações são muito mais confortáveis.
— E eu poderei ir a Manhattan de vez em quando?
— Infelizmente, não. Por questões de segurança, entende? Mas pessoas que estão em Nova York poderão visitá-lo. E Vossa Majes-tade terá comida, sem ter de caçar, e dormirá tranquilo, sem medo de ser atacado.
— Como, atacado? Ninguém ataca um leão!
— Bom, Majestade. Isso era antigamente. Hoje, bicho nenhum mais tem sossego. E essas preocupações não existem no zoológico.

Vossa Majestade viverá em segurança e ainda terá três leoas com você. Seus filhos serão cuidados e mantidos juntos da família.
O leão permanece em silêncio.
— Outro atrativo interessante é o plano de saúde. Vossa Majestade já pensou na velhice? Quando não tiver mais condições de proteger o bando, terá que se distanciar de todos para morrer sozinho.
— Que horror!
— Lei da Selva, Majestade. Lei da Selva. Na nossa oferta, Vossa Majestade terá que abrir mão da liberdade, mas veja os benefícios: comida, moradia, plano de saúde. E, ainda por cima, em Nova York.
— Preciso pensar. Posso conversar com meus advogados?
— Claro. Só fazemos as transferências com a situação legal regularizada. Sabe como estão as sociedades protetoras dos animais... Mas, sem querer pressioná-lo, precisamos resolver logo. Estamos em contato com um leão da Tanzânia e a negociação está bem adiantada. Falta apenas resolver algumas exigências da leoa.
— Exigências?
— Ela quer levar a mãe e uma tia velha...
— Se é possível fazer exigências, eu gostaria de poder ir à África, ao menos uma vez por ano. Pelo menos por quinze dias.
— Isto dá para arranjar.
— Primeira classe?
— Sem acompanhante?

☺ Agora reponda:
Quais os benefícios que o leão teria se aceitasse a proposta e o que ele iria perder?

PARTE 2:

MORFOLOGIA

(estudo da estrutura, formação e classificação das palavras)

Etimologia

Estrutura das palavras

O radical, a desinência, a vogal temática e os afixos (prefixos e sufixos). Hibridismo e onomatopeia.

Formação das palavras

Derivação e composição.

Classes de palavras

Classes de palavras: substantivo, artigo, adjetivo, pronome, verbo, advérbio, preposição, numeral, conjunção, interjeição.

4. Etimologia

Etimologia é o estudo da origem e evolução das palavras. A maior parte das palavras da nossa língua vem do latim e do grego.

★★★

ETIMOLOGIA

Aquele *dinossauro, quadrúpede, paquiderme, carnívoro,* deu-me *taquicardia*.

OU SEJA:

etmos	(grego)	origem	*logia*	(grego)	estudo
dino	(grego)	poderoso, temível	*sauro*	(latim)	lagarto
quadru	(grego)	quatro	*pede*	(latim)	pé
paqui	(grego)	espesso, grosso	*derme*	(grego)	pele
carnis	(latim)	carne	*voro*	(latim)	que come
taqui	(grego)	breve, rápido	*cardio*	(grego)	coração

***

PAI E FILHO

O pai explica para o filho:

— Muitas palavras da língua portuguesa vêm do latim, língua falada pelos antigos romanos. Por exemplo, em latim, chuva é *pluvia*. Daí, águas pluviais, águas da chuva. Em latim, pessoa é *persona*. Daí, personalidade, personagem. Várias palavras vêm do grego: como democracia, que surge da junção das palavras gregas *demo* (que significa povo) e *kratos* (que significa poder).

— O povo no poder! — alegra-se o filho.

— Às vezes, as palavras surgem de sons que são emitidos. Veja o "cocoricó" que reproduz o som do galo. Quando as palavras surgem desta forma, chamamos de onomatopeia — continua o pai.

— Onomatopeia? Que nome é este? — questiona o filho.

— Pois é, *onomatos*, em grego, quer dizer nome.

O menino se tranquiliza.

— De vez em quando, a língua portuguesa usa palavras de outras línguas. Em um restaurante, chamamos o garçom (em francês, *garçon* é menino) e pedimos um filé com molho de *champignon* (o nosso cogumelo) e purê (em francês, *filet*, *champignon* e *purée*). Comemos hambúrguer e *cheeseburguer*, que vêm do inglês. Algumas palavras vêm do tupi-guarani. Por exemplo, *Ipanema* significa água ruim, rio sem peixes.

O filho se surpreende:

— E, por acaso, a água da praia de Ipanema é ruim?

O pai ri:

— Eu não acho, mas os índios achavam.

5. Estrutura das palavras

Morfemas

Morfemas são pequenas partículas que formam as palavras. Os morfemas são: radical, desinências, vogal temática e afixos.

Radical

Radical é o elemento originário e irredutível que traz o significado da palavra. É sua raiz.

menin	-o	*corr*	-e
radical	-a	*radical*	-eram

Vogal temática

Vogal temática é a vogal que se junta ao radical, preparando-o para receber as desinências.

Nos verbos, ela é indicativa das conjugações:

– vogal *a*: 1ª conjugação – verbos terminados em AR
– vogal *e*: 2ª conjugação – verbos terminados em ER
– vogal *i*: 3ª conjugação – verbos terminados em IR

radical	*vogal temática*	*desinências*
am	a	va
perd	e	ra
part	i	a

> O verbo *pôr* (e seus derivados) é da segunda conjugação, já que ele era escrito "poer", mas perdeu a vogal do infinitivo. Note-se que a vogal temática originária aparece em algumas de suas formas. Veja a correspondência: vend-e-s / põ-e-s.

Desinências

Desinências são elementos que se juntam ao final das palavras indicando a sua flexão. Podem ser:

DESINÊNCIAS NOMINAIS: indicam o gênero ou o número dos nomes.

menin   *o*   *s*
         desinência   *desinência*
         de gênero   *de número*

DESINÊNCIAS VERBAIS: indicam nos verbos o modo e o tempo, a pessoa e o número.

encontra   *va*   *mos*
         desinência   *desinência*
         modo-temporal   *número-pessoal*

Afixos

Afixos são morfemas que se ligam ao radical e transformam uma palavra primitiva em derivada.

Eles se dividem em:

PREFIXOS[12]

Antecedem o radical.

O menino *contradizia* seu *bisavô*, que achava graça, porque nele se *reconhecia* e via seu *recomeço*.

(*contra-* + dizer) (*bis* + avô)

(*re-* + conhecer)
(*re-* + começo)

SUFIXOS

Vêm após o radical.

Os sufixos se dividem em:

SUFIXOS NOMINAIS

– formam substantivos e adjetivos: *-dade*.

feliz – felici*dade*

SUFIXOS VERBAIS

– formam os verbos: *-ar*.

explícito – explicit*ar*

SUFIXOS ADVERBIAIS

– formam os advérbios: *-mente*.

breve – breve*mente*

---

12 Há várias palavras que têm prefixos de origem grega e latina (ver página 67).

Alguns radicais

Há inúmeras palavras que utilizam *radicais de origem grega* (na lista abaixo, em sua forma aportuguesada).

RADICAL	SENTIDO	PALAVRA
aero-	ar	aeronáutica
agro-	campo	agrônomo
antropo-	homem	antropologia
arqueo-	antigo	arqueologia
atmo-	gás, vapor	atmosfera
auto-	de/por si mesmo	autobiografia
biblio-	livro	biblioteca
bio-	vida	biologia
cali-	belo	caligrafia
cardio-	coração	cardiologia
cine-	movimento	cinema
cloro-	verde	clorofila
cromo-	cor	cromoterapia
crono-	tempo	cronômetro
datilo-	dedo	datilografia
demo-	povo	democracia
etno-	raça	etnologia
foto-	luz	fotossíntese
gastro-	estômago	gastrite
gene-	origem	genética
geo-	terra	geologia
hemo-	sangue	hemorragia
hetero-	diferente	heterossexual
hidro-	água	hidratação
hipo-	cavalo	hipódromo
iso-	igual	isonomia
mega(lo)-	grande	megalomania
micro-	pequeno	microscópico
morfo-	forma	morfologia
neo-	novo	neologia

odonto-	dente	odontologia
oftalmo-	olho	oftalmologia
oligo-	pouco	oligarquia
pato-	doença	patologia
piro-	fogo	pirotecnia
poli-	muito	polissílabo
pseudo-	falso	pseudônimo
psico-	alma	psicologia
quiro-	mão	quiromancia
rizo-	raiz	rizotônico
taqui-	rápido	taquicardia
tele-	longe	telescópio
teo-	Deus	teologia
xeno-	estrangeiro	xenofobia
zoo-	animal	zoológico

Às vezes, os *radicais gregos* aparecem como segundo elemento na composição das palavras:

RADICAL	SENTIDO	PALAVRA
-agogo	o que conduz	pedagogo
-cracia	governo	democracia
-fobia	medo	hidrofobia
-grafia	escrita	caligrafia
-logia	estudo, ciência	antropologia
-metro	medida	hidrômetro
-potamo	rio	hipopótamo
-sofia	sabedoria	filosofia
-teca	coleção	pinacoteca

Como se vê, algumas palavras são formadas integralmente por radicais gregos:

demo- (povo) + *-cracia* (poder) = democracia (povo no poder)
hidro- (água) + *-fobia* (medo) = hidrofobia (medo de água)
hipo- (cavalo) + *-potamo* (rio) = hipopótamo (cavalo de rio)

Há inúmeras palavras que utilizam *radicais de origem latina*:

RADICAL	SENTIDO	PALAVRA
agri-	campo	agricultura
ambi-	duplicidade	ambiguidade
beli-	guerra	belicoso
ego-	eu	egoísmo
equi-	igual	equidade
frater-	irmão	fraternal
mater-	mãe	materno
oni-	todo	onipresente
pari-	igual	paridade
pater-	pai	paterno
pluvi-	chuva	pluvial
vermi-	verme	vermífugo

Às vezes, *os radicais latinos* aparecem como segundo elemento na composição das palavras:

RADICAL	SENTIDO	PALAVRA
-cida	que mata	homicida
-paro	que produz	ovíparo
-voro	que come	carnívoro

Sufixos

SUFIXO NOMINAL

É o que forma substantivos e adjetivos.

SUFIXOS AUMENTATIVOS		SUFIXOS DIMINUTIVOS	
-aço:	ricaço, barulhaço	*-ebre:*	*casebre*
-alhão:	amigalhão	*-eca(o):*	*soneca, livreco*
-anzil:	corpanzil	*-eta(o):*	*maleta, livreto*
-ão:	amigão, gordão, casarão	*-icha:*	*barbicha*
-arra(o):	bocarral, manzorra	*-inha(o):*	*casinha, gatinho*
-arrão:	homenzarrão	*-isco:*	*chuvisco*
-eirão:	chaveirão		
-ona:	mandona		
-uça:	dentuça		

***

Acordo *cedinho*, bebo um *cafezinho*,
pego minha *maleta* e saio de *carrão*.

Sufixos que formam substantivos a partir de outros substantivos.

-ada	boiada, ferroada
-ado	mestrado, letrado
-agem	folhagem, canoagem
-aria	borracharia, padaria
-eiro	barbeiro, jornaleiro
-eria	leiteria, bilheteria

Sufixos que formam substantivos a partir de adjetivos.

-dade	felicidade, intensidade
-ez (-eza)	insensatez, tristeza
-ia	alegria
-ice	esquisitice, maluquice
-ície	calvície, planície
-ura	bravura, loucura

> ATENÇÃO: Nem sempre palavras terminadas em -ão são aumentativos (atenção, caminhão, cartão, palavrão) nem as terminadas em -inho são diminutivos (calcinha, vizinha, quentinha).
>
> Às vezes, aumentativos e diminutivos são usados com valor afetivo (mãezinha, filhotinho) ou depreciativo (gentinha, dramalhão).

Sufixo verbal

É o que forma os verbos (nos parênteses os substantivos que geraram os verbos).

-ar	analisar (análise), pesquisar (pesquisa)
-ear	chicotear (chicote), cabecear (cabeça)
-ejar	farejar (faro)
-(i)ficar	solidificar (sólido)
-ilhar	dedilhar (dedo)
-iscar	chuviscar (chuvisco)
-izar	utilizar (útil)

> Há também outros sufixos verbais como: -icar (bebericar), -inhar (escrevinhar), -itar (saltitar) etc.

***

— Pare de *chicotear* esse cavalo!
— Quem é você para me *fiscalizar*?
— Sou fiscal da região! — disse o rapaz com seu cão *farejador*.
— Mas ele não para de *relinchar*.
— E você não relincharia, se fosse chicoteado sem parar?

Sufixo adverbial

O único sufixo formador de advérbios é *-mente* (forma advérbio de modo a partir de um adjetivo, em sua flexão feminina, quando houver).

constante	+	*-mente*	= constantemente
perdido	+	*-mente*	= perdidamente
rico	+	*-mente*	= ricamente

***

Lentamente se levantou
e leu o jornal *atentamente*.
Infelizmente, achou o mundo louco,
completamente fora de ordem,
como, aliás, já achava *habitualmente*.

MORFOLOGIA 67

Ainda sobre prefixos

Há inúmeras palavras que utilizam *prefixos de origem grega*:

PREFIXO	SENTIDO	PALAVRA
a-, an-	negação	amoral, analfabeto
anti-	oposição	anti-inflamatório
hiper-	excesso	hipertensão
metá- (met-)	mudança	metamorfose
pan-	tudo	pan-americano
para-	ao lado	paralelo

Outras palavras utilizam *prefixos de origem latina*:

PREFIXO	SENTIDO	PALAVRA
ab-	afastamento, separação	abdicar
ante-	anterior	antebraço
bi-, bis-	dois	bisavô
contra-	oposição	contradizer
re-	para trás ou repetição	refazer
retro-	movimento para trás	retroceder
semi-	metade	semicírculo
pos-	posição posterior	póstumo

TESTANDO OS SEUS CONHECIMENTOS

***

RECÉM-CASADOS

Eram *recém-casados*. *Perdidamente apaixonados,* nada afetaria o *encantamento* mútuo. Nem o ronco *barulhento* dele nem o lado *implicante* dela.

☺ Indique os prefixos e sufixos das palavras marcadas.

6. Formação das palavras

As PALAVRAS se formam por:

DERIVAÇÃO: a palavra nasce de um único radical.

COMPOSIÇÃO: a palavra nasce de dois ou mais radicais.

Derivação

Derivação por acréscimo de afixos

A derivação pelo acréscimo de afixos pode ser:

DERIVAÇÃO PREFIXAL

A palavra nova é obtida com a inclusão de um prefixo.

des-	fazer	in-	constante
prefixo	*radical*	*prefixo*	*radical*

DERIVAÇÃO SUFIXAL

A palavra nova surge com a inclusão de um sufixo.

feliz	-mente	amig	-ão
radical	*sufixo*	*radical*	*sufixo*

DERIVAÇÃO PARASSINTÉTICA

A nova palavra é obtida pelo acréscimo simultâneo de prefixo e sufixo.

a-	paix	-onado	des-	encant	-amento
prefixo	*radical*	*sufixo*	*prefixo*	*radical*	*sufixo*

***

Felizmente, meu amigão inconstante está apaixonado.

Derivação sem acréscimo de afixos

Na derivações regressiva e imprópria a palavra derivada não sofre acréscimo de prefixo ou sufixo.

DERIVAÇÃO REGRESSIVA

A palavra nova é obtida pela redução da palavra primitiva.

combate	(deriva de combater)
pesca	(deriva de pescar)
portuga	(deriva de português)
boteco	(deriva de botequim)

***

O *portuga* entrou em um *combate* no *boteco*.

DERIVAÇÃO IMPRÓPRIA

Ocorre quando há mudança gramatical da palavra, sem que ela esteja anexada a um prefixo ou sufixo.

***

De substantivo próprio para comum
Damasco é a capital da Síria.
Minha fruta favorita é *damasco*.

De substantivo comum para próprio
No sítio dela há um *carvalho*.
O doutor *Carvalho* é um economista muito respeitado.

De substantivo para adjetivo
Laranja é minha fruta preferida.
Ela estava de vestido *laranja*. (= da cor)

De advérbio para substantivo
Ele chegou *tarde* em casa.
A *tarde* estava chuvosa.

***

Doutor *Carvalho* comia *damasco* no prato *laranja*.

Composição

Na composição, dois ou mais radicais se juntam para formar uma nova palavra. A composição pode ser:

Composição por justaposição

Os radicais se juntam sem que haja alteração fonética (ou seja, a palavra mantém a mesma pronúncia que tinha antes da junção).

        beija-flor   passatempo
        couve-flor   pé de moleque
        girassol   terça-feira

Composição por aglutinação

A união dos radicais causa alteração fonética.

        aguardente   (água + ardente)
        boquiaberto   (boca + aberto)
        embora   (em boa hora)
        fidalgo   (filho de algo)
        hidrelétrica   (hidro + elétrica)

***

Segunda-feira, um menino comia um *pé de moleque* quando viu um *fidalgo* tentar dar *aguardente* para um *beija-flor* que voava perto de um *girassol*. Ficou *boquiaberto*.

Hibridismo

São palavras híbridas as que se formam de elementos de línguas diferentes.

auto	+	móvel		= automóvel
(vem do grego)		*(vem do latim)*		
bi	+	ciclo	+ ette	= bicicleta
(vem do latim)		*(vem do grego)*	*(vem do francês)*	
buro	+	cracia		= burocracia
(vem do francês)		*(vem do grego)*		

Onomatopeia

Onomatopeia é formação de palavra que busca imitar o som natural daquilo a que se refere.

cacarejar, miar, tique-taque, zum-zum-zum

✱✱✱

HIPERSENSIBILIDADE ONOMATOPAICA

Não consigo dormir neste *zum-zum-zum*. O galo não para de *cacarejar* e o gato de *miar*. E, para piorar, ainda tem o *tique-taque* do meu relógio.

Abreviação

Abreviação é a redução de palavras longas.

foto	(fotografia)
moto	(motocicleta)
quilo	(quilograma)

> Atenção: Abreviação não se confunde com abreviatura, que é a representação da palavra apenas por algumas de suas sílabas ou letras.
>
> Exemplo: fís. (física), p. ou pág. (página), port. (português), séc. (século).

Siglas

Siglas também são abreviaturas de nomes de instituições, entidades, programas ou outros.

ABL	(Academia Brasileira de Letras)
CPF	(Cadastro de Pessoas Físicas)
ENEM	(Exame Nacional do Ensino Médio)
IBGE	(Instituto Brasileiro de Geografia e Estatística)
MEC	(Ministério da Educação)
ONU	(Organização das Nações Unidas)
ONG	(Organização Não Governamental)
SENAI	(Serviço Nacional de Aprendizagem Industrial)
STF	(Supremo Tribunal Federal)
UERJ	(Universidade do Estado do Rio de Janeiro)
USP	(Universidade de São Paulo)

TESTANDO OS SEUS CONHECIMENTOS

***

O INVENTOR DE PALAVRAS

Desde cedo, o menino começou a se preocupar com o pai. Tinha medo de que algo de ruim acontecesse com ele. É que o pai gostava de inventar palavras e o menino, ainda bem pequeno, percebeu que aquilo só era permitido a crianças. No entanto, seu pai não parecia se preocupar com isso: quase todo dia inventava alguma palavra e escrevia suas criações em um dicionário, como se isso as tornasse oficiais. O menino, que já tinha passado da fase em que falar algo errado era bonitinho, vivia com muito medo de alguma repreensão. Um dia, aconteceu o que mais temia: cinco fortes batidas na porta e um grito "abre a porta, é a polícia!". A mãe ficou apavorada:

— Querido, o que você vai fazer?

Pela primeira vez, o menino viu o pai nervoso. Cinco novas batidas e o pai abriu a porta. Ao lado de dois policiais, a professora primária do menino.

— É este! — ela aponta com enorme satisfação — Rasga a gramática, inventa palavras erradas, cria coisas da cabeça dele e, pior, ensina estas maluquices a crianças inocentes.

— Você está me acusando de "dicionarizador"? — pergunta o pai, já arrependido de ter-se manifestado.

Os policiais ingressam no apartamento.

— Vamos fazer uma averiguação no local.

A mãe tenta interceder:

— Senhor, deve estar havendo algum mal-entendido.

Os policiais começam a procurar. Com eles, um cão farejador, que logo acha um dicionário no escritório. Um policial vê as anotações de novas palavras, e outras tantas riscadas. Assustado, pergunta:

— Esta letra é do senhor?

O pai abaixa a cabeça. A professora primária abre um sorriso de vitória.

☺ Responda:
1) Do que o pai do menino era acusado? Por quê?
2) No texto, o pai do menino inventa uma palavra que não existe.
Qual é ela? O que ela pretende significar?
3) O que há de diferente no dicionário encontrado pelo policial?

***

O QUE ACONTECEU?

Toc-toc.
— Entra.

Din-don.
— Quem é?

Cocoricó. Cocoricó!
— Eu quero dormir!

Tchibum!
— Está fria?

Aatchim!
— Saúde!

— Quer um pedaço?
— Nhac!

Ele chegou perto dela e... smack!

— Ai!

— Uhuu!

☺ Lendo as onomatopeias, você consegue saber o que aconteceu?

Classes de Palavras

As palavras da língua portuguesa dividem-se nas seguintes classes:

SUBSTANTIVO: palavra usada para denominar os seres e as coisas.

ADJETIVO: palavra que qualifica o substantivo, indicando suas características.

ARTIGO: palavra que vem antes do substantivo, tornando-o determinado ou indeterminado (indica gênero e número do substantivo).

PRONOME: palavra variável em gênero, número e grau, que representa ou acompanha o substantivo.

VERBO: palavra que indica ação, situação ou mudança de estado.

ADVÉRBIO: palavra invariável que modifica o verbo, o advérbio ou o adjetivo.

PREPOSIÇÃO: palavra invariável que liga dois termos de uma oração.

NUMERAL: palavra que quantifica os seres ou coisas.

CONJUNÇÃO: palavra invariável que é usada como elemento de ligação.

INTERJEIÇÃO: palavra invariável que exprime emoções e sentimentos.

O	MEU	PRIMO	GULOSO	IMPLOROU	NOVAMENTE
artigo	*pronome*	*substantivo*	*adjetivo*	*verbo*	*advérbio*

POR	DOIS	SORVETES	E	TRÊS	DOCES.
preposição	*numeral*	*substantivo*	*conjunção*	*numeral*	*substantivo*

Os *substantivos*, *adjetivos*, *artigos*, *numerais*, *verbos* e *alguns pronomes* **são variáveis**, já que podem sofrer mudanças de gênero, grau, número, de pessoa, de tempo e de modo.

Os *advérbios*, as *preposições*, *conjunções* e alguns *pronomes* **são invariáveis**.

    Às vezes, Bernardo chega tarde.
    Às vezes, Bernardo, Guilherme e Carol chegam tarde.

(Os advérbios *às vezes* e *tarde* não variam. O verbo chegar varia de acordo com o sujeito).

Locuções

Às vezes, as classes de palavras aparecem em forma de locuções (**locução é o conjunto de duas ou mais palavras que unidas têm um único sentido e têm a mesma função morfológica**). A locução pode ser substantiva (função de substantivo), numérica (função de numeral), prepositiva (função de preposição), conjuntiva (função de conjunção), interjetiva (função de interjeição). Veja alguns exemplos:

LOCUÇÃO VERBAL: dois ou mais verbos têm a função de um único verbo.

> viu = tinha visto

LOCUÇÃO ADJETIVA: duas ou mais palavras têm o sentido de um adjetivo.

> lunar (adjetivo) = da lua (locução adjetiva)
> *de* (preposição) + *lua* (substantivo)

LOCUÇÃO ADVERBIAL: duas ou mais palavras têm o sentido de um advérbio.

> novamente (advérbio) = de novo (locução adverbial)
> *de* (preposição) + *novo* (substantivo)

Daniel	tinha visto	de novo	um eclipse	da lua.
	locução verbal	*locução adverbial*		*locução adjetiva*

Não se preocupe, vamos ver cada uma destas classes com calma.

***

AS CLASSES DE PALAVRAS

Primeiro vêm os **substantivos**: *mãe, pai..., bola, casa, brinquedo...*
Artigos definem, especificam substantivos e lhes atribuem gênero e quantidades: *a* bola, *o* sorvete; *as* bolas, *os* sorvetes... Às vezes, eles não definem tanto assim: *uma* bola, *uns* sorvetes...
Aos poucos, aparecem os **adjetivos**: *grande, pequeno, feio, bonito...*
As coisas começam a ficar mais definidas quando surgem os **verbos**: *comer, beber, dormir, estudar, estar...*
Os **advérbios** interferem nos adjetivos, nos verbos e nos próprios advérbios, deixando tudo mais claro: isto é *muito* velho, isto é *muito* novo, dancei *muito*, dancei *pouco*; moro *perto*, moro *longe*; moro *muito perto*, moro *muito longe...*
Os **numerais** ajudam a definir a quantidade ou a ordem das coisas: afinal, você tem *um* ou *dois* ingressos para o show? Você mora no *segundo* ou no *terceiro* andar?
Os **pronomes** têm muitas funções: distinguir as pessoas (*eu, tu, ele...*), definir o que é *meu*, o que é *seu*, o que é *nosso*; demonstrar coisas: *este, aquele...*
Conjunções ligam palavras *e* orações, *mas* as **preposições** também são *de* grande utilidade *para* fazer ligações.
Acho que é isto aí.
Xi! Quase me esqueço das **interjeições**.

7. Substantivo

Substantivo é palavra usada para denominar os seres, coisas, sentimentos, estados etc.

Classificação dos substantivos

COMUM: palavra que nomeia genericamente seres da mesma espécie.

> abacate, menino, mesa, praia, televisão
> *(São escritos com inicial minúscula, exceto se começarem uma frase.)*

PRÓPRIO: palavra que dá nome a um ser particular de uma mesma espécie.

> João, Maria, Rio de Janeiro, São Paulo, Alemanha, Egito
> *(São escritos com inicial maiúscula.)*

SIMPLES: possui um só radical.

> pedra, rio

COMPOSTO: possui mais de um radical.

> couve-flor, pé de moleque

PRIMITIVO: não vem de outra palavra.

> rio, pedra, flor, sol

DERIVADO: vem de outra palavra.

> riacho, pedreira, floresta, solário

CONCRETO: é o que tem existência material própria.

> cadeira, mesa, homem, mulher, estrela

ABSTRATO: dá nome a estados, qualidades e ações dos seres. Os substantivos abstratos dependem de outro ser para existirem.

> tristeza (estado), beleza (qualidade), beijo (ação)
> *(Veja que para haver tristeza deve haver alguém triste; a beleza depende de alguém ou algo belo; não há beijo sem uma ação.)*

COLETIVO: substantivo que, mesmo no singular, indica um agrupamento de seres da mesma espécie. Ver página 96.

> biblioteca (conjunto de livros)
> constelação (conjunto de estrelas)

TESTANDO SEUS CONHECIMENTOS

***

CONCRETOS E ABSTRATOS

Sentados em uma grande *pedra*, as *crianças* revelavam seus *sonhos* para o velho *avô*: *felicidade*; uma *viagem* com os *amigos*; um *beijo* da *mãe*; *beleza*; o fim da *fome* no *mundo*; menos *mentira* e mais *brincadeira*; uma *bicicleta*; *passarinhos*, *amor* e *paz*.

☺ Você consegue identificar os substantivos concretos e os abstratos do texto?

***

SUBSTANTIVOS

Os *comuns* tratam de seres, sem que sejam individualizados,
como mesa, tomate, rúcula, pneu, filha, vitamina, martelo.
Os *próprios* referem-se a entidades, cidades, países ou pessoas,
por isso são sempre escritos com inicial maiúscula,
como Deus, Brasília, Argentina, Marcelo.

São *simples* os que têm um só radical,
como carro, rosa, sal, luva;
ou *compostos*, os com mais de um radical,
como beija-flor, bem-te-vi, guarda-chuva.

São *concretos*, quando designam seres com existência material própria,
como menina, balão, quadro, escada, flor,
Ou *abstratos*, que representam ações e sentimentos,
como vida, felicidade, medo, riso, amor.

São *primitivos* quando não derivam de outra palavra,
como porta, rio, pedra, ferro,
ou *derivados*, quando derivam de outra palavra,
como portaria, riacho, pedreiro, ferreiro.

Os *coletivos* são seres da mesma espécie,
um conjunto de lobos chama-se matilha,
de livros, uma biblioteca.

Quanto ao gênero são, normalmente, *feminino* ou *masculino*
(*a* faca, *a* rede, *a* boca ou *o* garfo, *o* banco, *o* menino).
Então, vamos complicar um pouco mais?
Não se preocupe que eu lhe ensino.

No *epiceno*, o artigo define o gênero da palavra
(*o* jacaré, *a* zebra, *a* girafa, *o* chacal, *a* tartaruga),
mas é preciso dizer se é macho ou fêmea
(jacaré macho / jacaré fêmea).
para definir o sexo do animal.

No *sobrecomum,* o mesmo gênero se refere ao sexo masculino e ao feminino,
tudo numa boa, sem qualquer mistura
(a pessoa, a criança, a testemunha, o monstro, a criatura).

No *comum de dois gêneros,* uma só forma se refere a indivíduos dos dois sexos e é o artigo que faz a distinção:
o artista, *a* artista; *o* dentista, *a* dentista; *o* gerente, *a* gerente.
E agora, ficou claro ou quer outra explicação?

Flexão de gênero

Masculino / feminino

Nos **masculinos**, antes deles vem o artigo *o(s)*:

o dedo, *o* carro, *os* cavalos

> Nem sempre se coloca artigo antes dos substantivos.

Nos **femininos**, antes deles vem o artigo *a(s)*:

a camisa, *as* janelas, *a* joaninha

OBSERVAÇÃO: alguns substantivos masculinos terminam em *a*:
o jesuíta, o monarca, o papa, o patriarca, o pirata

Também são masculinos muitos substantivos terminados em *ema* e *oma*: o aroma, o cinema, o diploma, o hematoma, o poema, o telefonema.

Substantivos biformes

Apresentam duas formas, uma para o masculino e outra para o feminino:

menino / menina   homem / mulher
pai / mãe   leão / leoa

Substantivos uniformes

Apresentam uma única forma para o masculino e para o feminino. Dividem-se em:

SUBSTANTIVOS EPICENOS (designam animais).
Nome idêntico para os dois gêneros. Para distingui-los, usamos as palavras macho e fêmea:

jacaré macho / jacaré fêmea

SUBSTANTIVOS COMUNS DE DOIS GÊNEROS (designam pessoas).

Têm a mesma forma para os dois gêneros. Para distingui-los, usamos os artigos ou pronomes:

> o gerente / a gerente, este jornalista / esta jornalista

SUBSTANTIVOS SOBRECOMUNS

Têm uma única forma para o masculino e o feminino, e sempre a mesma flexão no artigo ou pronome:

> a criança (menino ou menina), esta testemunha, aquela vítima.

FLEXÃO DE NÚMERO

Singular / plural

SINGULAR refere-se a um único ser ou um único conjunto de seres:

> carro, grupo, mesa

PLURAL refere-se a mais de um ser ou mais de um conjunto de seres:

> carros, grupos, mesas

OBSERVAÇÃO: Alguns substantivos são empregados somente no plural: férias*, parabéns, núpcias, outros, são empregados somente no singular: sede, lealdade, sono, fome.

(*No sentido de "período de folga".)

FLEXÃO DE GRAU

Aumentativo / diminutivo

Refere-se ao tamanho, intensidade, importância etc.

O grau pode ser aumentado:

SINTETICAMENTE (acrescenta-se sufixo): meninão

ANALITICAMENTE (acrescenta-se um adjetivo): menino grande

Diminutivos eruditos

São os diminutivos que já eram diminutivos no latim.

gotícula	(de gota)
grânulo	(de grão)
óvulo	(de ovo)
película	(de pele)
etc.	

OBSERVAÇÃO: Alguns gramáticos e linguistas questionam a flexão de grau do substantivo. Para eles, haveria uma derivação sufixal, já que nem sempre ocorre a concordância do substantivo tal como acontece com as flexões de gênero e número:

menino esperto   meninos espertos   menininho esperto

(o adjetivo não concorda necessariamente com o substantivo, já que não é necessário dizer *menininho espertinho*).

TESTANDO OS SEUS CONHECIMENTOS

***

ALGUNS AUMENTATIVOS E DIMINUTIVOS

Estava em uma ilhota
em cima de um burrico.
Caminhava por uma ruela
à procura de um vilarejo.

De repente, vi um homenzarrão,
com seu corpanzil e sua cabeçorra.
Estava de chapelão.
Na coleira, trazia um canzarrão.

Ele riu da minha barbicha
e me chamou de frangote.
Vi que se achava um sabichão,
mas que era um bobalhão.

☺ Assinale os diminutivos e os aumentativos identificando o substantivo originário, como no exemplo.

DIMINUTIVOS   AUMENTATIVOS
ilhota - ilha

O ASTRONAUTA BRASILEIRO

Quando o astronauta brasileiro
pisou na Lua,
sentiu falta do feijão tropeiro
e dos amigos de sua rua.

Teve saudades da família,
ali dele tão distante,
e pensou, naquele instante,
estar vivendo em uma ilha.

A Terra é azul!
— isto já tinha sido dito,
mas o que achava mais bonito
era ver a América do Sul.

☺ Identifique os substantivos do texto.

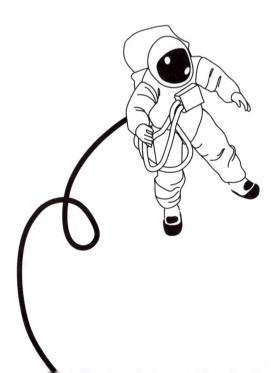

***

CAIXA DE COSTURA

Na caixa de costura,
tinha botão de todo tipo:
grande, pequeno, colorido,
botão feio, botão bonito.

Dedal prosa, contador de histórias,
orgulhoso das marcas da vida,
a agulha medrosa e a valente,
afiada e atrevida.

Tesoura, cansada de cortar tecido,
que com o trabalho fora preocupada,
mas que tinha perdido o interesse,
e com nada mais se amolava.

Linhas novas e velhas,
carretéis cheios, vazios e uma abotoadura.
Todos viviam em harmonia
na velha caixa de costura.

☺ Identifique os substantivos do texto.

PLURAL NOS SUBSTANTIVOS SIMPLES

Regra geral

Nos substantivos terminados em *vogal* ou *ditongo* acrescenta-se *s*:

casa / casas	chapéu / chapéus	pé / pés
mãe / mães	pai / pais	saci / sacis
gato / gatos	rio / rios	janela / janelas

Substantivos terminados no ditongo nasal *ão**

Fazem o plural de três maneiras:

MUDAM PARA ÕES	MUDAM PARA ÃOS	MUDAM PARA ÃES
botão / botões	irmão / irmãos	cão / cães
coração / corações	mão / mãos	pão / pães
eleição / eleições	cidadão / cidadãos	alemão / alemães

*OBSERVAÇÃO: Alguns substantivos terminados em *ão* admitem mais de uma forma de plural:

anãos, anões; guardiões, guardiães; vilões, vilãos, vilães

Substantivos terminados em r e z

Acrescentam *es*:

mar / mares	feliz / felizes
dor / dores	rapaz / rapazes

Substantivos terminados em *s*

– **oxítonos**, acrescentam *es*:

país / países
lilás / lilases

– **não oxítonos**, não variam:

lápis / lápis
óculos / óculos

Substantivos terminados em *x*

Não variam:

tórax / tórax
fax / fax

Substantivos terminados em *l*

– Terminados em *al, el, ol, ul*: trocam *l* por *is:*

animal / animais
papel / papéis
farol / faróis
azul / azuis

– Terminados em *il*:

OXÍTONAS	NÃO OXÍTONAS
trocam *l* por *s*	trocam *il* por *eis*
barril / barris	míssil / mísseis
funil / funis	fóssil / fósseis

> EXCEÇÕES: mal (males); cônsul (cônsules)

Substantivos terminados em *m*

Muda-se *m* para *ns:*

    viagem / viagens
    pinguim / pinguins
    álbum / álbuns

Plural dos nomes em *zinho* ou *zito*

Em regra, coloca-se a palavra primitiva no plural e transfere-se o *s* para depois do sufixo:

  anelzinho > anéis > anei(s) + zinho > aneizinhos
  singular   *plural*

  cãozinho > cães > cãe(s) + zinho > cãezinhos
  singular   *plural*

Substantivos usados somente no plural

Como já mencionado, alguns substantivos são usados somente no plural:

  núpcias   o jogo de "damas"
  óculos   os naipes de copas, paus, espadas
  olheiras   e ouros

TESTANDO OS SEUS CONHECIMENTOS

***

DE ÓCULOS, COM ANZOL AZUL

Saiu de seu país, de óculos,
com um jornal, um anel e um anzol azul.
No coração, seu irmão, seu amigão e seu cão.
Frágil e febril, com dor no tórax,
mas extremamente feliz, lançou-se ao mar.

***

DE ÓCULOS, COM ANZÓIS AZUIS

Saíram de seus países, de óculos,
com jornais, anéis e anzóis azuis.
Nos corações, seus irmãos, seus amigões e seus cães.
Frágeis e febris, com dores nos tórax,
mas extremamente felizes, lançaram-se aos mares.

☺ Identifique as regras de plural nas palavras grifadas.

PLURAL NOS SUBSTANTIVOS COMPOSTOS

Sem hífen

Quando o substantivo composto é formado por palavras que se ligam **sem hífen**, o seu plural segue as mesmas regras do plural dos substantivos simples.

girassol / girassóis
lobisomem / lobisomens

Com hífen

Quando os componentes se ligam *com hífen*, todos os elementos podem variar ou apenas um deles:

couve-flor / couves-flores
grão-mestre / grão-mestres
guarda-marinha / guardas-marinha

Veja:

– nos termos unidos por preposição, só o primeiro elemento varia:

estrela do mar / estrelas do mar
mula sem cabeça / mulas sem cabeça
pão de ló / pães de ló
pé de cabra / pés de cabra

– quando o primeiro termo é verbo ou palavra invariável e o segundo é substantivo ou adjetivo, só o segundo vai para o plural:

abaixo-assinado / abaixo-assinados
bate-boca / bate-bocas
guarda-chuva / guarda-chuvas
vice-presidente / vice-presidentes

– quando o segundo termo é substantivo e limita ou determina o primeiro, a variação só ocorre no primeiro:

banana-prata / bananas-prata
manga-rosa / mangas-rosa
salário-família / salários-família
samba-enredo / sambas-enredo

– quando o composto é constituído de dois substantivos, de um substantivo e um adjetivo, ou de um numeral e um substantivo, geralmente os dois elementos passam ao plural:

água-marinha / águas-marinhas
sexta-feira / sextas-feiras
tenente-coronel / tenentes-coronéis
vitória-régia / vitórias-régias

> ATENÇÃO: quando a palavra "guarda" indicar pessoas que guardam ou vigiam e vier seguida de adjetivo, será substantivo e, portanto, deverá ir para o plural: guardas-noturnos, guardas-florestais

TESTANDO OS SEUS CONHECIMENTOS

***

OS ABAIXO-ASSINADOS DOS TENENTES-CORONÉIS

Às *sextas-feiras*, quando não chove, os *tenentes-coronéis* se reúnem e escrevem *abaixo-assinados*. Há muita discussão e, por vezes, alguns *bate-bocas*, mas nada interfere na amizade. Comem *mangas-rosa*, *bananas-prata* e *pães de ló*. Quando chove, pegam seus *guarda-chuvas* e vão embora.

☺ Identifique as regras de plural nos substantivos compostos do texto.

Coletivos

Coletivos são substantivos que mesmo no singular designam um conjunto de seres ou coisas da mesma espécie.

acervo	de obras artísticas
álbum	de fotografias, retratos
alcateia	de lobos
antologia	de trechos literários
armada	de navios de guerra
arquipélago	de ilhas
assembleia	de parlamentares, de condôminos
banca	de examinadores
banda	de músicos
bando	de aves, de pessoas em geral
cacho	de uvas, de bananas
cáfila	de camelos
caravana	de viajantes
cardume	de peixes
clero	de sacerdotes
colmeia	de abelhas
concílio	de bispos
conclave	de cardeais para eleger o Papa
constelação	de estrelas
corja	de vadios, de ladrões
coro	de anjos, de cantores
elenco	de artistas
enxame	de abelhas
esquadra	de navios de guerra
esquadrilha	de aviões
fato	de cabras
fauna	de animais
frota	de navios, de táxi, de ônibus
horda	de povos selvagens
legião	de soldados, de anjos
junta	de médicos, de examinadores
júri	de jurados
manada	de animais de grande porte

matilha	de cães
molho[13]	de chaves, de verduras
multidão	de pessoas
ninhada	de pintos, de filhotes
nuvem	de gafanhotos, de insetos
pelotão	de soldados
penca	de bananas
pinacoteca	de quadros
quadrilha	de ladrões
ramalhete	de flores
rebanho	de gado
resma	de papel
réstia	de alho, de cebola
roda	de pessoas
vara	de porcos
vocabulário	de palavras

Como se vê, há palavras que designam um único coletivo (como alcateia, cáfila, vocabulário) e outras que servem para mais de um coletivo (como cacho, frota). Neste caso, deve ser incluído o substantivo do coletivo para que a mensagem seja integralmente transmitida (cacho de bananas, cacho de uvas; frota de ônibus, frota de táxis).

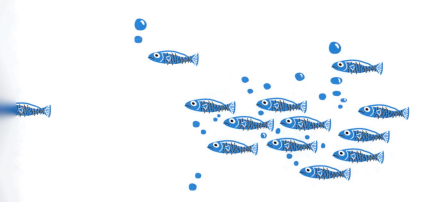

---
[13] No caso do molho de chaves, pronuncia-se mólho de chaves.

***

COLETIVOS

Diante de uma boa plateia,
sem passar vexame,
declamo os coletivos:
de lobos, alcateia,
de abelhas, enxame.

Depois, sem mudar o volume,
digo, como quem não quer nada:
de peixes, cardume,
de búfalos e elefantes, manada,
de pintos, ninhada.

De ilhas, arquipélago,
de estrelas, constelação,
de quadros, pinacoteca,
de soldados, pelotão,
de pessoas, multidão.

De ladrões, corja ou quadrilha,
de aviões, esquadrilha,
de viajantes, caravana,
de artistas, elenco,
de cães, matilha.

Continuo com um lembrete,
há coletivos de todo tamanho:
de insetos, nuvem,
de flores, ramalhete,
de ovelhas, rebanho.

Por fim, digo baixinho:
pessoas, bichos e coisas ficam juntos,
eles têm os seus motivos,
ninguém quer ficar sozinho.
Por isso, temos os coletivos.

TESTANDO OS SEUS CONHECIMENTOS

***

CÁFILA

A *cáfila* prestava muita atenção
na *matilha*, na *colmeia*, na *alcateia*,
no *pelotão* e na *constelação*.
Em uma parte, por medo de ataque,
em outra, por simples admiração.

1) Identifique os substantivos a que se referem os coletivos destacados no texto.
2) De quem a cáfila tinha medo de ataque e em quem só prestava atenção por admiração? Por quê?

★★★

FINAL ALTERNATIVO

A bruxa má foi até a floresta com uma bolsa cheia de maçãs. Uma delas estava envenenada.

No caminho, resolveu parar em um boteco para fazer hora. Lá encontrou uma velha amiga, com quem se sentou para conversar. Depois de muito bate-papo, teve fome e resolveu comer uma maçã. Levemente desligada, confundiu-se e comeu a maçã envenenada. Caiu em sono profundo.

Um dia, um bruxo viajante passou pela região e viu a bruxa dormindo. Bom, aí, como o final é alternativo, é você que tem que escolher: o bruxo se apaixonou, beijou a bruxa e eles viveram felizes para sempre, ou, simplesmente, ele achou a cena estranha (uma bruxa dormindo em um boteco) e foi embora para cuidar da vida.

☺ Agora, invente você um final para a história.

8. ARTIGO

ARTIGO é uma palavra que vem antes do substantivo e serve para indicar se ele está sendo usado de forma definida ou indefinida.

	SINGULAR	PLURAL	SINGULAR	PLURAL
MASCULINO	o	os	um	uns
FEMININO	a	as	uma	umas

Classificação

Os artigos são:

DEFINIDOS: *o, a, os, as*.
INDEFINIDOS: *um, uma, uns, umas*.

Variam de acordo com o gênero:

ARTIGOS FEMININOS: *a, uma*.
ARTIGOS MASCULINOS: *o, um*.

Variam de acordo com o número:

SINGULAR: *o, a, um, uma*.
PLURAL: *os, as, uns, umas*.

Veja as três frases a seguir:

O menino comeu o sorvete. / Um menino comeu o sorvete. / Um menino comeu um sorvete.

Você consegue ver a diferença de sentido? Pois ela está nos artigos. Repare:

O menino comeu *o* sorvete.

Sabe-se quem é o menino e qual sorvete ele comeu.

Um menino comeu *o* sorvete.

Não se sabe quem é o menino (*um* menino pode ser qualquer menino), mas sabe-se qual sorvete ele comeu.

Um menino comeu *um* sorvete.

Não se sabe quem é o menino (*um* menino pode ser qualquer menino) nem que sorvete ele comeu (*um* sorvete pode ser qualquer sorvete).

***

A ARANHA

(artigos definidos e indefinidos)

A aranha resolveu fazer *uma* teia.
Escolheu *a* árvore mais bonita
e, cuidadosamente, teceu *os* fios
até criar *uma* rede.
Depois, foi para *um* canto,
o mais escuro,
e esperou por *uns* mosquitos.
De repente, *um* besouro ficou preso.
As asas estavam soltas, mas *a* pata traseira não.
Desesperado, fez *um* pedido:
— Senhora aranha, sou *um* simples besouro,
com *uma* casca dura e *uma* carne sem sabor.
A aranha deu *uma* gargalhada.
— Para *o* casco duro tenho *um* veneno possante.
E *a* carne de besouros é *uma* delícia!
Mas, por incrível que pareça, era *um* dia de sorte.
A aranha decidiu soltar *o* besouro.
Naquela manhã, só queria comer *uns* mosquitos e *umas* joaninhas.

Veja as formas combinadas de preposições (*a, de, em, por*) com artigos definidos (*o, a, os, as*):

a + o = ao	de + o = do	em + o = no	por + o = pelo
a + a = à	de + a = da	em + a = na	por + a = pela
a + os = aos	de + os = dos	em + os = nos	por + os = pelos
a + as = às	de + as = das	em + as = nas	por + as = pelas

MORFOLOGIA 103

✱✱✱

O CACHORRO DA VIZINHA[14]

Flávio não tinha medo de cachorros,
mas pavor *do* cachorro *da* vizinha, (*de* + *o* = *do*) (*de* + *a* = *da*)
que era bravo e saía por aí
sem coleira ou focinheira.
E, tal como se não tivesse dono,
caminhava *pelas* ruas   (*por* + *as* = *pelas*)
andava *pelo* mercado,   (*por* + *o* = *pelo*)
entrava *na* farmácia e *no* armazém. (*em* + *a* = *na*) (*em* + *o* = *no*)
Por isso, acordou cedo e apressado
e, cheio de medo,
foi *à* padaria e *ao* mercado.   (*a* + *a* = *à*) (*a* + *o* = *ao*)

Veja as formas combinadas de preposições (*em, de*) com artigos indefinidos (*um, uma, uns, umas*):

em + um	= num	de + um	= dum
em + uma	= numa	de + uma	= duma
em + uns	= nuns	de + uns	= duns
em + umas	= numas	de + umas	= dumas

✱✱✱

NUMA DUMA

Estou *numa* boa,   (*em* + *uma* = *numa*)
num paraíso,   (*em* + *um* = *num*)
em busca *duma* rede   (*de* + *uma* = *duma*)
e *duns* sorvetes.   (*de* + *uns* = *duns*)

---

14 Em muitos casos há apenas preposição, sem o artigo: *medo* de cachorros; saía *por* aí.

Curiosidades sobre artigos em bairros, cidades e países

Veja que interessante: alguns países, estados, cidades e bairros são usados com artigo e outros não. Para descobrir se é necessário o artigo, basta começar uma frase com o país, a cidade, o bairro.

> Portugal é um país incrível.
> *A* Alemanha é um país desenvolvido.
> *O* Chile é um país que quero conhecer.

Então, *Portugal* não tem artigo antes de seu nome; a *Alemanha* tem artigo feminino antes de seu nome e o *Chile* tem artigo masculino antes de seu nome. Daí que:

> Ele mora em Portugal. (Só há a preposição *em*, sem artigo.)
> Ele mora na Alemanha. (Há a preposição *em* e o artigo *a*.)
> Ele mora no Chile. (Há a preposição *em* e o artigo *o*.)[15]

Com os estados e as cidades, acontece a mesma coisa:

> Ele vive *em* São Paulo. (estado ou cidade)
> Ele vive *no* Rio de Janeiro. (estado ou cidade)
> Ele vive *na* Bahia.

Com os bairros também:

> Copacabana / a Barra da Tijuca / o Leblon
> Então, moro em Copacabana;
> moro *na* Barra da Tijuca, moro *no* Leblon.

Agora, pense em países, estados, cidades e bairros e veja os que têm artigo antes de seus nomes.

---

15 Lembre-se: *em* + *a* = *na* e *em* + *o* = *no*.

TESTANDO OS SEUS CONHECIMENTOS

***
AS ROUPAS

As roupas ficavam todas apertadas em um armário antigo. Embaixo ficavam os sapatos. Os sapatos de couro mais usados e os tênis: um claro e um escuro. Os chinelos eram os calçados preferidos. Com eles, gostava de ir à praia e de passear pela rua. As cuecas ficavam junto com as meias. A bermuda favorita era a azul. O cinto ficava pendurado. As camisas e os casacos ficavam na prateleira de cima. Uma camisa tinha sido furada por traças e era usada como pijama.

☺
1) Indique no texto:
    os artigos definidos
    os artigos indefinidos
    os artigos masculinos
    os artigos femininos
2) Indique os artigos que estão combinados com preposição.

★★★

MERCADINHO

O rapaz entrou no mercadinho e pediu apressadamente:

— Por favor, me vê dois quilos de medo.

— Desculpe, senhor, o medo acabou.

— Como, acabou? — respondeu nervoso.

— Sim. Acabou. Com a crise e com a violência atuais, os preços sobem, falta gasolina, há racionamento, o dólar dispara, as pessoas ficam ansiosas e é claro que o medo é o produto mais procurado. Resultado: não temos mais medo em estoque.

— Então me vê três quilos de temor — disse, já mais inquieto.

— Também está em falta.

— Como, em falta? Então, me dá dois ramos de estresse — falou mais agitado.

— Sinto muito, senhor.

O rapaz estava cada vez mais desnorteado. Quando olhou em volta e viu as prateleiras vazias, ficou ainda mais tenso.

— Será que daria para comprar cem gramas de desespero? Ou duas fatias de pânico?

O atendente abaixou a cabeça, com vergonha de responder.

— O que ainda tem aqui? Preocupação? Angústia?

O atendente abriu um leve sorriso animador:

— Calma, senhor, ainda temos um pouco de esperança.

☺ Responda:
1) Quais as razões para não haver mais "medo" no mercadinho?
2) Qual produto ainda havia no mercadinho?

9. Adjetivo

ADJETIVO: palavra que qualifica o substantivo, indicando suas características.

> bola *cheia*, bola *furada*, bola *verde*
> menino *engraçado*, menino *forte*, menino *levado*

Classificação

SIMPLES: apresentam um único radical.
> claro, escuro, gordo, magro

COMPOSTOS: apresentam mais de um radical.
> luso-brasileiro, verde-escuro

PRIMITIVOS: não derivam de outras palavras da língua portuguesa.
> belo, feliz

DERIVADOS: derivam de outras palavras da língua portuguesa. Derivam de substantivos, de verbos ou de outros adjetivos.
> amável (do substantivo amor)
> magrelo (do adjetivo magro)
> resistente (do verbo resistir)

PÁTRIOS (ou "adjetivos gentílicos"): indicam o local de origem ou nacionalidade das pessoas e demais seres e objetos.
> brasileiro, carioca, paulista, europeu, espanhol

Flexão de gênero

Masculino / feminino

Em geral, os adjetivos são *biformes*, isto é, têm formas distintas para masculino e feminino, concordando com o substantivo.

> *O* menino engraçado.
> *A* menina engraçada.

Mas existem adjetivos *uniformes*, isto é, que têm uma única forma para os dois gêneros.

> O menino feliz.
> A menina feliz.

Flexão de número

Singular / plural

O adjetivo concorda com o substantivo que qualifica, no **singular** ou **plural**.

> O menino engraçado.
> Os meninos engraçados.
>
> A menina engraçada.
> As meninas engraçadas.
>
> O menino feliz.
> Os meninos felizes.
>
> A menina feliz.
> As meninas felizes.

MORFOLOGIA **109**

GRAUS DO ADJETIVO

Comparativo

O grau do comparativo é usado para fazer *comparações* e indicar superioridade, inferioridade ou igualdade:

O leão é *mais* feroz *do que* a preguiça. (*superioridade*)
A zebra é *menos* alta *do que* a girafa. (*inferioridade*)
A onça é *tão* perigosa *quanto* o rinoceronte. (*igualdade*)

Superlativo

O superlativo é utilizado para *intensificar qualidades*. Pode ser absoluto ou relativo.

SUPERLATIVO ABSOLUTO

O superlativo absoluto pode ser:

SINTÉTICO: normalmente acrescenta-se *-íssimo*:

Este quadro é *belíssimo*. (belo + *-íssimo*)
Lucas está *felicíssimo*. (feliz + *-íssimo*)

ANALÍTICO: acrescentam-se palavras que indicam intensidade, como *muito*, *extremamente* etc.

Felipe é *muito* ativo.
Rafael é *extremamente* inteligente.

SUPERLATIVO RELATIVO

O superlativo relativo pode ser:

DE SUPERIORIDADE: formado por *mais* + adjetivo + *de* ou *dentre*

Ele era o *mais* engraçado *de* todos.
O *mais* engraçado *dentre* os alunos era Dionísio.

DE INFERIORIDADE: formado por *menos* + adjetivo + *de* ou *dentre*

Ele era o *menos* engraçado *de* todos.
O *menos* engraçado *dentre* os alunos era Dionísio.

Outras formas de superlativo
(arqui, extra, hiper, super)

***

Eis que levanta sua arma e diz de forma destemida:
— Com meus *super*poderes, meus raios *hiper*potentes, minha inteligência *extra*ordinária derrotarei meus *arqui*-inimigos.
A mãe chama:
— Filho, vem comer.

Quatro adjetivos com comparativos e superlativos anômalos

	COMPARATIVO DE SUPERIORIDADE	SUPERLATIVO RELATIVO	SUPERLATIVO ABSOLUTO
bom	melhor	ótimo	o melhor
mau	pior	péssimo	o pior
grande	maior	máximo	o maior
pequeno	menor	mínimo	o menor

***

— Você já está *melhor*?
— Agora, estou ótimo! Ontem, estava *péssimo*. Esta foi *a pior* gripe que já peguei. Foi *o maior* desconforto que já tive.
— Que *bom* que já passou!
— É horrível se sentir *mal*. Só queria comer o *mínimo* possível.
— Sei como é... *O melhor* é que você está bom!
— Com certeza! Obrigado por ter me ajudado! Você é o *máximo*!

TESTANDO OS SEUS CONHECIMENTOS

✱✱✱

O URSO

Era o urso *mais forte* do parque, *tão perigoso quanto* um leão, *menos irritável do que* um búfalo. *Extremamente feroz*, *perigosíssimo*, era, curiosamente, *o mais amoroso dentre* os animais selvagens.

☺ Você consegue identificar os comparativos e superlativos no texto?

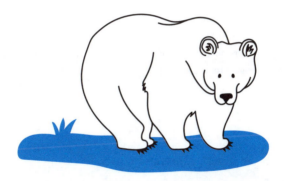

PLURAL DOS ADJETIVOS SIMPLES

Seguem as mesmas regras aplicadas aos substantivos.

SINGULAR	PLURAL
meia furada	meias furadas
sapato velho	sapatos velhos

Os substantivos empregados como adjetivos ficam invariáveis.

SINGULAR	PLURAL
camisa *rosa*	camisas *rosa*
terno *verde*	ternos *verde*

PLURAL DOS ADJETIVOS COMPOSTOS

Nos adjetivos compostos, apenas o último elemento recebe a forma plural.

SINGULAR	PLURAL
artista norte-americano	artistas norte-americanos
luta greco-romana	lutas greco-romanas

EXCEÇÕES:

1) Os adjetivos referentes a *cores* são invariáveis quando o segundo elemento da composição é um substantivo.

SINGULAR	PLURAL
brinco amarelo-ouro	brincos amarelo-ouro
camisa azul-piscina	camisas azul-piscina

OBSERVAÇÃO: azul-marinho e azul-celeste, apesar de serem formados por cor + adjetivo, também ficam invariáveis.

2) *surdo-mudo* (varia conforme o substantivo)

menino surdo-mudo	meninos surdos-mudos
menina surda-muda	meninas surdas-mudas

TESTANDO OS SEUS CONHECIMENTOS

✱✱✱

OS NOVOS ACORDOS LUSO-BRASILEIROS

Os novos acordos *luso-brasileiros* eram claros: seria permitida a exportação de paletós *azul-piscina*, blusas *amarelo-ouro* e bermudas *verde-oliva*. As lutas *greco-romanas* seriam realizadas sem a presença de árbitros *norte-americanos*.

☺ Você consegue explicar as regras de plural dos adjetivos compostos usados no texto?

Concordância do adjetivo com o substantivo

O adjetivo varia em gênero e número de acordo com o substantivo. Esta flexão ocorre mesmo que o adjetivo e o substantivo estejam distantes na frase.

> O *pão* estava *duro*.
> Os *pães* estavam *duros*.

> E se houver mais de um substantivo? Veremos isto em concordância nominal na página 323.

Locução adjetiva

[Lembrando que já foi mencionado em Locuções na página 78.]

A locução adjetiva é o conjunto de duas ou mais palavras que têm valor de adjetivo.

Pode ser:

– preposição + substantivo:

> rosto *de anjo* (= rosto angelical)

– preposição + advérbio:

> pneu *de trás* (= pneu traseiro)

Veja a diferença entre a locução adjetiva e o adjetivo.

LOCUÇÃO ADJETIVA	ADJETIVO	LOCUÇÃO ADJETIVA	ADJETIVO
do Brasil	brasileiro	de pai	paternal
de anjo	angelical	de rio	fluvial
de homem	humano	de noite	noturno
de mãe	maternal	de estrela	estelar

MORFOLOGIA 115

*****

— Ontem vi um filme *de terror.*
— Ontem vi um filme *de humor.*

TESTANDO OS SEUS CONHECIMENTOS

☺ Transforme as palavras marcadas em locuções adjetivas.

*****

NO MÉDICO

— Alguma dor *abdominal*? Algum problema *ótico*? Precisamos verificar a função *renal* e ver como está o suco *pancreático*.

*****

ADJETIVOS

Um dia, sem nenhum motivo,
pegou uma caixa cheia de adjetivos
e logo percebeu uma distinção:
há adjetivos que mudam com o gênero do substantivo (menin*o* bonit*o*, menin*a* bonit*a*)
e outros que não (menin*o* *feliz*, menin*a* *feliz*).

Depois, constatou que os adjetivos mudam se o substantivo for para o plural
(menin*o* feliz, menin*os* felizes; bonec*a* velh*a*, bonec*as* velh*as*).
Em seguida, percebeu que o adjetivo é *simples*
quando é uma palavra só (azul, limpo, pequeno, alto, doce)
e o adjetivo é *composto*
quando é formado por duas palavras (azul-marinho, mal-educado).
Notou que tem adjetivo que é *primitivo*,
que não deriva de nenhuma outra palavra (bom, magro),

e tem o que é *derivado*,
que deriva de outro adjetivo (bondoso, magrelo),
ou de verbo (lamentável vem do verbo lamentar),
ou de substantivo (férreo deriva do substantivo ferro).

Escreveu um texto:

> "O menino vestiu sua camisa e sua calça, calçou sua meia e seu sapato.
> Entrou na cozinha, sentou-se à mesa, comeu um sanduíche e tomou um suco."

e nele colocou os adjetivos que havia separado:

> "O menino mal-educado vestiu sua camisa azul-marinho e sua calça vermelha, calçou sua meia limpa e seu sapato velho.
> Entrou na cozinha arrumada, sentou-se à mesa alta, comeu um sanduíche frio e tomou um suco gelado."

Depois, para dar outro colorido, decidiu mudar o sentido:

> "O menino feliz e bondoso vestiu sua camisa e sua calça vermelhas, colocou sua meia e seu sapato azuis.
> Entrou na cozinha arrumada, sentou-se à mesa limpa, comeu um pequeno sanduíche e tomou um suco doce."

*E aí não teve dúvida: a vida fica muito mais
interessante com os adjetivos.*

***

CAIXA DE COSTURA

Na caixa de costura,
tinha botão de todo tipo:
grande, pequeno, colorido,
botão feio, botão bonito.

Dedal prosa, contador de histórias,
orgulhoso das marcas da vida,
a agulha medrosa e a valente,
afiada e atrevida.

Tesoura cansada de cortar tecido,
que com o trabalho fora preocupada,
mas que tinha perdido o interesse,
e com nada mais se amolava.

Linhas novas e velhas,
carretéis cheios, vazios e uma abotoadura.
Todos viviam em harmonia
na velha caixa de costura.

☺ No texto acima já descobrimos os substantivos na página 89, agora é a vez de descobrir os adjetivos e as locuções adjetivas.

***

O PORTEIRO NOTURNO

O porteiro noturno do meu prédio é um homem de coragem. Seu coração de anjo não entende o comportamento bélico humano. A incompreensão lhe dá constantes alergias capilares e dores estomacais. Por vezes, finge ter problemas auditivos para não se aborrecer com coisas erradas. Sabe que é um comportamento infantil, mas, no fundo, acha graça.

Especialmente nas noites de chuva, sente falta da vida rural, onde viu o mais lindo eclipse lunar da sua vida.

☺ Transforme os adjetivos em locuções adjetivas e as locuções adjetivas em adjetivos.

10. Pronome

Pronome é a palavra variável em gênero, número e grau, que representa ou acompanha um substantivo.

Um pronome pode funcionar como:

PRONOME SUBSTANTIVO: desempenha a função de um substantivo.

Ele é ótima pessoa.

PRONOME ADJETIVO: modifica um substantivo.

Meu carro é laranja.

Há *seis tipos de pronomes*: pessoais, possessivos, demonstrativos, relativos, interrogativos e indefinidos. Veja alguns exemplos:

PESSOAIS	
RETO	*Eu* fui ao museu.
OBLÍQUO	Eu *te* falei.
DE TRATAMENTO	*Você* acha que vai chover?
POSSESSIVOS	O *meu* boné é azul.
DEMONSTRATIVOS	*Este* é o meu avô.
RELATIVOS	Comprei um tênis *que* está furado.
INTERROGATIVOS	*Quem* vai ao passeio?
	Qual é o seu carro?
	Quanto vale isso?
INDEFINIDOS	Escolha *algum* livro.

Vamos a eles!

***

— *Você* sabe onde está o *meu* casaco verde?
— Já ia *lhe* dizer: *ele* encolheu.
— *Quem* fez *isto*?
— A máquina.*

> *
> *você* (pronome de tratamento)
> *meu* (pronome possessivo)
> *lhe* (pronome pessoal do caso oblíquo)
> *ele* (pronome pessoal do caso reto)
> *quem* (pronome interrogativo)
> *isto* (pronome demonstrativo)

PRONOMES PESSOAIS

Os pronomes pessoais são aqueles que representam as pessoas do discurso: quem fala (1ª pessoa), com quem se fala (2ª pessoa), de quem se fala (3ª pessoa).

Os pronomes pessoais podem ser *retos*, *oblíquos* e *de tratamento*.

Pronomes pessoais do caso reto

Os pronomes pessoais do caso reto são os que substituem os substantivos, indicando diretamente as pessoas do discurso. Em geral, funcionam como sujeito da oração, como veremos na página 349.

SINGULAR	(1ª pessoa)	eu
	(2ª pessoa)	tu
	(3ª pessoa)	ele, ela
PLURAL	(1ª pessoa)	nós
	(2ª pessoa)	vós
	(3ª pessoa)	eles, elas

***

Eu fui à feira.
Tu és muito inconstante.
Ele falou muita besteira.
Ela riu bastante.

Nós gostamos da lua.
Vós pedistes uma sobremesa.
Eles dançaram na rua.
Elas tiveram uma surpresa.

Pronomes pessoais do caso oblíquo

Os pronomes pessoais do caso oblíquo são os que exercem a função de objeto direto ou objeto indireto, como veremos na página 350.

> Às vezes, a preposição está embutida no pronome
> (*lhe* = a ele; *me* pode ser "a mim")

Eles podem ser:

ÁTONOS

São aqueles em que a acentuação é mais fraca. Não são precedidos de preposição.

TÔNICOS

São aqueles em que a acentuação é mais forte. São precedidos de preposição[*].

		ÁTONOS	TÔNICOS
SINGULAR	(1ª pessoa)	me	mim, comigo
	(2ª pessoa)	te	ti, contigo
	(3ª pessoa)	o, a, lhe	ele, ela
PLURAL	(1ª pessoa)	nos	nós, conosco
	(2ª pessoa)	vos	vós, convosco
	(3ª pessoa)	os, as, lhes	eles, elas

> [*]Os pronomes *comigo, contigo, conosco, convosco* já contêm a preposição *com*, sendo desnecessária a colocação de nova preposição. Exemplo: Venha comigo.

MORFOLOGIA   123

PRONOMES REFLEXIVOS E RECÍPROCOS

Às vezes, o sujeito da ação também sofre as suas consequências. Nestes casos, são usados os pronomes reflexivos e recíprocos.

PRONOMES REFLEXIVOS

Indicam que o sujeito sofreu a ação por ele praticada.

> Bruna *se* cortou.

PRONOMES RECÍPROCOS

Indicam uma ação mútua entre os sujeitos.

> Márcia e Maurício *se* amam.
> (Márcia ama Maurício e Maurício ama Márcia.)

> Você percebeu que os pronomes reflexivos contêm os pronomes recíprocos.

PRONOMES REFLEXIVOS

SINGULAR	(1ª pessoa)	me, mi, comigo
	(2ª pessoa)	te, ti
	(3ª pessoa)	se, si, consigo
PLURAL	(1ª pessoa)	nos
	(2ª pessoa)	vos
	(3ª pessoa)	se, si, consigo

Veja que os pronomes reflexivos usam alguns pronomes oblíquos e as formas *se*, *si* e *consigo*.

> Vamos ver a voz reflexiva na página 156.

TESTANDO OS SEUS CONHECIMENTOS

***

RETOS E OBLÍQUOS

— Alô.
— Quem fala?
— Sou *eu*!
— Ah! Tudo bem?
— Tudo! Estou ligando porque vou ao cinema com a Maria e queria convidá-la para vir *conosco*.
— Que horas?
— *Nós* marcamos às quatro da tarde.
— Ótimo!
— Vamos chamar a Luiza?
— Claro! *Ela* é muito legal e sempre *nos* convida para tudo.
— Então vou combinar com *elas* e *nos* falamos. *Você* quer pegar uma carona *comigo*?

☺ Identifique no texto os pronomes:
retos
oblíquos
de tratamento

***

CENA FINAL

É a cena final do filme. Eles *se* encontram num parque. Ela diz:

— Eu já *me* decidi: vamos *nos* separar! Olho para *mim* no espelho e *me* sinto perdida. Vou-*me* embora para sempre.

Ele *se* desespera.

— O espelho *te* engana! Tu *te* enganas! Nós *nos* amamos! Se *te* perder, vou *me* matar!

Ela *se* emociona.

— Você *me* ama tanto assim?

Ele se ajoelha:

— Não sei o que seria de *mim* sem você. Não *me* deixe fazer uma loucura.

Toca uma música romântica. Eles *se* aproximam e *se* beijam. Na tela, aparece: Fim.

☺ Indique no texto os pronomes:
recíprocos
reflexivos
oblíquos

Pronomes de tratamento

Constituem forma de tratamento ou são usados para se dirigir a uma pessoa ou como referência a ela. Para determinadas pessoas que possuem prestígio social, grau hierárquico elevado ou exercem importantes cargos na sociedade, devemos utilizar pronomes (não se deve se dirigir a uma rainha usando o pronome de tratamento *você*). Alguns pronomes de tratamento:

Vossa Majestade	reis e imperadores
Vossa Alteza	príncipes, arquiduques e duques
Vossa Excelência	altas autoridades do Governo e das Forças Armadas
Vossa Santidade	papa
Vossa Eminência	cardeais
Vossa Magnificência	reitores das universidades
Vossa Senhoria	funcionários públicos graduados e pessoas de cerimônia
Senhor	utilizado quando há alguma cerimônia com o interlocutor
você	hoje é usado sem caráter cerimonioso. Substitui o pronome *tu*.

Embora os pronomes de tratamento se dirijam à segunda pessoa do singular ou do plural, a concordância é sempre feita com a terceira pessoa do singular ou do plural.

> O senhor vai jantar agora?
>
> Você vai acordar cedo amanhã?[16]
>
> Vossa Excelência foi muito importante neste caso.

---

16 Se não houvesse o pronome, o verbo ficaria na segunda pessoa do singular: — Amanda, vais acordar cedo? Se for dito "Amanda vai acordar cedo" significa que alguém está falando *de* Amanda (que irá acordar cedo) e não *com* Amanda (perguntando se ela irá acordar cedo).

MORFOLOGIA 127

TESTANDO OS SEUS CONHECIMENTOS

***

PERGUNTAS INFORMAIS PARA PESSOAS FORMAIS

☺ Leia as frases e diga com quem eu estou falando.
1) O senhor já foi à Bahia?
2) Vossa Majestade irá ao jantar?
3) Vossa Santidade aceita um pão de queijo?
4) Vossa Alteza já provou nosso doce de leite?
5) Vossa Excelência prefere praia ou montanha?
6) Vossa Magnificência gosta de abacate?

***

COMO VOCÊ QUER SER CHAMADO?

O salão estava cheio de autoridades e um humilde rapaz tinha a difícil missão de servir café e chá. Não que seja difícil servir café e chá. A complexidade da missão era saber como se dirigir a pessoas tão importantes. Daí que ao longo dessa árdua tarefa foi pensando nas formas de tratamento, que lembrava da escola, esperançoso de que ninguém se sentisse ofendido com suas escolhas.

Ao se aproximar de um pequeno grupo de reis e imperadores, arriscou:

— *Vossas Majestades* querem café ou chá?

Os <u>reis</u> e <u>imperadores</u> sorriram com a oferta e o trabalho foi feito.

Depois, dirigiu-se a um grupo de príncipes, arquiduques e duques e, sabendo que deveria escolher algo imponente, mas diferente do usado para os reis e imperadores, optou por:

— *Vossas Altezas* querem café ou chá?

Os <u>príncipes</u>, <u>arquiduques</u> e <u>duques</u> também gostaram da forma de tratamento e o rapaz conseguiu servir a bebida sem nenhum problema.

Satisfeito com suas escolhas, quase ficou sem palavras quando viu o papa se aproximar e pedir uma xícara de chá. Afobado, teve apenas o reflexo de pensar em algo santo e arriscou:

— *Vossa Santidade* quer um pouco de açúcar?

O <u>papa</u> sorriu e pediu uma única colher de açúcar no seu chá. Os cardeais que acompanhavam Sua Santidade também se aproximaram e um deles perguntou se haveria alguma coisa diferente para beber. Pensando em algo distinto, respondeu:

— *Vossa Eminência* quer que eu providencie um copo de água?

O <u>cardeal</u> ficou agradecido.

Depois, foi a vez de atender a um grupo de altas autoridades do governo e das Forças Armadas. Sabia que precisava de algo forte e diferente:

— *Vossas Excelências* querem café ou chá?

As <u>altas autoridades do governo</u> e <u>das Forças Armadas</u> também sorriram e ele serviu café e chá para todos.

Mais no canto, percebeu uma grande concentração de funcionários públicos graduados e pessoas com quem deveria ter alguma cerimônia. Sabia que não deveria ser algo muito pomposo, mas que seria incabível pensar em algo muito simples e ficou contente quando imaginou a forma de tratamento ideal:

— *Vossas Senhorias* querem café ou chá?

Os <u>funcionários públicos graduados</u> e <u>pessoas de cerimônia</u> ficaram satisfeitos e foram servidos de café e chá.

Depois de tudo, voltou para a cozinha. Estava realizado com o sucesso da sua missão. Ao ver seu evidente sorriso, seu chefe perguntou:

— Como *você* conseguiu atender tantas pessoas importantes sem cometer nenhuma gafe?

Sem titubear, respondeu simplesmente:

— O *senhor* não precisa se preocupar.

Pronomes possessivos

São aqueles que se referem às pessoas do discurso, indicando ideia de posse.

meu, minha (plural: *meus, minhas*)
teu, tua (plural: *teus, tuas*)
seu, sua (plural: *seus, suas*)[17],
nosso, nossa (plural: *nossos, nossas*)
vosso, vossa (plural: *vossos, vossas*)

★★★

Minha casa, *meu* país. *Teu* sorriso, *tua* vida. *Sua* camisa, *seu* violão.
Nosso retrato. *Vossa* missão.
Minhas ideias, *meus* projetos. *Teus* sonhos, *tuas* histórias. *Suas* músicas, *seus* objetos. *Nossos* filhos. *Vossas* memórias.

---
[17] Atenção: A palavra *seu* que antecede nome de pessoas não é pronome possessivo, mas sim pronome de tratamento (corresponde a senhor): *Seu* Gabriel corre na praia.

Concordância dos pronomes possessivos

Os pronomes possessivos concordam em gênero e número com a coisa possuída e em pessoa com o possuidor.

Eu emprestei	meu	casaco.
	masculino singular	*masculino singular*

Eu emprestei	meus	livros.
	masculino plural	*masculino plural*

Quando um possessivo se refere a **mais de um substantivo com flexões diferentes**, a concordância ocorre com o que esteja mais próximo, ou se repete o possessivo com a flexão adequada.

Eu guardei *minhas camisas* e casacos   /e meus casacos
Eu guardei *meus casacos* e camisas   /e minhas camisas.

Às vezes, o possessivo na terceira pessoa cria **ambiguidades** no sentido:

Fernando, encontrei Simone e sua irmã no teatro.
É irmã de Fernando ou de Simone?

Para que não haja dúvidas, sempre que possível, deve-se usar *dele* (e flexões) ou outros pronomes:

Fernando, encontrei Simone e *tua irmã* no teatro.
(irmã de Fernando)
Fernando, encontrei Simone e *a irmã dela* no teatro.
(irmã de Simone)

MORFOLOGIA **131**

PRONOMES DEMONSTRATIVOS

São aqueles que situam pessoas e coisas em relação às três pessoas do discurso.

MASCULINOS:

este, esse, aquele (plural: estes, esses, aqueles)

FEMININOS:

esta, essa, aquela (plural: estas, essas, aquelas)

INVARIÁVEIS:

isto, isso, aquilo

Qual a diferença entre eles?

este, esta, isto	perto de quem fala.
esse, essa, isso	perto da pessoa a quem se fala.
aquele, aquela, aquilo	afastado tanto da pessoa que fala quanto da pessoa a quem se fala.

A correta colocação dos pronomes permite identificar onde estão as pessoas e coisas:

Este caderno e *esta* caneta são meus.

(O caderno e a caneta estão perto de quem está falando.)

Esse caderno e *essa* caneta são meus.

(O caderno e a caneta estão perto da pessoa a quem se fala.)

Aquele caderno e *aquela* caneta são meus.

(O caderno e a caneta estão afastados de quem fala e da pessoa a quem se fala.)

Este caderno e *aquela* caneta são meus.

(O caderno está perto de quem está falando e a caneta está afastada de quem está falando e da pessoa a quem se fala.)

O, a, os, as como pronomes demonstrativos

– Quando têm o significado de algum pronome demonstrativo.

>Esta camisa não é *a* que comprei.

(= aquela que comprei)

>Este prato é *o* que escolhi.

(= aquele que escolhi)

Tal, semelhante, mesmo, próprio como pronomes demonstrativos

– *Tal* e *semelhante*: quando forem sinônimos de *este, esse, isso, aquele* (e flexões)

>*Tal* pessoa é incrível.

(= essa pessoa)

>Ele teve coragem de falar *semelhante* coisa.

(= esta coisa)

– *Mesmo* e *próprio*: quando forem sinônimos de *exato, idêntico, em pesso*a. Dão sentido de reforço ao substantivo ou ao pronome.

>Foi a *própria* aluna que corrigiu o erro.

(= idêntica aluna)

>Ele *mesmo* entregou a encomenda.

(= em pessoa)

***

A ESCOLHA DA PRINCESA

O reino estava em grande expectativa. Era o dia da escolha do futuro marido da princesa. Muitos guerreiros se enfrentaram em combates como prova da valentia necessária para obter a mão de tão preciosa dama. Ao final do dia, o guarda da mais alta patente perguntava, enquanto apontava para os dois pretendentes ainda de pé:

— Quem Vossa Alteza vai escolher? *Este* ou *esse*?

— *Aquele*! — ela respondeu sem titubear, enquanto apontou para um rapaz sentado do outro lado da arquibancada e que não tinha participado dos embates.

— *Isto* não faz sentido! — interrompeu o rei — Quem é você? — perguntou ao jovem e fez sinal para que se aproximasse.

— *Este* é o jovem que conquistou meu coração — disse a princesa, enquanto se davam as mãos.

— Tragam-me o regulamento dos combates! — ordenou o rei.

O regulamento dos combates, escrito pelos mais inteligentes súditos, depois de ouvidos os mais brilhantes sábios, foi lido em voz alta. Ao final, foi concluído, porque o regulamento era claro, que o futuro rei deveria ter sido um dos guerreiros do combate.

— *Isto* não faz sentido! — gritou a princesa — Como é que posso obrigar meu coração a seguir um simples regulamento?

Os mais inteligentes súditos e os mais brilhantes sábios se entreolharam. Ninguém tinha pensado *naquilo*.

TESTANDO OS SEUS CONHECIMENTOS

***

MONTANHA-RUSSA

"Antônia e Bel foram na montanha-russa. Aquela adorou, esta ficou enjoada."

☺ Quem ficou enjoada e quem adorou a montanha-russa?

***

MAL-ENTENDIDO

— Jamais repetirei o que me falaram. Quanto mais se fala, mais problemas aparecem. No fundo, nós mesmos fazemos essas confusões.

— Não se preocupe. Já sei o que falaram de mim. Ela disse que eu era chata. Como aquela menina teve coragem de dizer semelhante coisa?

— Mas ela jamais disse tal coisa! Ela própria lhe convidou para o aniversário dela.

— Então, quem disse isso?

— Não repetirei o que me disseram, mas lembre-se de que são sempre as mesmas pessoas que criam confusão.

☺ Identifique os pronomes demonstrativos no texto acima:

***

O NÃO DA NOIVA

Para surpresa geral, a noiva disse não. O noivo ficou sem chão.
— Pergunte novamente — tentou um padrinho insistente, tentando salvar a cerimônia.
Mas de nada adiantou.
— Não é não! — ela reiterou, enquanto entregou o buquê para uma madrinha claramente orgulhosa com sua atitude.
— Ah! Essa juventude... Ainda bem que não perdi esse babado — comentou um tio velho, achando graça na inusitada situação, sob olhar de reprovação de um casal ao seu lado.
O zum-zum-zum aumentou. O noivo estava cada vez mais sério.
— Posso saber o motivo? — perguntou o padre, preocupado.
— Não! Não vou me casar e ponto final! — ela respondeu, mantendo o mistério.
— Vai, Marilda, diga que você está brincando! — tentou o noivo, já sem esperanças.
A mãe dela não queria aguardar:
— Me dê logo as alianças! — ordenou para a daminha, coitadinha, que desatou a chorar.
"Como pode ser tão boba? Eu nunca faria esta besteira" — pensou uma ex-namorada dele, inconformada na oitava fileira.
— Quanta vergonha! — disse a tia da noiva, enxugando a testa.
— Vai ter bolo? Vão devolver meu presente? — perguntou um convidado tolo e inconveniente.
O outro mais ético chamou sua atenção:
— Só deve haver devolução para quem não ficar para a festa.

☺
1) Por qual razão a noiva disse não?
2) A atitude da noiva foi criticada por todos os convidados?

Pronomes relativos

São aqueles que substituem um termo da oração anterior e estabelecem relação entre as duas orações.

> Andrea fez um bolo, *que* estava delicioso.

(Andrea fez um bolo) (O bolo estava delicioso)

São eles:

QUE (é o mais utilizado)

Pode ser usado em relação a pessoas e coisas. Pode aparecer precedido dos pronomes demonstrativos *o*, *a*, *os*, *as*.

> Cláudia usava um vestido, *que* estava lindo.

(refere-se a vestido)

> Qual vestido você vai usar?
> Vou usar o *que* você me deu.

QUAL, O QUAL

> Conheci um escritor, *o qual* me deu seu livro.

(refere-se ao escritor)

QUEM

Refere-se a pessoas ou a alguma coisa personificada.

> Foi ele *quem* me ajudou na prova.

(refere-se a ele)

> Antonio é um amigo, a *quem* sempre admirei.

(refere-se a Antonio)

QUANTO

Vem antecedido dos pronomes indefinidos tudo, todos, todas.

> Tudo *quanto* sei é pouco, preciso estudar mais.

(refere-se à quantidade do que sei)

ONDE

Indicativo de lugar.

> Patrícia e Carlos gostam da cidade *onde* moram.

(refere-se à cidade)

> AONDE é usado quando há ideia de movimento (= para onde): Ele chegou em Salvador, sem saber *aonde* ir (*para onde ir*).

CUJO

Indica relação de posse entre um elemento da oração e o termo que o sucede (concorda em gênero e número com o termo consequente). Tem sentido equivalente a *do qual*, *de quem*, *de que*.

> Consertei a camisa *cuja* manga estava rasgada.
> Consertei a camisa *cujas* mangas estavam rasgadas.

★★★

> Era uma reserva *onde* tudo era diferente:
> um búfalo *cujo* rabo era torto,
> um leão *que* tinha medo de girafas,
> um besouro *que* se fingia de morto.

Pronomes interrogativos

São os pronomes *que, quem, qual, quanto*, quando utilizados para fazer perguntas.

Flexão

– *que* e *quem*: invariáveis.

– *qual*: flexiona-se em número (*qual, quais*)

– *quanto*: flexiona-se em gênero e número (*quanto, quanta, quantos, quantas*).

Emprego dos interrogativos

– *que*: usado principalmente para coisas.

Que vai vazer hoje?
Que cara é esta?

– *quem*: usado para pessoas ou algo personificado.

Quem te disse isto?

– *qual* e *quanto*: usados para pessoas e coisas.

Qual é o seu caderno?
Qual amigo você convidou?
Quanto custa isto?
Quantos vieram à festa?

***

O SÁBIO[18]

O rapaz chega em uma enorme sala
e se aproxima de um velho sábio,
que está sentado no chão,
com seus olhos fechados.
O silêncio é absoluto.

Angustiado, o rapaz começa a perguntar:
— *Qual* é o caminho para a felicidade?
— *Qual* é a vida que devo levar?
— *Quais* são os medos que devo enfrentar?
O sábio nada responde.

O rapaz insiste:
— *Quem* é a mulher mais inteligente?
— *Quem* é o homem mais importante?
— *Quem* são as pessoas mais engraçadas?
O sábio permanece em silêncio.

O rapaz não desiste:
— *Quanto* amor há no mundo?
— *Quanta* fome há por aí?
— *Quantas* estrelas há no céu?
— *Quantos* rios estão poluídos?

O sábio permanece quieto. O rapaz continua:
— *Que* vida leva uma lagartixa?
— *Que* segredo esconde o visconde?
Lentamente, o monge abre os olhos e responde:
— Visconde? *Que* visconde?

---

18 Veja se você percebe quais os pronomes que variam com o gênero e com o plural.

PRONOMES INDEFINIDOS

São aqueles que se referem à terceira pessoa do discurso, dando-lhe sentido vago ou expressando quantidade indeterminada. Apresentam formas variáveis e invariáveis.

MASCULINO			FEMININO			INVARIÁVEIS
algum	/	alguns	alguma	/	algumas	algo
certo	/	certos	certa	/	certas	alguém
muito	/	muitos	muita	/	muitas	cada
nenhum	/	nenhuns	nenhuma	/	nenhumas	nada
outro	/	outros	outra	/	outras	ninguém
pouco	/	poucos	pouca	/	poucas	outrem
qualquer	/	quaisquer	qualquer	/	quaisquer	tudo
quanto	/	quantos	quanta	/	quantas	
tanto	/	tantos	tanta	/	tantas	
todo	/	todos	toda	/	todos	
vário	/	vários	vária	/	várias	

***

Ninguém duvida
de que *certas* coisas da vida
fazem *qualquer* um feliz.
Ter *vários* amigos,
tantos sorvetes *quanto* possível,
pouca preocupação,
algumas viagens,
muitos dias na praia.
Cada coisa na sua hora.
Mas *nada* disso é suficiente
se faltar *algo* indispensável:
alguém para amar,
por *todo* o tempo, o tempo *todo*.

Locuções pronominais indefinidas

Os pronomes indefinidos podem aparecer sob forma de locução pronominal: *cada um*; *cada qual*; *quem quer que*; *todo aquele que* etc.

***

Um dia, depois de longo debate, resolveram estabelecer as regras de convivência:

Cada um terá direito a voto.

Cada qual terá sua liberdade assegurada.

Seja qual for a opinião, ela será ouvida.

Quem quer que seja o preconceituoso, ele será punido.

Seja quem for o interessado, haverá igualdade de tratamento.

Todo aquele que roubar será julgado.

Em seguida, assinaram o documento, que foi colocado em um quadro.

TESTANDO OS SEUS CONHECIMENTOS

***

UM DIA

— Um dia, pretendo dizer a *ela* o que sinto.
— Mas *ela* vai viajar amanhã! Parece que *ela* está pensando em ficar um ano fora.
— Um ano? E por que *você* só *me* diz isso agora?
— *Você se* esqueceu? *Eu lhe* disse isso há mais de três meses.

☺ Classifique os pronomes marcados no texto acima.

***

"EU" OU "MIM"

— Isto é para ____ fazer?
— Será que você pode fazer isto por ____?
— Afinal, diz para ____, ela te contou a fofoca?
— Sim, mas isto fica entre ____ e você.

☺ Complete o texto acima com *eu* ou *mim*.

***

OS PRONOMES

— Por favor, *me* devolva *meus* pronomes?
— *Quais* pronomes? *Estes*, *esses* ou *aqueles*?
— Todos! Afinal, são os *meus* pronomes.
— Peraí, *eu* não estou *te* entendendo. *Tu* disseste *teus* pronomes?
— Com certeza, *meus* pronomes!
— Mas *esses* pronomes são *nossos*!

☺ Indique no texto os pronomes, pessoais retos, pessoais oblíquos, demonstrativos, possessivos e interrogativos.

MORFOLOGIA 143

Colocação dos pronomes

Os pronomes átonos podem ocupar três posições.

PRÓCLISE – antes do verbo

MESÓCLISE – no meio do verbo

ÊNCLISE – depois do verbo

próclise	*ênclise*	*mesóclise*
Eu *te* amo	Amo-*te*	Amar-*te*-ei

Próclise

É a colocação pronominal **antes do verbo**. A próclise é usada:

– Quando o verbo estiver **precedido de palavras que atraem o pronome** para antes do verbo. São elas:

PALAVRAS DE SENTIDO NEGATIVO: *não, nunca, ninguém, jamais* etc.

Nunca se distancie dos seus sonhos.

ADVÉRBIOS

Felizmente se encontraram na praia.

CONJUNÇÕES SUBORDINATIVAS

Disseram *que* você *me* ligaria.

PRONOMES RELATIVOS

O menino *que me* ligou é meu melhor amigo.

PRONOMES INDEFINIDOS

Ninguém te avisou que a festa à fantasia tinha sido cancelada?

– Em orações iniciadas por palavras interrogativas.

Quem te falou isto?

– Em orações iniciadas por palavras exclamativas.

Como te admiro!

– Em orações que exprimem desejo (são chamadas de orações optativas).

Que Deus *o* proteja.

– Em orações com gerúndio precedido da preposição *em*.

Nessa terra *em se plantando* tudo dá.

Mesóclise

É a colocação pronominal **no meio do verbo**. A mesóclise só é usada quando o verbo estiver no *futuro do presente* ou no *futuro do pretérito*.

Ligar-*te*-ei mais tarde.

Pedir-*te*-ia carona, se pudesse ir à festa.

> ATENÇÃO: Se o verbo no futuro do presente ou no futuro do pretérito do indicativo vier precedido por pronome pessoal reto ou por alguma palavra que exija próclise, esta deve ser a forma adotada:
>
> *Eu te* ligarei mais tarde.
>
> *Eu te* pediria carona, se pudesse ir à festa.
>
> *Não te* ligarei depois das onze horas da noite.

Ênclise

É a colocação pronominal **depois do verbo**. A ênclise é usada quando não for caso de uso da próclise e da mesóclise (ver na página anterior). Além desse uso geral, é usada especificamente:

– Em frase iniciada por verbo, desde que não esteja no futuro.

> Conto-*te* uma novidade.

> ATENÇÃO: Na linguagem coloquial, comumente se iniciam frases com pronome. Diz-se: *Te* amo ao invés de Amo-*te*.

– Quando o verbo estiver no imperativo afirmativo.

> Alunos, dividam-*se* em dois grupos.

– Quando o verbo estiver no gerúndio, exceto se precedido da preposição *em*.

> Ela está fazendo-*se* de desentendida.

– Quando o verbo estiver no infinitivo impessoal.

> Quero enviar-*te* um presente.

> ATENÇÃO: se o infinitivo pessoal vier precedido de palavra atrativa, pode-se usar próclise ou ênclise. É preciso encontrar um meio de não *o* chatear. É preciso encontrar um meio de chateá-*lo*.

– Quando houver pausa antes do verbo.

> Se não for incomodar, peço-*te* uma ajuda.

146 UMA GRAMÁTICA SIMPÁTICA

Encontros de alguns verbos com pronomes (em casos de ênclise)

Verbos terminados em *r*, *s*, *z* se modificam quando se encontram com os pronomes *o, a, os, as*.

vender + *a* = vendê-*la*   quis + *o* = qui-*lo*   fiz + *o* = fi-*lo*

> Em verbos terminados em vogal ou ditongo oral, os pronomes *o, a, os, as* não se alteram:
> Chame-*o* agora.
> Deixei-*a* mais tranquila.

Verbos terminados com sons nasais (*m, õe* ou *ão*) modificam os pronomes *o, a, os, as* (que assumem as formas *no, na, nos, nas*).

tem + *a* = *tem-na*   põe + *o* = *põe-no*   dão + os = *dão-nos*

No caso de forma verbal na primeira pessoa do plural seguida do pronome oblíquo *nos*, a forma verbal perde o *s*:

organizamo*s* + *nos* = organizamo-*nos*

Os pronomes *me, te, lhe, nos, vos* e *lhes* podem se combinar com os pronomes *o, a, os, as* e assumirem as formas *mo, to, lho, no-lo, vo-lo*, e suas flexões (hoje formas em desuso). Podem ocorrer em próclise, ênclise ou mesóclise.

— Ele te entregou o livro?
— Ele *mo* deu.   (*mo* = *me* [para mim] + *o* [livro])

— Você entregou o livro ao professor?
— Entreguei-*lho*.   (*lho* = *lhe* [ao professor] + *o* [livro])

— Você dará o livro ao professor:
— Dá-*lho*-ei.   (*lho* = *lhe* [ao professor] + *o* [livro])

***

JÂNIO, ELOÁ E EU*

— Jânio, Eloá e eu compramos um carro velho. Organizamo-nos para arrumá-lo. Um dia, sem nos consultar, Jânio resolveu vendê-lo. Indignado, perguntei:
— Por que você fez isso, Jânio?
Ele simplesmente respondeu:
— Ora, "fi-lo porque qui-lo".[19]

> *Como regra de educação, quando há mais de um sujeito, o pronome *eu* deve ser colocado no começo ou no final, de acordo com a informação dada (positiva ou negativa):
> Luiz Márcio, Afonso, Antônio e *eu* ganhamos o prêmio.
> *Eu*, Luiz Márcio, Afonso e Antônio tiramos nota baixa no teste.

---

[19] Correção necessária: Atribui-se ao ex-presidente Jânio Quadros a frase "Fi-lo porque qui-lo", já que ele gostava de falar de forma erudita. Mas, na realidade, ele não disse isso. Como ele sabia que a conjunção "porque" iria atrair o pronome, certamente diria: "fi-lo porque o quis".

148 UMA GRAMÁTICA SIMPÁTICA

TESTANDO OS SEUS CONHECIMENTOS

***

O CORRETO LOCAL DOS PRONOMES

É preciso ter cuidado com a colocação dos pronomes, que ficam chateados quando colocados em lugares incorretos. Não *os* culpo. Jamais *os* condenaria pela irritação. Diga-*me*: — Você já *se* sentiu inadequado em algum lugar? Falar-*te*-ei a verdade: eu já. É muito desagradável. Juro! Não *lhe* diria se não tivesse ocorrido. Por isto, entendo os pronomes. Defendo-*os*. Daí que *lhe* dou um conselho de amigo: Estude-*os*. Aprenda a admirá-*los*. Quem *lhe* disse que é impossível aprender suas regras? Tornando-*nos* estudiosos, as matérias ficam mais divertidas. Além disto, a leitura fica mais agradável. Afinal, é muito bom procurar pronomes em um texto e encontrá-*los* nos lugares adequados.

☺ Indique a razão para a colocação dos pronomes no texto acima.

***

O VARAL

— Já *te* disse que não gosto do agito da máquina de lavar. Nunca *me* acostumo. Sinto-*me* em um liquidificador. Por que não *nos* mandam direto para aquele sol delicioso? — reclama uma meia bastante irritada.

— A situação vai piorar. Eles decidiram comprar uma máquina de secar — responde uma camisa inconformada.

— Uma máquina de secar? Quem *te* disse isto? Isso *me* deixa muito nervosa!

☺ Idenfique a razão para a colocação dos pronomes marcados.

Colocação dos pronomes nas locuções verbais

As locuções verbais podem ter o verbo principal no infinitivo, no gerúndio ou no particípio (ver página 174).

Verbo principal no particípio

O pronome será colocado junto ao verbo auxiliar, observadas as regras de colocação de pronomes.

– Se houver palavra que exija *próclise*: o pronome vem antes do verbo auxiliar.

Não *o* tinha conhecido naquela noite.

– Se for o caso de *mesóclise*:

Ser-*lhe*-ei agradecido pela gentileza.

– Se *não* houver palavra que exija a *próclise*: pronome vem após o verbo auxiliar.

Sentiu-se envaidecido pela homenagem.

> Jamais se emprega pronome oblíquo após o particípio.

Verbo principal no infinitivo ou gerúndio

– Se houver palavra que exija *próclise*: o pronome pode ficar antes do verbo auxiliar ou após a locução verbal.

Não *te* posso contar tudo.

Não posso contar-*te* tudo.

(Na linguagem coloquial usa-se "Não posso te contar tudo".)

– Se *não* houver palavra que exija a *próclise*: o pronome pode ficar após o verbo auxiliar ou após o verbo principal.

Quero *te* contar um segredo.

Quero contar-*te* um segredo.

Hífen

Nas locuções verbais e nos tempos compostos, quando se coloca o pronome oblíquo átono depois do verbo auxiliar, pode-se usar o hífen ou não.

> Vou-*te* contar uma coisa.
>
> Vou *te* contar uma coisa.

Pronome oblíquo no começo das frases

A observância da norma culta impede que a frase se inicie com pronome oblíquo. Mas, mesmo na linguagem escrita, a forma é usada com muita frequência, quando explicitamente coloquial:

***

> — Me passa o café?
> — Nos encontramos amanhã?
> — Me ajuda?
> — Te ligo.

***

OS PRONOMES NAS LOCUÇÕES VERBAIS

Ao tratar da colocação de pronomes nas locuções verbais, o professor escreveu no quadro quatro regras:

1) Verbo principal no particípio: o pronome fica perto do verbo auxiliar, observadas as regras de colocação de pronome.

> — Assim, digam "Eu *te* tenho ligado" ou "Eu tenho *te* ligado".

2) Jamais se coloca o pronome após o particípio.

> — Mas, esta é uma consequência da primeira regra — observou uma aluna.

O professor sorriu e escreveu a terceira regra.

3) Verbo principal no infinitivo ou no gerúndio: o pronome

pode ser livremente colocado (exceto na regra quatro abaixo).

> — Então, digam: "eu estou *te* escutando" ou "eu estou escutando-*te*".

4) Verbo principal no infinitivo ou no gerúndio, em caso de próclise: não se coloca pronome entre os verbos (o pronome vem antes ou depois da locução verbal).

> — Por isto, digam: "não *me* estou acostumando" ou "não estou acostumando-*me*".[20]

Sem mais nada dizer, pegou suas coisas e saiu.

TESTANDO OS SEUS CONHECIMENTOS

★★★

O PÔR DO SOL

Quando Antônio viu o sol se pôr no mar, ficou felicíssimo. Pouco a pouco, o poderoso sol, intenso e impiedoso, tinha sido rendido por um mar tranquilo e sereno, com apenas algumas pequenas ondas na sua beirada. Não podia esconder seu contentamento ao ver o causador de um calor insano ser batido por quem já tinha, caso a caso, trazido algum refresco para tamanho desconforto. Pensou em se lançar no mar até o local da luta, na esperança de ver as marcas deixadas por aquela batalha de gigantes, mas se acovardou. Afinal, já era noite.

☺ Responda:
1) O que Antônio acredita ter ocorrido no pôr do sol?
2) Por que razão o pôr do sol alegrou Antônio?

---

20 Apesar da regra da norma culta, na linguagem coloquial usa-se com frequência o pronome entre os verbos "não estou *me* acostumando".

11. VERBO

VERBO é a classe das palavras que indicam ação, uma situação ou mudança de estado.

Locuções verbais são compostas por dois ou mais verbos.

> O celular *foi achado* debaixo do sofá.
>
> (= acharam o celular debaixo do sofá.)

> O celular *tinha sido achado* debaixo do sofá.
>
> (= acharam o celular debaixo do sofá.)

(A primeira frase indica um tempo mais recente, a segunda sugere um tempo mais remoto.)

– Os verbos variam de acordo com as **pessoas**.
(verbo *correr* no presente do indicativo)

eu	corro
tu	corres
ele	corre
nós	corremos
vós	correis
eles	correm

– Os verbos variam de acordo com os **números**.
(verbo *correr* no presente do indicativo)

SINGULAR: eu corro, tu corres, ele corre

PLURAL: nós corremos, vós correis, eles correm

– Os verbos variam de acordo com o **tempo**.
O tempo pode ser:

PRESENTE: indica um fato ocorrido no momento em que se fala.

PRETÉRITO (passado): indica um fato ocorrido antes do momento em que se fala.

FUTURO: indica um fato que ocorrerá após o momento em que se fala.

O pretérito e o futuro apresentam subdivisões, como se verá a seguir.

– Os verbos variam de acordo com o **modo** (indicativo, subjuntivo e imperativo).

INDICATIVO: o verbo expressa uma ação que provavelmente acontece, aconteceu ou acontecerá.

PRESENTE	PRETÉRITO PERFEITO
eu canto	eu cantei
PRETÉRITO IMPERFEITO	PRETÉRITO MAIS-QUE-PERFEITO
eu cantava	eu cantara
FUTURO DO PRESENTE	FUTURO DO PRETÉRITO
eu cantarei	eu cantaria

SUBJUNTIVO: o verbo expressa dúvida, incerteza, trabalhando com possibilidades de concretização da ação verbal.

PRESENTE	PRETÉRITO PERFEITO	FUTURO DO PRESENTE
eu cante	eu cantasse	eu cantar

IMPERATIVO: Apresenta-se na forma afirmativa e na forma negativa. Com ele dirigimo-nos diretamente a alguém, em segunda pessoa, expressando o que queremos que esta(s) pessoa(s) faça(m). Pode indicar uma ordem, um pedido, um conselho etc., dependendo da entonação e do contexto em que é aplicado.

***

Se a segunda pessoa é representada pelo pronome *tu*:
Pula de paraquedas,
nada com tubarões,
dorme com leões.
Rasga dinheiro,
*não ligue*s para os amigos,
escolhe um bom conselheiro.

Se representada pela forma de tratamento *você*:
Pule de paraquedas,
nade com tubarões,
durma com leões.
Rasgue dinheiro,
não ligue para os amigos,
escolha um bom conselheiro.

Vozes do verbos

Os verbos variam de acordo com a **voz**.

Voz ativa

O sujeito é o agente da ação.

> *Pedro* ama Bianca.
> *Eu* li o livro.

Às vezes, na voz ativa o sujeito não pratica a ação. Exemplo:

> *O menino* sofreu uma agressão.

(Considera-se voz ativa porque a forma verbal está na voz ativa.)

Veja o mesmo significado na voz passiva:

> O menino foi agredido.

Voz passiva

O sujeito é paciente da ação.

> *Bianca* é amada por Pedro.
> *O livro* foi lido por mim.

A voz passiva pode ser:

VOZ PASSIVA ANALÍTICA: verbo *ser, estar, ficar* + particípio do verbo principal.

> A televisão foi consertada pelo técnico.

(O particípio concorda em gênero e número com o sujeito.)

> O cachorro foi encontrado. / Os cachorros foram encontrados.
>
> A gata foi alimentada. / As gatas foram alimentadas.

VOZ PASSIVA SINTÉTICA: verbo na terceira pessoa + pronome apassivador *se*.

> Vendem-se casas.

Veja mais sobre voz passiva na página 270.

VOZ REFLEXIVA

O sujeito é agente e paciente da ação.

Eu *me acostumei.*
Tu *te acostumaste.*
Ele *se acostumou.*
Nós *nos acostumamos.*
Vós *vos acostumastes.*
Eles *se acostumaram.*

Veja os pronomes reflexivos na página 123.

TESTANDO OS SEUS CONHECIMENTOS

***

O TOM

O cantor perdeu o tom.
Em algum lugar, entre o fá e o lá.
Ele se angustiou.
Como isso pôde acontecer?
O tom se escondia.
Parecia birra de criança.
Mas, quando tudo parecia perdido,
a nota certa foi encontrada.
O alívio foi geral.
O cantor foi aplaudido.

☺
1) Indique duas frases na voz reflexiva.
2) Coloque na voz ativa a frase "o cantor foi aplaudido".

***

A FERIDA

Era uma vez uma ferida que vivia em um braço. Ela era a maior ferida que existia na região e se orgulhava de ser tão grande e profunda.

Um dia, foi procurada por uma ferida pequena, que estava preocupada:

— O menino já está tomando remédio! Em pouco tempo, vamos desaparecer!

— Como desaparecer? — perguntou a grande ferida que, no auge de sua força, jamais tinha pensado em tais coisas.

A pequena ferida vaticinou:

— Você verá: primeiro são os hematomas que vão embora! Eles vão clarear até sumir de vez! Depois seremos nós! Em pouco tempo, o braço ficará liso e não haverá nenhuma marca da queda da bicicleta!

A grande ferida se irritou:

— Sai fora, sua ferida invejosa! Sei que a única coisa que você deseja é uma parte do meu pus!

A pequena ferida deu as costas sem nada mais dizer e partiu desolada.

Em pouco tempo, no entanto, a grande ferida percebeu que tinha sido injusta. Embora visse, por vezes, o nascimento de novas feridas e imaginasse que o braço jamais ficaria completamente liso conforme havia sido alertado pela feridinha, constatava diariamente o seu próprio enfraquecimento. Percebia o desaparecimento de hematomas e feridas, que eram suas contemporâneas de tombo. Pensou em se desculpar com a pequena ferida, mas recebeu a triste notícia de que ela já não estava ali. Enfraquecida, tinha sido levada por uma simples pomada, sem antibiótico.

☺ Responda:
1) Qual a notícia a pequena ferida deu para a grande ferida?
2) Por que a grande ferida achou que a pequena ferida era invejosa?

Os tempos verbais

Indicativo

Presente

Indica fato que ocorre no momento em que se fala.

> Gosto de sorvete.

Também pode ser usado para:

– Indicar fatos permanentes.

> A Terra é azul.

– Dar atualidade a fatos ocorridos no passado.

> Em 1808 a família real portuguesa *chega* ao Brasil.

– Indicar futuro próximo.

> *Viajo* para o Nordeste na semana que vem.

Pretérito

Indica fatos que já ocorreram.

> **PRETÉRITO PERFEITO:** indica fato que ocorreu no passado em determinado momento, observado depois de concluído. Ação finita, terminada.
>
>> Ontem, *dormi* até mais tarde.

> **PRETÉRITO IMPERFEITO:** indica fato que ocorria com frequência no passado ou fato que não tinha sido concluído no momento em que estava sendo observado.
>
>> Naquele tempo, Duda *cantava* todos os dias.
>> Antônia *estava cantando*, quando Nina chegou.

> **PRETÉRITO MAIS-QUE-PERFEITO:** indica fato ocorrido antes de outro no pretérito perfeito do indicativo.
>
>> Quando te encontrei, já *fizera* meu dever de casa.

Futuro

Indica fatos que ocorrerão depois do momento da fala.

FUTURO DO PRESENTE: Indica fato que, com certeza, ocorrerá.

Viajarei amanhã cedo.

FUTURO DO PRETÉRITO: Indica fato futuro, dependente de outro anterior a ele.

Viajaria amanhã, se pudesse.

Subjuntivo

Presente

Indica desejo atual, dúvida, incerteza que ocorre no momento da fala.

Espero que *consiga* uma boa nota amanhã.

Pretérito imperfeito

Indica condição, hipótese; normalmente é usado com o futuro do pretérito do indicativo.

Chegaria em casa mais cedo, se o trânsito *permitisse*.

Futuro

Indica hipótese futura.

Quando eu *acordar*, irei à praia.

Imperativo

Indica uma ordem, um pedido, uma sugestão.

(O imperativo não possui a primeira pessoa do singular.)

Formação do imperativo afirmativo

As segundas pessoas (*tu* e *vós*) derivam das formas do presente do indicativo, retirando a letra '*s*'. As demais pessoas são idênticas às do presente do subjuntivo.

			IMPERATIVO AFIRMATIVO
eu			–
tu	(presente do indicativo:	estudas)	estuda tu
ele	(presente do subjuntivo:	estude)	estude ele
nós	(presente do subjuntivo:	estudemos)	estudemos nós
vós	(presente do indicativo:	estudais)	estudai vós
eles	(presente do subjuntivo:	estudem)	estudem eles

Exceções:

Os verbos *dizer*, *fazer* e *trazer* e os verbos terminados em *-uzir* (produzir, traduzir, conduzir etc.) admitem duas formas na segunda pessoa do singular *tu* do imperativo afirmativo:

diz / dize
faz / faze
traz / traze
produz / produze
traduz / traduze

MORFOLOGIA **161**

Formação do imperativo negativo

O imperativo negativo é derivado do presente do subjuntivo mais o advérbio *não*.

			IMPERATIVO NEGATIVO
eu			–
tu	(presente do subjuntivo:	pares)	não pares tu
ele	(presente do subjuntivo:	pare)	não pare ele
nós	(presente do subjuntivo:	paremos)	não paremos nós
vós	(presente do subjuntivo:	pareis)	não pareis vós
eles	(presente do subjuntivo:	parem)	não parem eles

EXCEÇÃO: verbo *ser*.

IMPERATIVO AFIRMATIVO	IMPERATIVO NEGATIVO
–	–
sê (tu)	não sejas (tu)
seja (ele)	não seja (ele)
sejamos (nós)	não sejamos (nós)
sede (vós)	não sejais (vós)
sejam (eles)	não sejam (eles)

Em síntese:

– O imperativo negativo conjuga-se como o presente do subjuntivo.

– O imperativo afirmativo conjuga-se como o presente do subjuntivo, exceto as segundas pessoas (*tu* e *vós*), que derivam das formas do presente do indicativo, retirada a letra '*s*'.

– Os verbos *dizer*, *fazer* e *trazer* e os verbos terminados em *-uzir* (produzir, traduzir, conduzir etc.) admitem duas formas na segunda pessoa do singular (*tu*) do imperativo afirmativo.

– O verbo *ser* tem conjugações diferentes no imperativo afirmativo e no negativo.

***

O IMPERADOR

No único dia do ano em que o palácio era aberto ao povo, os cidadãos mais humildes punham-se em longa fila para ouvir as palavras do imperador. Sentado em um suntuoso trono, ele olhava os rostos ansiosos por sua sabedoria e dava a cada um dos presentes um comando específico:

— Fala.

— Dança.

— Canta.

— Sê generoso.

— Olha as estrelas.

— Sonha.

— Não sejais rancoroso.

— Se espanta.

— Me espante? — perguntou o plebeu evidentemente surpreso com a ordem gramaticalmente imperfeita.

— Isto mesmo! Se espanta! — repetiu o imperador, que jamais era questionado, também espantado com a inesperada interrogação.

TESTANDO OS SEUS CONHECIMENTOS

∗∗∗

O SOLDADO

O rapaz chegou para um soldado e disse:
— Ei, você, não _____ guerra! _____! (fazer / amar)
O soldado ficou encantado com a mensagem. Virou-se para outro soldado e disse:
— Ei, tu, não _____ guerra! _____!   (fazer / amar)
Depois, gritou para o batalhão:
— Não _____ guerra! _____!   (fazer / amar)

☺ Complete as frases acima com os verbos no imperativo.[21]

---

[21] Para facilitar a tua vida, coloco aqui as conjugações que irão te ajudar a preencher as lacunas:
Presente do subjuntivo (tu, ele, nós, vós, eles)　　　Presente do indicativo (tu, vós)
　　ames, ame, amemos, ameis, amem　　　　　　amas, amais
　　faças, faça, façamos, façais, façam　　　　　　　fazes, fazeis

Gerúndio

O gerúndio indica ação que ainda está em curso ou que é prolongada no tempo. Apresenta duas formas:

SIMPLES: indica uma ação em curso.

Mônica e Guilherme estão *dormindo*.

COMPOSTA: indica uma ação realizada antes da ocorrida na oração principal.

Tendo estudado bastante, passou de ano.

Às vezes, o gerúndio exerce função de adjetivo ou de oração adjetiva. Exemplo:

Tome cuidado com a água *fervendo*.

★★★

ESCALANDO

— Pai! Pai! Está me *vendo*?
— Filho! O que você está *fazendo* aí no alto?
— Estou me *divertindo*, *brincando*!
— Desça já! Estou *mandando*!
— O quê? Não estou *ouvindo*.
— Não estou *achando* graça. Sei que você está *escutando*.
— Está bem, pai. Estou *descendo*.
— Toma cuidado, filho! A pedra está *escorregando*.
— Pode deixar, estou *tomando*.

Agora que já vimos o gerúndio, siga estudando.

Particípio

O particípio indica uma ação já realizada, finalizada. Ele tem fundamental importância na formação dos tempos compostos.

Em geral, o particípio está acompanhado dos *verbos auxiliares*:

TER E HAVER:

> Letícia *tinha* telefonado para a mãe.
> Letícia *havia* telefonado para a mãe.

SER (formando a voz passiva):

> Rafael *foi* aplaudido pela plateia.

ESTAR (formando a voz passiva):

> Rafael *está* impressionado com a exposição.

> ATENÇÃO: Quando o particípio exprime apenas o estado, sem estabelecer nenhuma relação temporal, ele desempenha função de adjetivo:
>
> O rapaz *irritado* brigou com todos. / A situação *é* complicada.

***

CARTÃO APAIXONADO

> Meu amor,
> Algo de extraordinário tem-me *ocorrido*.
> Sei que não estou *adoentado*,
> mas tenho *percebido*
> que, cada vez mais,
> desejo te encontrar
> em um tempo de verbo *trocado*.
> Algo que já esteja *definido*,
> que seja *acabado*.
> Mas, não te preocupes com o que tenho *escrito*
> ou o modo que tenha *falado*.
> Continuarei te amando muito,
> como desde sempre te tenho *amado*.

Que bom que o particípio já foi estudado e entendido!

Infinitivo

Infinitivo é o verbo em seu estado natural: *sonhar, viver, sorrir.*

Ele pode ser:

INFINITIVO NÃO FLEXIONADO (impessoal): não se flexiona de acordo com as pessoas do discurso: *voar, fugir, perder, abraçar, chegar, partir, comer.*

O *infinitivo impessoal* é utilizado:

– Quando não estiver se referindo a nenhum sujeito.

É preciso economizar água.

– Quando tiver valor de imperativo.

Há apenas um único caminho: fazer!

– Quando fizer parte de uma locução verbal.

Amanhã vou acordar mais tarde.

– Quando precedido da preposição *de* seguida de adjetivos como *fácil, difícil, impossível, raro, bom* ou semelhantes.

Era difícil de acreditar.

– Quando depende dos verbos *deixar, fazer, mandar, ouvir, ver, sentir.*

Deixei-os brincar.

INFINITIVO FLEXIONADO (pessoal): flexiona-se de acordo com as pessoas do discurso a quem se refere (*nos verbos regulares a terminação é igual à do futuro do subjuntivo*)

    (para) eu   dançar
    (para) tu   dançares
    (para) ele   dançar
    (para) nós dançarmos
    (para) vos dançardes
    (para) eles dançarem

O *infinitivo pessoal* é utilizado:

– Quando tiver sujeito próprio (diferente do sujeito da oração principal).

Beatriz fez um suco para nós bebermos.

– Quando o sujeito for indeterminado (e estiver na terceira pessoa do plural).

Ouvi falarem bem de você.

Agora que você já entendeu o infinitivo, vamos continuar.

TESTANDO OS SEUS CONHECIMENTOS

***

AS GRAVATAS-BORBOLETAS

No dia em que a loja de gravatas-borboletas foi fechada, várias cartolas compareceram para prestar solidariedade. O clima de tristeza era enorme.

— É uma dor difícil de descrever, mas sei o que vocês estão sentindo — disse, indignada, uma das cartolas.

— Isto não pode estar acontecendo — resmungou uma gravata, incrédula.

— Não podemos aceitar isto passivamente! A mudança das coisas deve ter limites! — reclamou uma gravata irritada.

— Não há nada que possamos fazer — completou a outra, mais conformada.

— Temos que nos movimentar! Já sei. Vou escrever para o jornal e reclamar desta situação absurda — insistiu a gravata mais irritada.

— Ótima ideia! Vou te ajudar nisto — ofereceu-se uma cartola.

— Perfeito! Vamos lá em casa. Tenho uma boa máquina de escrever. Fazemos uma carta e a mandamos — completou a gravata.

A cartola ficou surpresa.

— Uma máquina de escrever? Carta? Ninguém mais usa essas coisas.

☺ Qual a contradição que existe na surpresa final da cartola?

MORFOLOGIA 169

***

GERÚNDIO E PARTICÍPIO

Gerúndio e Particípio resolveram marcar um encontro e já de início perceberam suas diferenças. Enquanto o Gerúndio estava se *arrumando* para sair, o Particípio já tinha se *aprontado*. Depois, o Particípio ficou irritado, porque já tinha *chegado* no local *combinado*, quando descobriu que o Gerúndio ainda estava *chegando*, sem que estivesse se preocupando muito com a demora. Não teve jeito, o Particípio ficou muito aborrecido, porque o Gerúndio o deixou *esperando*.

☺ Você consegue diferenciar o particípio do gerúndio?

***

A CORDA

Pulo corda desde pequeno. Já *tive* muitas delas. Quando criança, *gostava* de pular na grama, enquanto *pegava* sol. Uma delas se *rompeu* no dia em que *fiz* dez anos.

Hoje, não *tenho* mais uma corda. Se tivesse, *pularia* todos os dias. Pensando bem, *comprarei* uma corda nova amanhã.

☺ Identifique, no indicativo, cada um dos tempos verbais.

***

COISAS DO CORAÇÃO

— Sei que você está *gostando* dela. O que você está *esperando*?
— Tenho *pensado* muito nisso. Mas fico preocupado. O que *falar*?
— Diga o que está *sentindo*. O importante é se *expressar*.
— Fico inibido. Sou muito envergonhado.
— Vai! Tome coragem! Acho que ela também está *gostando* de você.
— Você está *falando* sério ou está *brincando*?
— Você acha que iria *brincar* com estas coisas?
— Obrigado pela força! Já estou me *animando*.
(...)
— E aí? Como foi?
— Estou arrasado. Ela está *namorando*. Não sei se vou *aguentar*...
(...)
— Onde tens *andado*? Tenho te *ligado* e não estou te *encontrando*.
— Estava *viajando*.
— Tenho ótimas novidades: o namoro acabou. Ela está *gostando* de você.
— Que pena! Agora, estou *apaixonado* por outra.

☺ Você consegue identificar o particípio, do gerúndio e o infinitivo?

MORFOLOGIA **171**

Uma dica para conjugação

Use as palavras em negrito para lembrar a conjugação. Vamos pegar o verbo *viajar*?

INDICATIVO

– Presente

HOJE eu viajo tu viajas ele...

– Pretérito perfeito

ONTEM eu viajei tu viajaste ele...

– Pretérito imperfeito

ANTIGAMENTE eu viajava tu viajavas ele...

– Pretérito mais-que-perfeito

ANTES DISSO eu viajara tu viajaras ele...

– Futuro do presente

AMANHÃ eu viajarei tu viajarás ele...

– Futuro do pretérito

SE PUDESSE eu viajaria tu viajarias ele...

SUBJUNTIVO

– Presente

QUE eu viaje tu viajes ele...

– Pretérito

SE eu viajasse tu viajasses ele...

– Futuro

QUANDO eu viajar tu viajares ele...

GERÚNDIO

EU ESTAVA viajando tu estavas viajando ele...

PARTICÍPIO

EU TINHA viajado tu tinhas viajado ele...

> Veja que no particípio e no gerúndio é o verbo auxiliar que é conjugado.

Estrutura do verbo

O verbo é formado por radical, vogal temática e desinência.[22]

Radical

Radical é o elemento originário e irredutível que traz o significado do verbo. É a sua raiz.

am -ar	*com* -er	*fug* -ir
RADICAL	RADICAL	RADICAL

Vogal temática

Vogal temática é a vogal que se junta ao radical, preparando-o para receber as desinências.

Nos verbos, a vogal temática é indicativa das conjugações:

(vogal *a*: 1ª conjugação; vogais *e* e *o*: 2ª conjugação; vogal *i*: 3ª conjugação).

RADICAL	VOGAL TEMÁTICA	DESINÊNCIAS
am	*a*	va
perd	*e*	ra
fug	*i*	a

CONJUGAÇÕES

1ª conjugação – AR	amar, cantar, viajar
2ª conjugação – ER	perder, viver, ler,
3ª conjugação – IR	fugir, dormir, rir

---

22 Lembre-se de que as palavras são formadas de radical, vogal temática e desinência (ver página 58).

Desinência

Desinências são elementos que se juntam ao final das palavras marcando a sua flexão.

As desinências verbais indicam o modo e o tempo, a pessoa e o número.

encontrá va mos
desinência *desinência*
modo-temporal *número-pessoal*

FORMAS RIZOTÔNICAS E FORMAS ARRIZOTÔNICAS

Nas formas rizotônicas, o acento tônico recai no radical.

cor-to, **fa**-lam

Nas formas arrizotônicas, o acento tônico recai fora do radical.

que-**re**mos, fal-ar**ei**

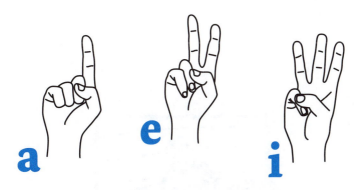

Locuções verbais

As locuções verbais são conjuntos formados por dois ou mais verbos que transmitem apenas uma ação verbal. As locuções verbais são formadas por verbo auxiliar (ou dois auxiliares) e verbo principal. Exemplos:

> estou pensando
> pode chover
> quero dormir
> tenho estado cansado

Nas locuções verbais, conjuga-se apenas o verbo auxiliar:

> Beatriz *está* vendo um filme.
> Beatriz e Alexandre *estão* vendo um filme.

Nas locuções verbais, o verbo principal estará no infinitivo (poderá *chover*), no gerúndio (estou *estudando*) ou no particípio (tinha *sumido*).

Os principais verbos auxiliares são: *ser*, *estar*, *ter* e *haver*.

> Atenção: Quando a locução verbal for formada pelos verbos *ter* e *haver* com o particípio do verbo principal, haverá *tempo composto*. No entanto, nem toda locução verbal é um tempo composto. Veremos com mais detalhe o tempo composto na página 189.

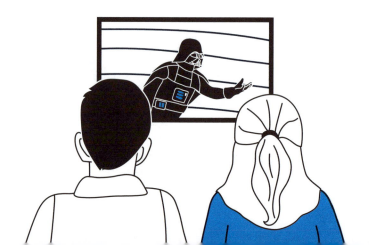

CLASSIFICAÇÃO DOS VERBOS

Quanto à flexão

REGULARES – seguem os paradigmas[23] da conjugação.
Exemplo: *cantar, vender, partir.*

	1ª CONJ.	2ª CONJ.	3ª CONJ.
eu	can**to**	ven**do**	par**to**
tu	can**tas**	ven**des**	par**tes**
ele	can**ta**	ven**de**	par**te**
nós	can**tamos**	ven**demos**	part**imos**
vós	can**tais**	ven**deis**	par**tis**
eles	can**tam**	ven**dem**	part**em**

Para conjugar um verbo regular de qualquer das conjugações, substitua o radical dos exemplos acima pelo radical do verbo e mantenha as vogais temáticas e desinências dos paradigmas. Experimente com fal**ar** (1ª conj.), beb**er** (2ª conj.) e curt**ir** (3ª conj).

IRREGULARES – afastam-se do paradigma da conjugação.
Eles não seguem o radical.
Exemplos: dar, estar, fazer, ser, pedir, ir e vários outros.

	SER	IR	MEDIR
eu	sou	vou	meço
tu	és	vais	medes
ele	é	vai	mede
nós	somos	vamos	medimos
vós	sois	ides	medis
eles	são	vão	medem

Veja alguns verbos irregulares

MEDIR:	Seu radical é *med,* no entanto eu *meço*
TRAZER:	Seu radical é *traz,* no entanto eu *trago*
PEDIR:	Seu radical é *ped,* no entanto eu *peço*
FAZER:	Seu radical é *faz,* no entanto eu *faço*

---

23 Paradigma: exemplo que serve como modelo; padrão.

DEFECTIVOS – os que não têm algumas formas verbais.
Exemplos: *abolir, falir, colorir.*

Os motivos da existência dos verbos defectivos?

– Poderia gerar confusão com outros verbos:

Falar: eu falo.
Falir: eu... (seria igual ao verbo falar)

– Poderia gerar sons desagradáveis.

(Imagine como seria o verbo *reaver* na primeira, na segunda e na terceira pessoa do singular...).

ABUNDANTES – os que têm duas ou mais formas equivalentes (normalmente isto ocorre no particípio do verbo).

PARTICÍPIO REGULAR	PARTICÍPIO IRREGULAR
Já tinha *aceitado* o convite.	O convite foi *aceito.*
Tenho *entregado* as encomendas.	O presente foi *entregue.*
O leão tinha *morrido* em cativeiro.	O rinoceronte estava *morto.*

★★★

Aceitado ou *aceito, entregado* ou *entregue,*
limpado ou *limpo, enxugado* ou *enxuto,*
extinguido ou *extinto, morrido* ou *morto,*
pagado ou *pago, ganhado* ou *ganho,*
salvado ou *salvo, imprimido* ou *impresso,*
acendido ou *aceso, elegido* ou *eleito.*
Não precisa ser *corrigido,* o que está *correto.*

Verbos de um único particípio irregular

Há verbos que só têm um único particípio, porém irregular.

Exemplos:

abrir	(aberto)	fazer	(feito)
cobrir	(coberto)	pôr	(posto)
dizer	(dito)	ver	(visto)
escrever	(escrito)	vir	(vindo)

PRONOMINAIS – verbos que se conjugam com um pronome oblíquo átono (*me, te, se, nos, vos, se*). Podem ser:

– VERBOS PRONOMINAIS ESSENCIAIS: são usados apenas na forma pronominal.

arrepender-se, queixar-se, zangar-se, abster-se

– VERBOS PRONOMINAIS ACIDENTAIS: são usados na forma pronominal e na forma simples.

enganar / enganar-se
envolver / envolver-se
esquecer / esquecer-se
lavar / lavar-se
lembrar / lembrar-se

***

O INSPETOR E OS DEFECTIVOS

O inspetor levou alguns verbos até a sala do diretor. Estava inconformado com a postura daqueles que se recusavam a se conjugar em todos os tempos verbais. Olhando para os verbos de cabeça baixa, o experiente diretor disse apenas:

— Quero ouvir cada um de vocês na primeira pessoa do singular do modo indicativo.

O clima de tensão aumentou. Em seguida, apontou:

— *Colorir*!

O verbo ficou vermelho, dobrou a língua e começou a engasgar:

— Eu... Eu...

Sem esperar pela conclusão, apontou para o seguinte:

— *Falir*!

O verbo começou a gaguejar, tentando falar a conjugação solicitada:

— Eu... Eu...

Dali em diante a reação foi sempre a mesma:

— *Abolir*!

— Eu... Eu...

— *Extorquir*!

— Eu... Eu... Eu...

O inspetor não conseguia esconder sua felicidade. Era evidente o comportamento irregular daqueles verbos indisciplinados:

— Viu, senhor diretor? Eles se recusam a se conjugar como fazem os outros. E pior, orgulhosos dessa conduta, resolveram se chamar de DEFECTIVOS. O senhor tem que *banir* estes verbos da escola.

O diretor deu uma gargalhada:

— Banir? Eu... Eu... Eu...

Quanto à função

VERBO AUXILIAR é o que auxilia na conjugação de outro verbo. Os verbos auxiliares de uso mais frequente são: *ter*, *haver*, *ser* e *estar*.

VERBO PRINCIPAL é o que dá sentido à locução verbal:

    tenho *escrito*   (= escrevo)
    estava *assistindo*   (= assistia)
    posso *dizer*   (= digo)

O verbo principal pode estar:

– no GERÚNDIO

    O avião está *chegando* agora.
    Gabriel, Raphael e Israel estão *chegando* agora.

– no PARTICÍPIO:

    Eduardo, Mariana e Sofia tinham *feito* todo o dever.

– no INFINITIVO:

    Valentina precisa *comer* mais legumes.

VERBOS REGULARES

falar, escrever, partir[24]

MODO INDICATIVO

PRESENTE

eu	falo	escrevo	parto
tu	falas	escreves	partes
ele	fala	escreve	parte
nós	falamos	escrevemos	partimos
vós	falais	escreveis	partis
eles	falam	escrevem	partem

PRETÉRITO PERFEITO

eu	falei	escrevi	parti
tu	falaste	escreveste	partiste
ele	falou	escreveu	partiu
nós	falamos	escrevemos	partimos
vós	falastes	escrevestes	partistes
eles	falaram	escreveram	partiram

PRETÉRITO IMPERFEITO

eu	falava	escrevia	partia
tu	falavas	escrevias	partias
ele	falava	escrevia	partia
nós	falávamos	escrevíamos	partíamos
vós	faláveis	escrevíeis	partíeis
eles	falavam	escreviam	partiam

PRETÉRITO MAIS-QUE-PERFEITO

eu	falara	escrevera	partira
tu	falaras	escreveras	partiras
ele	falara	escrevera	partira
nós	faláramos	escrevêramos	partíramos
vós	faláreis	escrevêreis	partíreis
eles	falaram	escreveram	partiram

---

24 Há muitos verbos regulares. Escolhemos estes como exemplos de cada conjugação.

FUTURO DO PRESENTE

eu	falarei	escreverei	partirei
tu	falarás	escreverás	partirás
ele	falará	escreverá	partirá
nós	falaremos	escreveremos	partiremos
vós	falareis	escrevereis	partireis
eles	falarão	escreverão	partirão

FUTURO DO PRETÉRITO

eu	falaria	escreveria	partiria
tu	falarias	escreverias	partirias
ele	falaria	escreveria	partiria
nós	falaríamos	escreveríamos	partiríamos
vós	falaríeis	escreveríeis	partiríeis
eles	falariam	escreveriam	partiriam

MODO SUBJUNTIVO

PRESENTE

eu	fale	escreva	parta
tu	fales	escrevas	partas
ele	fale	escreva	parta
nós	falemos	escrevamos	partamos
vós	faleis	escrevais	partais
eles	falem	escrevam	partam

PRETÉRITO IMPERFEITO

eu	falasse	escrevesse	partisse
tu	falasses	escrevesses	partisses
ele	falasse	escrevesse	partisse
nós	falássemos	escrevêssemos	partíssemos
vós	falásseis	escrevêsseis	partísseis
eles	falassem	escrevessem	partissem

FUTURO

eu	falar	escrever	partir
tu	falares	escreveres	partires
ele	falar	escrever	partir
nós	falarmos	escrevermos	partirmos
vós	falardes	escreverdes	partirdes
eles	falarem	escreverem	partirem

MODO IMPERATIVO
IMPERATIVO AFIRMATIVO

eu	–	–	–
tu	fala	escreve	parte
ele	fale	escreva	parta
nós	falemos	escrevamos	partamos
vós	falai	escrevei	parti
eles	falem	escrevam	partam

IMPERATIVO NEGATIVO

eu	–	–	–
tu	não fales	não escrevas	não partas
ele	não fale	não escreva	não parta
nós	não falemos	não escrevamos	não partamos
vós	não faleis	não escrevais	não partais
eles	não falem	não escrevam	não partam

FORMAS NOMINAIS
INFINITIVO IMPESSOAL

falar	escrever	partir

INFINITIVO PESSOAL

eu	falar	escrever	partir
tu	falares	escreveres	partires
ele	falar	escrever	partir
nós	falarmos	escrevermos	partirmos
vós	falardes	escreverdes	partirdes
eles	falarem	escreverem	partirem

GERÚNDIO

falando	escrevendo	partindo

PARTICÍPIO

falado	escrito	partido

ATENÇÃO: A maior parte dos verbos segue os modelos indicados acima, mas há outros modelos de conjugação. Para tanto, consulte livros de conjugação de verbos ou dicionários que indiquem os paradigmas dos verbos.

MORFOLOGIA **183**

> Veja: Os verbos *querer* e *requerer* são praticamente idênticos.
> No entanto, eles não se conjugam da mesma forma:
> eu *quero* e eu *requeiro*.

VERBOS IRREGULARES

ter, haver, ser, estar

MODO INDICATIVO

PRESENTE

eu	tenho	hei	sou	estou
tu	tens	hás	és	estás
ele	tem	há	é	está
nós	temos	havemos	somos	estamos
vós	tendes	haveis	sois	estais
eles	têm	hão	são	estão

PRETÉRITO PERFEITO

eu	tive	houve	fui	estive
tu	tiveste	houveste	foste	estiveste
ele	teve	houve	foi	esteve
nós	tivemos	houvemos	fomos	estivemos
vós	tivestes	houvestes	fostes	estivestes
eles	tiveram	houveram	foram	estiveram

PRETÉRITO IMPERFEITO

eu	tinha	havia	era	estava
tu	tinhas	havias	eras	estavas
ele	tinha	havia	era	estava
nós	tínhamos	havíamos	éramos	estávamos
vós	tínheis	havíeis	éreis	estáveis
eles	tinham	haviam	eram	estava

PRETÉRITO MAIS-QUE-PERFEITO

eu	tivera	houvera	fora	estivera
tu	tiveras	houveras	foras	estiveras
ele	tivera	houvera	fora	estivera
nós	tivéramos	houvéramos	fôramos	estivéramos
vós	tivéreis	houvéreis	fôreis	estivéreis
eles	tiveram	houveram	foram	estiveram

FUTURO DO PRESENTE

eu	terei	haverei	serei	estarei
tu	terás	haverás	serás	estarás
ele	terá	haverá	será	estará
nós	teremos	haveremos	seremos	estaremos
vós	tereis	havereis	sereis	estareis
eles	terão	haverão	serão	estarão

FUTURO DO PRETÉRITO

eu	teria	haveria	seria	estaria
tu	terias	haverias	serias	estarias
ele	teria	haveria	seria	estaria
nós	teríamos	haveríamos	seríamos	estaríamos
vós	teríeis	haveríeis	seríeis	estaríeis
eles	teriam	haveriam	seriam	estariam

MODO SUBJUNTIVO
PRESENTE

eu	tenha	haja	seja	esteja
tu	tenhas	hajas	sejas	estejas
ele	tenha	haja	seja	esteja
nós	tenhamos	hajamos	sejamos	estejamos
vós	tenhais	hajais	sejais	estejais
eles	tenham	hajam	sejam	estejam

PRETÉRITO IMPERFEITO

eu	tivesse	houvesse	fosse	estivesse
tu	tivesses	houvesses	fosses	estivesses
ele	tivesse	houvesse	fosse	estivesse
nós	tivéssemos	houvéssemos	fôssemos	estivéssemos
vós	tivésseis	houvésseis	fôsseis	estivésseis
eles	tivessem	houvessem	fossem	estivessem

FUTURO

eu	tiver	houver	for	estiver
tu	tiveres	houveres	fores	estiveres
ele	tiver	houver	for	estiver
nós	tivermos	houvermos	formos	estivermos
vós	tiverdes	houverdes	fordes	estiverdes
eles	tiverem	houverem	forem	estiverem

MORFOLOGIA 185

MODO IMPERATIVO
IMPERATIVO AFIRMATIVO

eu	–	–	–	–
tu	tem	(desusado)	sê	está
ele	tenha	haja	seja	esteja
nós	tenhamos	hajamos	sejamos	estejamos
vós	tende	havei	sede	estai
eles	tenham	hajam	sejam	estejam

IMPERATIVO NEGATIVO

eu	–	–	–	–
tu	não tenhas	não hajas	não sejas	não estejas
ele	não tenha	não haja	não seja	não esteja
nós	não tenhamos	não hajamos	não sejamos	não estejamos
vós	não tenhais	não hajais	não sejais	não estais
eles	não tenham	não hajam	não sejam	não estejam

FORMAS NOMINAIS
INFINITIVO PESSOAL

eu	ter	haver	ser	estar
tu	teres	haveres	seres	estares
ele	ter	haver	ser	estar
nós	termos	havermos	sermos	estarmos
vós	terdes	haverdes	serdes	estardes
eles	terem	haverem	serem	estarem

INFINITIVO PESSOAL

ter	haver	ser	estar

GERÚNDIO

tendo	havendo	sendo	estando

PARTICÍPIO

tido	havido	sido	estado

UMA GRAMÁTICA SIMPÁTICA

TESTANDO OS SEUS CONHECIMENTOS

***

O GALO E O LOBO

Era uma vez um lobo ansioso que *uivava* para a lua crescente. Um dia, ele *conheceu* um galo que *cacarejava* antes de o sol nascer e, imediatamente, ficaram muito amigos. Uma tarde, o lobo perguntou:

— Você acha ruim ser ansioso?

Antes que o galo respondesse, o lobo completou:

— Você *gostaria* de ter a calma das vacas? Olha só a Mimosa, fica *ruminando* aquela comida toda a vida, parece que o tempo não a angustia.

O galo *franziu* a testa.

— Não me *considero* ansioso.

Antes que *completasse* a frase, o lobo já tinha dado uma risada, que foi *interrompida* pelo galo.

— Lobo, você tem que *procurar* saber mais sobre minha vida. Sou bastante popular por aqui. *Acordo* a fazenda toda e faço questão de *cacarejar* antes do nascer do sol para que todos se *levantem* com calma.

O lobo não se *conteve*:

— Galo, não *seja* ingênuo! Todos os bichos da fazenda já têm um despertador próprio. Aliás, fique *sabendo* que o porco está organizando um abaixo-assinado para que você *vire* canja antes do fim do mês. E, pasme, a primeira que assinou o pedido foi a galinha. Ela também já está cansada desse seu cocoricó irritante.

O galo ficou *arrasado*.

☺

1) Indique os tempos verbais dos verbos grifados.

2) Mude o tempo verbal da frase abaixo, de acordo com os novos tempos indicados.

> "Acordo a fazenda toda e faço questão de cacarejar antes do nascer do sol."

Pretérito perfeito / Futuro do presente

***

A FOFOQUEIRA

A fofoqueira tinha uma vida tão vazia
que buscava sua felicidade na vida dos outros.
Era a intriga que enchia sua barriga,
era a curiosidade que a deixava à vontade.
Quem? Com quem? Onde? Como? Em que dia?
Ah! Quanta alegria!
Depois registrava tudo, catalogava, arquivava,
montava uma teia,
e aí difundia.
Ficava até tarde passando informações,
falando da vida alheia.
Só assim se sentia importante,
sem perceber nem um instante,
o mal que fazia.
Fofoca, fofoca, fofoca.
Faltava-lhe um bom livro
e cinema com pipoca.

☺ Responda:
1) A vida da fofoqueira era boa?
2) O que a fofoqueira fazia para se sentir importante?
3) Você conhece alguma pessoa muito fofoqueira?

★★★

ALGUÉM DO FUTURO

Um dia, alguém do futuro
chegará em uma máquina do tempo
e *dirá* coisas sobre esse mundo.

Como os homens da caverna *viveram*,
a vida que *levamos*
e a que o futuro *trará*.

Fico pensando,
se isto realmente *acontecesse*,
o que eu *faria*?

Acho que *pediria* para *viajar* no tempo
(só não *sei* qual o destino:
se o passado ou o futuro).

Conhecer meus antepassados e *saber* de onde vim
ou *encontrar* meus descendentes
e *descobrir* no que *darei*?
E você, já *pensou* nisso?

☺
1) Identifique os tempos verbais dos verbos destacados no texto.
2) Se "alguém do futuro" aparecesse, você iria preferir conhecer seus antepassados ou seus descendentes? Por quê?

MORFOLOGIA **189**

TEMPO COMPOSTO

São locuções verbais formadas de:

verbo auxiliar (*ter* ou *haver*) + particípio

Os tempos compostos são:

– NO INDICATIVO:

pretérito perfeito composto	(*tenho falado*)
pretérito mais-que-perfeito composto	(*tinha falado*)
futuro do presente composto	(*terei falado*)
futuro do pretérito composto	(*teria falado*)

– NO SUBJUNTIVO:

pretérito perfeito composto	(*tenha falado*)
pretérito mais-que-perfeito composto	(*tivesse falado*)
futuro composto	(*tiver falado*)

– INFINITIVO IMPESSOAL COMPOSTO:

ter falado

– GERÚNDIO COMPOSTO:

tendo falado

Veja a diferença de sentido:

Comi muitos doces.	(pretérito perfeito)
Tenho comido muitos doces.	(pretérito perfeito composto)

"Comi muitos doces" é uma ação acabada.

"Tenho comido muitos doces" é algo que tem acontecido seguidamente.

TESTANDO OS SEUS CONHECIMENTOS

★★★

A PROVA

— Por onde você *tem andado*?
— Ocupado. *Vou fazer* uma prova de português na semana que vem.
— Que coincidência, eu também!
— *Pretendo fazer* uma ótima prova. *Tenho estudado* muito. *Costumo dormir* cedo. *Tento ficar* bem concentrado.
— Eu *estou estudando* muito pouco. Afinal, você *deve estar sabendo* que a prova *foi adiada*.
— Adiada? Quem te disse isto?
— A Nina.
— A Nina? Ela *estava brincando*.
— Sério?

☺ Identifique nas palavras marcadas quando há tempo composto (TC) ou apenas uma locução verbal (LV):

★★★

ROTINA

Emerson *chega em casa*. Renata *está lendo* um livro.
—Você *está trabalhando* muito — ela diz.
— Eu sei. No final do mês *vai melhorar*.
— Você *precisa relaxar* um pouco, meu amor.
— *Estou pensando* em comprar um violino — ele responde.
— Um violino? De onde surgiu esta ideia?
— *Tenho ouvido* muita música clássica.

☺ Indique as locuções verbais e os tempos compostos no texto.

MORFOLOGIA **191**

Conjugação do tempo composto

ter falado / escrito / partido

MODO INDICATIVO

PRETÉRITO PERFEITO COMPOSTO

eu	tenho	falado / escrito / partido
tu	tens	falado / escrito / partido
ele	tem	falado / escrito / partido
nós	temos	falado / escrito / partido
vós	tendes	falado / escrito / partido
eles	têm	falado / escrito / partido

PRETÉRITO MAIS-QUE-PERFEITO COMPOSTO

eu	tinha	falado / escrito / partido
tu	tinhas	falado / escrito / partido
ele	tinha	falado / escrito / partido
nós	tínhamos	falado / escrito / partido
vós	tínheis	falado / escrito / partido
eles	tinham	falado / escrito / partido

FUTURO DO PRESENTE COMPOSTO

eu	terei	falado / escrito / partido
tu	terás	falado / escrito / partido
ele	terá	falado / escrito / partido
nós	teremos	falado / escrito / partido
vós	tereis	falado / escrito / partido
eles	terão	falado / escrito / partido

FUTURO DO PRETÉRITO COMPOSTO

eu	teria	falado / escrito / partido
tu	terias	falado / escrito / partido
ele	teria	falado / escrito / partido
nós	teríamos	falado / escrito / partido
vós	teríeis	falado / escrito / partido
eles	teriam	falado / escrito / partido

MODO SUBJUNTIVO

PRETÉRITO PERFEITO COMPOSTO

eu	tenha	falado / escrito / partido
tu	tenhas	falado / escrito / partido
ele	tenha	falado / escrito / partido
nós	tenhamos	falado / escrito / partido
vós	tenhais	falado / escrito / partido
eles	tenham	falado / escrito / partido

PRETÉRITO MAIS-QUE-PERFEITO COMPOSTO

eu	tivesse	falado / escrito / partido
tu	tivesses	falado / escrito / partido
ele	tivesse	falado / escrito / partido
nós	tivéssemos	falado / escrito / partido
vós	tivésseis	falado / escrito / partido
eles	tivessem	falado / escrito / partido

FUTURO DO PRESENTE COMPOSTO

eu	tiver	falado / escrito / partido
tu	tiveres	falado / escrito / partido
ele	tiver	falado / escrito / partido
nós	tivermos	falado / escrito / partido
vós	tiverdes	falado / escrito / partido
eles	tiverem	falado / escrito / partido

INFINITIVO PESSOAL COMPOSTO

eu	ter	falado / escrito / partido
tu	teres	falado / escrito / partido
ele	ter	falado / escrito / partido
nós	termos	falado / escrito / partido
vós	terdes	falado / escrito / partido
eles	terem	falado / escrito / partido

GERÚNDIO COMPOSTO

tendo	falado / escrito / partido

INDICATIVO
PRETÉRITO PERFEITO COMPOSTO

eu	tenho	tido / havido / sido / estado
tu	tens	tido / havido / sido / estado
ele	tem	tido / havido / sido / estado
nós	temos	tido / havido / sido / estado
vós	tendes	tido / havido / sido / estado
eles	têm	tido / havido / sido / estado

PRETÉRITO MAIS-QUE-PERFEITO COMPOSTO

eu	tinha	tido / havido / sido / estado
tu	tinhas	tido / havido / sido / estado
ele	tinha	tido / havido / sido / estado
nós	tínhamos	tido / havido / sido / estado
vós	tínheis	tido / havido / sido / estado
eles	tinham	tido / havido / sido / estado

FUTURO DO PRESENTE COMPOSTO

eu	terei	tido / havido / sido / estado
tu	terás	tido / havido / sido / estado
ele	terá	tido / havido / sido / estado
nós	teremos	tido / havido / sido / estado
vós	tereis	tido / havido / sido / estado
eles	terão	tido / havido / sido / estado

FUTURO DO PRETÉRITO COMPOSTO

eu	teria	tido / havido / sido / estado
tu	terias	tido / havido / sido / estado
ele	terias	tido / havido / sido / estado
nós	teríamos	tido / havido / sido / estado
vós	teríeis	tido / havido / sido / estado
eles	teriam	tido / havido / sido / estado

SUBJUNTIVO
PRETÉRITO PERFEITO COMPOSTO

eu	tenha	tido / havido / sido / estado
tu	tenhas	tido / havido / sido / estado
ele	tenha	tido / havido / sido / estado
nós	tenhamos	tido / havido / sido / estado
vós	tenhais	tido / havido / sido / estado
eles	tenham	tido / havido / sido / estado

PRETÉRITO MAIS-QUE-PERFEITO COMPOSTO

eu	tivesse	tido / havido / sido / estado
tu	tivesses	tido / havido / sido / estado
ele	tivesse	tido / havido / sido / estado
nós	tivéssemos	tido / havido / sido / estado
vós	tivésseis	tido / havido / sido / estado
eles	tivessem	tido / havido / sido / estado

FUTURO COMPOSTO

eu	tiver	tido / havido / sido / estado
tu	tiveres	tido / havido / sido / estado
ele	tiver	tido / havido / sido / estado
nós	tivermos	tido / havido / sido / estado
vós	tiverdes	tido / havido / sido / estado
eles	tiverem	tido / havido / sido / estado

Lembre que o tempo composto também pode ser conjugado com o verbo *haver* como verbo auxiliar.

Exemplo: Eu *havia* falado.

***

O MENSAGEIRO DO REI

Uma tarde, um dos mensageiros do rei entrou na sala do trono, curvou-se diante do monarca, para quem disse apenas:

— O povo passa fome, majestade.

— Fome? — respondeu o rei preocupado.

O mensageiro curvou-se mais ainda, como se estivesse envergonhado.

— Fome! Muita fome! Mas não se preocupe, majestade, vamos resolver a situação.

— Faça o que for preciso e me mantenha informado — respondeu o rei.

Algum tempo depois, o mensageiro foi novamente até o rei, a quem apenas informou:

— Há um surto de peste, majestade.

— E a fome? — perguntou o monarca.

— Resolvida, majestade. O povo nunca comeu tão bem. O problema agora é a peste que ataca vosso bom povo. Mas não se preocupe, majestade, vamos resolver esta situação.

— Faça o que for preciso e me mantenha informado — respondeu o rei.

Poucos dias depois, o mensageiro foi novamente até o rei e avisou:

— A guerra é inevitável, majestade!

— E a peste? — perguntou o monarca.

— Resolvida, majestade. A saúde de vosso povo nunca esteve tão boa. O problema agora é o inimigo que se organizou e pretende atacar vosso reino. Mas não se preocupe, majestade, vamos resolver esta situação.

— Faça o que for preciso e me mantenha informado — respondeu o rei.

Tempos depois, o mensageiro se dirigiu até o rei e, com enorme sorriso, disse:

— O povo está muito feliz com vosso reinado.

— E a guerra? — perguntou o monarca.

— Vencida, majestade! Agora, os inimigos respeitam vossa força, e o povo está feliz. Dizem pelas ruas que nunca houve um monarca tão justo e bondoso.

— Vou condecorá-lo com a comenda do Grão Grão — respondeu o monarca satisfeito.
— Não mereço tamanha honraria — respondeu o mensageiro humildemente.
— Nada de recusas. Um súdito tão fiel e valioso merece nosso mais alto reconhecimento. Tragam a medalha do Grão Grão — ordenou o rei.
Depois de condecorado, o mensageiro correu para casa. Portava a mais alta comenda do reino no peito e, com orgulho, apressou-se em contar os detalhes da linda cerimônia de condecoração para sua mulher. Até que ela perguntou indignada:
— Mas e a fome, a peste e a guerra?
Ele olhou no fundo dos olhos da amada e sério respondeu apenas:
— Não se preocupe, querida, vamos resolver essa situação.

☺ Responda:
1) Quais foram os problemas que o mensageiro narrou para o rei?
2) O rei era um bom governante? Por quê?

12. Advérbio

Advérbio é uma palavra invariável que modifica o verbo, o advérbio ou o adjetivo.

Ele não modifica o substantivo, esta função cabe ao adjetivo.

– Modifica o verbo.

>> Ele correu *muito*.
>> Ele correu *pouco*.
>> Ele *não* correu.

(Veja que os advérbios estão interferindo no sentido do verbo correr.)

– Modifica o advérbio.

>> Ele correu *muito mal*.
>> Ele correu *muito bem*.

(Veja que o advérbio *muito* está interferindo no sentido dos advérbios *bem* e *mal*.)

– Modifica o adjetivo.

>> Ela é *muito* elegante.

(Veja que o advérbio *muito* está interferindo no sentido do adjetivo *elegante*.)

Locução adverbial

Conjunto de duas ou mais palavras que formam um advérbio. Exemplos:

à direita	às vezes	de manhã
à esquerda	à toa	de novo
a prazo	com efeito	em breve
às pressas	de cor	sem dúvida

Advérbios interrogativos

As palavras *como, onde, quando, quanto* e *por que* usadas em frases interrogativas (diretas e indiretas) são chamadas de advérbios interrogativos.

> *Onde* está o lápis?
> Quero saber *onde* deixei meu celular.
> *Por que* você não veio ontem?
> Conte-me *por que* você estava irritado.
> *Como* você explica isto?
> Quero saber *como* isto foi parar ali.
> *Quando* você vai estudar para a prova?
> Quero saber *quando* vai chover.

Flexão em grau

Os advérbios não variam em gênero e número, mas variam em grau.

GRAU COMPARATIVO

> Diogo terminou *tão* rápido *quanto* Igor. (de igualdade)
> Diogo terminou *mais* rápido *que* Igor.   (de superioridade)
> Diogo terminou *menos* rápido *que* Igor. (de inferioridade)

GRAU SUPERLATIVO

Pode ser:

– SUPERLATIVO SINTÉTICO: grau é aumentado com acréscimo de sufixo no advérbio.

> O avião chegou ced*íssimo*.

– SUPERLATIVO ANALÍTICO: grau é aumentado com auxílio de outro advérbio.

> O avião chegou *muito* cedo.

Advérbios *bem* e *mal*

Os advérbios *bem* e *mal* têm superlativo irregular:
> *bem > melhor*
> *mal > pior*

Advérbios terminados em *mente**

Caracteriza advérbio de modo, a partir de um adjetivo:
> feliz – feliz*mente*
> rico – rica*mente*

Quando há vários advérbios terminados em *mente* na mesma frase, juntos, o sufixo *mente* ficará apenas no último deles.
> Nicole dançava divertida e alegre*mente*.

* ver página 66.

Classificação dos advérbios

Os advérbios classificam-se em (incluídas as locuções adverbiais):

– de *afirmação*:

sim, certamente, efetivamente, com certeza, de fato etc.

– de *negação*:

não, tampouco, absolutamente, de modo algum, de forma alguma etc.

– de *dúvida*:

talvez, possivelmente, provavelmente, quiçá, porventura, acaso etc.

– de *intensidade*:

muito, pouco, bastante, bem, demais, mais, menos etc.

– de *tempo*:

agora, anteontem, ontem, hoje, amanhã, ainda, jamais, logo, nunca, sempre, tarde, depois etc.

– de *modo*:

assim, bem, mal, depressa, devagar, pior, às escondidas, de cor etc.

(E quase todos os advérbios terminados em *mente*: *rapidamente*, *calmamente*.)

– de *lugar*:

abaixo, acima, aqui, ali, acolá, longe, perto, diante, junto, detrás, onde, perto, à direita, à esquerda etc.

***

OS ADVÉRBIOS

Jamais, *de forma alguma*, esquecerei os advérbios **de negação** e, *sem dúvida* e *com certeza*, me lembrarei dos advérbios **de afirmação**.

Estejam *à direita*, *à esquerda*, *ao lado*, *dentro*, *de longe*, *de perto*, *por perto*, vou pensar nos advérbios **de lugar**.

E *aí*, *de tempos em tempos*, *de manhã*, *de tarde* ou *à tardinha*, *à noite*, pensarei nos advérbios **de tempo**.

Esteja *à toa*, *de má vontade* ou *de bom grado*, *em silêncio*, *às pressas* ou *por acaso*, vou escrever os advérbios **de modo**.

E estudar os advérbios **de intensidade** nem *muito*, nem *pouco*, mas o *suficiente*, *quase* sem me cansar, *tanto* até aprender.

TESTANDO OS SEUS CONHECIMENTOS

★★★

IDENTIFICANDO OS ADVÉRBIOS

Neste anúncio:

Vendo casa que fica atrás de um monte, perto de um riacho. Lugar bastante bonito e calmo. Simplesmente, um paraíso.

Nesta discussão:

— Não me venha com suas histórias! Ontem foi a mesma coisa!

— Meu amor, já é tarde. Estou muito cansado. Amanhã, conversaremos.

Na dieta:

— Estive mal de saúde. Agora, como menos doce e gordura. Já estou bem melhor.

Nesta dúvida:

— Diga-me a verdade agora: você realmente irá à festa?

— Provavelmente.

Nesta comunicação:

— Não há razão para pânico, mas o prédio está pegando fogo. Não usem o elevador. Sairemos calma e ordenadamente.

☺ Identifique os advérbios.

***

E-MAIL

Mamãe e Papai,

A viagem está um *pouco* cansativa, mas estou aprendendo *muito*. Tenho aulas *de manhã* e *de tarde* e me sobra pouco tempo para conhecer a cidade. *Ao lado* do meu alojamento, há uma biblioteca e, *aqui perto*, um cinema, aonde fui no último sábado. *Com certeza*, estarei aí na semana que vem. *Ainda não* comprei presentes (rs). Muitas saudades!

☺ Você consegue classificar os advérbios destacados?

13. Preposição

Preposição: palavra invariável que liga dois termos de uma oração.

As preposições podem ser:

SIMPLES: formadas de uma única palavra.

COMPOSTAS (locuções prepositivas): formadas de mais de uma palavra.

As simples podem ser:

ESSENCIAIS: sempre funcionam como preposição (*a; ante; após; até; com; contra; de; desde; em; entre; para; perante; por(per); sem; sob; sobre; trás*).

ACIDENTAIS: palavras de outras classes gramaticais que podem funcionar como preposições.

afora	fora	segundo
conforme	mediante	senão
consoante	não obstante	tirante
durante	salvo	visto
exceto		

Preposições simples

São as essenciais:

a	de	por(per)
ante	desde	sem
após	em	sob
até	entre	sobre
com	para	trás
contra	perante	

MORFOLOGIA 205

****

VEJA AS PREPOSIÇÕES SIMPLES
NA DOR E NO AMOR

Caro dentista,

Escrevo porque estou *com* dor *de* dente e dificuldade *para* comer. Estou *sob* efeitos *de* analgésicos *desde* ontem. *Após* a medicação, a dor diminuiu, mas eu queria trocar *por* algo mais forte.

Meu amor,

Escrevo *para* dizer que te amo. *Desde* que te conheci, penso *em* você *sem* parar. Por vezes, vou *até* sua casa e fico olhando... Estou *com* muitas saudades *de* você!

Preposições compostas (locuções prepositivas)

Algumas:

abaixo de	de acordo com	fora de
acerca de	de cima de	graças a
acima de	defronte de	junto a
a despeito de	dentro de	junto de
a fim de	depois de	para baixo de
além de	diante de	para cima de
ao lado de	embaixo de	por cima de
atrás de	em cima de	por detrás de
através de	em frente a	por entre
cerca de	em lugar de	
debaixo de	em vez de	

***

FORA DE COGITAÇÃO

Estava *fora de* cogitação,
enfrentar um dragão,
em cima de um cavalo manco,
junto a uma donzela magrela,
debaixo de chuva forte.
De acordo com o príncipe temeroso,
além de grande e forte,
o dragão era maldoso,
e gostava de devorar os seus desafiantes
diante de toda a cidade.

Encontro de preposição com artigo: ver páginas 102 e 103.

TESTANDO OS SEUS CONHECIMENTOS

***

OS PIRATAS

Após lutar bravamente contra os piratas, perdeu o combate. Com os braços amarrados, foi colocado em uma prancha, de olhos vendados. O capitão ordenou que caminhasse para a morte. Sob enorme pressão, tentou a última cartada:

— Está bem: eu digo onde está escondido o tesouro.

Durante alguns segundos, fez-se um silêncio, até que se ouviu a risada do capitão:

— Você acha que vou acreditar em você?

Desesperado, ele argumentou:

— Estou diante do maior pirata que os sete mares já conheceram. Como poderia mentir?

O capitão riu novamente:

— Mas eu naveguei apenas por dois dos sete mares...

☺ Você consegue identificar as preposições no texto?

***

A EPIGLOTE

Não era o colesterol nem os triglicerídios, era a epiglote — isto mesmo, a epiglote! — a causa dos seus problemas. Sabe-se lá por que aquela tampinha ordinária resolveu se rebelar. Daí que era comum ver um desavisado pedaço de pão ser conduzido ao pulmão, depois de ser tentado por um convite cínico da causadora de confusão. Era a oferta por novos ares, pelo desconhecido ou pelo exótico que seduzia os alimentos de personalidade mais frágil. Depois, chegando no lugar errado, ao organismo só restava a tosse. A epiglote ria, como se não percebesse a irritação do pulmão e as consequências de sua irresponsabilidade.

Falaram com as cordas vocais. De nada adiantou. Também elas já tinham se indisposto por causa daquele comportamento inconsequente, totalmente incompatível com um sistema que se propõe organizado.

Quando sugeriram um caminho alternativo, a traqueia subiu nas tamancas. Ela não aceitaria, de maneira nenhuma, perder sua exclusividade como via de passagem de ar.

A solução veio do coração. Mandou avisar à epiglote que iria parar de bater se as coisas não entrassem no eixo e exigia um termo de ajuste de conduta em quarenta e oito horas. Imediatamente, os rins aderiram à ameaça de greve e o risco de uma falência múltipla assustou os órgãos mais medrosos.

A epiglote, no entanto, não pareceu disposta a negociar e, para acirrar ainda mais os ânimos, chamou o apêndice de inútil e sugeriu que, se estava insatisfeito, fosse embora antes que inflamasse tudo. Depois escreveu um comunicado em que avisou:

— Não vou me ajustar! Se tiver de viver sem senso de humor, prefiro morrer!

A tensão aumentou. Um dos rins parou de trabalhar e o outro deu um ultimato de três horas. A pressão do corpo subiu, houve aumento do suco pancreático, a glicose se descontrolou. Todas as atenções se voltaram para o coração, que, depois de algum suspense, amoleceu.

☺ Responda:
1) Por que a epiglote agia de forma diferente?
2) O que aconteceu quando o coração disse que iria parar de bater?
3) A epiglote aceitou a imposição do coração. Por quê?
4) No final, o coração amoleceu. O que isto significa?

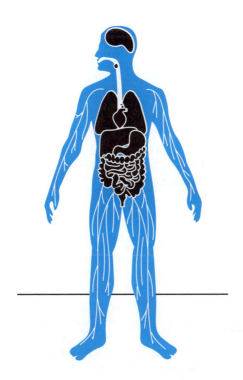

14. Numeral

Numeral: palavra que quantifica os seres ou coisas.

Os numerais podem ser *cardinais, ordinais, multiplicativos, fracionários* e *coletivos*.

Cardinais

São os números básicos.

> *Duas* vezes *quatro* é igual a *oito*.
> Comprei *dois* quilos de feijão, *três* quilos de arroz.

Flexão: apenas os cardinais *um* e *dois* e as *centenas a partir de duzentos* sofrem variações de gênero.

> *dois* sorvetes; *duas* águas; *duzentos* tomates;
> *trezentas* laranjas.

Cardinais *milhão, bilhão, trilhão* etc. variam em número:

> um milhão; dois milhões

Os demais cardinais não são flexionados:

> cinco tomates; cinco laranjas

Ordinais

Indicam a ordem de sucessão.

> Victor foi o *primeiro* a terminar a prova.
> Gabi mora no *quarto* andar.

Flexão: variam em gênero e número.

> o *primeiro* colocado   os *primeiros* anos
> a *primeira* festa   as *primeiras* viagens

Multiplicativos

Indicam a multiplicação.

> Cláudio tem o *dobro* da sua idade.
> Cada *dupla* de jogadores tinha direito a dois minutos.

Flexão: só variam quando tiverem valor de adjetivo.

> Ele tomou dose *dupla* do remédio.
> Paulo realizou um *duplo* salto mortal.

Fracionários

Expressam divisão, fração ou parte.

> Cada um deles ficou com *metade* do chocolate.
> Gustavo só completou um *terço* da prova de mandarim.

Flexão: concordam em gênero e número com o cardinal que indica o número das partes.

> *um terço; dois terços*

Meio concorda em gênero com o número do qual é fração.

> *Dois* chocolates *e meio; duas* horas *e meia* da tarde.

Coletivos

Fazem referência a conjunto de seres (dezena, dúzia etc).

> Lara tem uma *centena* de figurinhas.
> Taly comprou uma *dúzia* de ovos.

Flexão: são variáveis quanto ao número.

> *uma dúzia, duas dúzias*

> Atenção: *Ambos* e *ambas* são considerados numerais, porque têm o significado de "um e outro" e "as duas". Exemplo: Tenho duas filhas, *ambas* têm olhos azuis.

Algarismos

ROMANOS	ARÁBICOS	CARDINAIS	ORDINAIS
I	1	um	primeiro
II	2	dois	segundo
III	3	três	terceiro
IV	4	quatro	quarto
V	5	cinco	quinto
VI	6	seis	sexto
VII	7	sete	sétimo
VIII	8	oito	oitavo
IX	9	nove	nono
X	10	dez	décimo
XI	11	onze	décimo primeiro
XII	12	doze	décimo segundo
XIII	13	treze	décimo terceiro
XIV	14	quatorze*	décimo quarto
XV	15	quinze	décimo quinto
XVI	16	dezesseis	décimo sexto
XVII	17	dezessete	décimo sétimo
XVII	18	dezoito	décimo oitavo
XIX	19	dezenove	décimo nono
XX	20	vinte	vigésimo
XXI	21	vinte e um	vigésimo primeiro
XXX	30	trinta	trigésimo
XXXI	31	trinta e um	trigésimo primeiro
XL	40	quarenta	quadragésimo
L	50	cinquenta	quinquagésimo
LX	60	sessenta	sexagésimo
LXX	70	setenta	septuagésimo*
LXXX	80	oitenta	octogésimo
XC	90	noventa	nonagésimo
C	100	cem	centésimo
CC	200	duzentos	ducentésimo
CCC	300	trezentos	trecentésimo*
CD	400	quatrocentos	quadringentésimo*
D	500	quinhentos	quingentésimo
DC	600	seiscentos	seiscentésimo*
DCC	700	setecentos	septingentésimo*
DCCC	800	oitocentos	octingentésimo
CM	900	novecentos	nongentésimo*
M	1000	mil	milésimo

*25

---

25 Quatorze ou catorze; septuagésimo ou setuagésimo; trecentésimo ou tricentésimo; quadrigentésimo ou quadringentésimo; seiscentésimo ou sexcentésimo; septigentésimo ou setingentésimos; nongentésimo ou noningentésimo.

TESTANDO OS SEUS CONHECIMENTOS

★★★

PIZZAS

— Você só pediu *duas* pizzas? Vai faltar comida...
— Achei que *meia* pizza para cada um seria suficiente.
— Estou faminto! Teria pedido o *dobro* de pizzas!
— Pode ficar tranquilo, vou te dar o *primeiro* pedaço.

☺ Você consegue dar a correta classificação para os numerais marcados?

***

A BARRACA DE BISCOITOS

No carrinho da feira havia *duas dúzias* de ovos, *quatro* melões, *meio* quilo de farinha de mandioca e *três* abacates. *Uma* melancia tomava quase *metade* do espaço existente. A dona do carrinho se dirige até a barraca de biscoitos.

— Quem é o *primeiro* na fila? — pergunta o feirante.

— Eu sou a *quarta* — diz a moça com o carrinho.

— Sou eu — responde um rapaz, enquanto aponta para o biscoito de polvilho.

O feirante coloca *um* saco plástico vazio em cima da balança e começa a enchê-lo de biscoitos.

— São *cem* gramas. Quer mais?

— Pode ser o *triplo* disto, por favor.

— Algo mais?

— Sim, um pouco daquele biscoito amanteigado, mas pode ser *um terço* do que você colocou no saco de polvilho.

☺ Identifique no texto os numerais:
cardinais
ordinais
multiplicativos
fracionários
coletivos

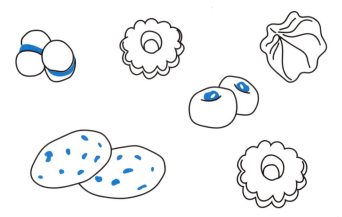

15. Conjunção

Conjunção: palavra invariável que é usada como elemento de ligação.

CONJUNÇÕES COORDENATIVAS

Ligam orações com a mesma função gramatical.

> Cantar *ou* dançar.

(Cantar e dançar têm a mesma importância nesta fala.)

CONJUNÇÕES SUBORDINATIVAS

Ligam duas orações quando uma determina ou complementa o sentido da outra.

> Juliana canta *porque* é afinada.

(O canto decorre da afinação.)

Conjunções coordenativas

ADITIVAS (adicionam coisas)

e; nem

> Corri por duas horas *e* tive muita sede.
> Não quero sorvete *nem* pudim.

ADVERSATIVAS (uma ideia se opõe a outra)

mas; porém; todavia; contudo; no entanto; entretanto

> Tenho medo de montanha russa, *mas* não perco uma.
> Gosto de futebol, *porém* não sou fanático.

ALTERNATIVAS (indicam escolhas)

ou... ou; ora...ora; quer...quer; seja...seja; nem...nem; já...já

> *Ou* você acorda mais cedo *ou* vai se atrasar.
> Iremos, *quer* faça sol, *quer* faça chuva.

CONCLUSIVAS (indicam conclusões)

logo; pois; portanto; por conseguinte; por isso; assim; então

> Estudei pouco, *por isso* fiquei de recuperação.

EXPLICATIVAS (explicam as situações)

que; porque; pois, porquanto

> Vamos dormir *que* estou morrendo de sono.

Conjunções subordinativas

CAUSAIS (exprimem causa, motivo)

porque; pois; porquanto; como (= porque); pois que; por isto que; já que; uma vez que; visto que etc.

> Saí mais cedo *porque* achei que iria chover.

COMPARATIVAS (exprimem comparação)

que, do que (depois de *mais, menos, maior, menor, melhor, pior*), *qual* (depois de *tal*), *quanto* (depois de *tanto*), *como, assim como, como se, que nem*

> A cadeira era mais bonita *do que* confortável.

CONCESSIVAS (exprimem obstáculo à ação principal, mas incapaz de impedi-la).

embora, posto que, apesar de que, conquanto, ainda que, mesmo que

> *Embora* tenha acordado tarde, não me atrasei.

CONDICIONAIS (exprimem condição)

se, caso, contanto que, desde que etc.

> Iremos, *contanto* que não chova.

CONFORMATIVAS (exprimem conformidade, aceitação)
conforme, como, segundo etc.
> Gabriel mandou a carta, *conforme* combinado.

CONSECUTIVAS (exprimem consequência)
que (precedida de *tão, tal, tanto*), *de todo modo*
> Era tão alto *que* dificilmente usava escadas.

FINAIS (exprimem finalidade)
a fim de que, para que, porque (= *para que*)
> Torceria *para que* fizesse sol no fim de semana.

PROPORCIONAIS (exprimem proporção)
à proporção que, à medida que etc.
> André ficava mais sábio *à medida que* envelhecia.

TEMPORAIS (exprimem um tempo determinado)
quando, enquanto, logo que, desde que, assim que etc.
> Era cedo *quando* cheguei aqui.

INTEGRANTES (iniciam oração subordinada)
que, se
> Ainda não tinha decidido *se* iria ou não ao jogo.

TESTANDO OS SEUS CONHECIMENTOS

***

CONJUNÇÕES

O carro está velho *e* sujo.
Não funcionam bem o volante *nem* a ignição.
Na última vez, tive medo, *mas* fui.
Agora, *ou* você manda consertá-lo *ou* vai sozinho.

***

O carro está velho, *já que* você não cuida.
O volante está piorando *à medida que* o tempo passa.
Na próxima vez só irei *caso* você conserte o freio.
O carro está *tão* ruim *que* duvido *que* alguém queira comprá-lo.

☺ Classifique as conjunções coordenativas e as subordinativas.

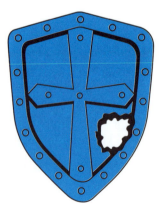

***

MAS [26]

Era uma vez uma princesa linda, mas solitária,
que vivia presa em uma alta torre, mas não na mais alta,
à espera de um cavaleiro desconhecido, mas por ela
apaixonado.
Um dia, o rei justo, mas ambicioso,
recebeu uma ótima notícia, mas preocupante:
havia um cavaleiro nobre, mas pobre,
que arriscaria sua vida para salvar sua filha, mas sob uma
condição:
não queria ouro nem diamantes, mas a mão da princesa em
casamento
(não por interesse, mas por amor).

O cavaleiro não era rico como o rei gostaria, mas inteligente
e sagaz.
Era valente, mas não parecia ter chances,
com sua lança grande, mas sem muita ponta,
com seu escudo duro, mas já furado,
com sua armadura forte, mas já enferrujada.
Ainda assim, sem fé, mas comovido, o rei assentiu.

A cidade se reuniu em festa para a partida, mas sem muita
esperança
no herói cativante, mas improvável.
E, então, o cavaleiro partiu só, mas montado no seu cavalo,
com seu plano bem bolado, mas arrojado:
Chegaria bem perto do dragão, mas não a ponto de ser atin-
gido pelo fogo,
e diria com sua voz firme, mas sem confrontação:
— Caro dragão, de que adianta ser poderoso e temido, mas
viver preocupado e sob pressão?
Você é muito forte, mas nem os dragões são invencíveis.

---

26 JAMAIS CONFUNDA *mas* com *mais*: *Mas* é uma conjunção que contraria o sentido da
afirmação (Quero dormir, *mas* não consigo; Adoraria ficar, *mas* não posso). *Mais* é advérbio, indica maior quantidade, intensidade etc., também usado para adição (Acordou *mais* tarde; dois *mais* dois são quatro).

E os homens são corajosos, mas também covardes,
e podem atacá-lo durante o sono que o relaxa, mas que o desarma.

O dragão ouviu surpreso, mas com bastante atenção.
Ao final, deu uma gargalhada, mas logo se arrependeu.
A abordagem era inesperada, mas, de alguma forma, fazia sentido.
Fazia algum tempo que vivia angustiado, mas não sabia o porquê.
Queria responder logo, mas uma dúvida ainda o preocupava:
— Gostaria de aceitar, mas o rei vai desistir de me matar ou de me perseguir?
— Sim! — respondeu o cavaleiro sem a confirmação real, mas nela confiante.

Foram até a alta torre (mas não a mais alta),
a princesa ficou exultante, mas perplexa ao ver o dragão ao lado do salvador.
Achou o cavaleiro interessante, mas um pouco mais baixo do que sonhara
(a paixão acabaria por acontecer, mas não seria à primeira vista).
Todos foram chamados para uma grande festa, mas o dragão não foi convidado
(como prometido, não seria morto ou perseguido, mas jamais se tornaria querido).
A princesa e o cavaleiro se amaram intensamente, mas, por vezes, discutiam.
Enfim, viveram felizes, mas, ao contrário dos contos de fadas, não para sempre.

16. INTERJEIÇÃO

INTERJEIÇÃO é a palavra invariável que exprime emoções e sentimentos.

Muitos gramáticos não incluem a interjeição na classe de palavras. Segundo eles, ela é apenas uma palavra-frase sem função sintática.

As interjeições podem ser:

de *alegria* ou *satisfação*:

Ah! Oh! Oba! Aleluia!

de *advertência*:

Cuidado! Atenção!

de *aplauso*:

Bis! Bem! Bravo! Viva!

de *alívio*:

Ufa!

de *animação*:

Avante! Vamos! Coragem!

de *afugentamento*:

Passa! Fora! Xô!

de *desejo*:

Oxalá! Tomara!

de *dor*:

Ai! Ui!

de *espanto* ou *surpresa*:

Ah! Chi! Ih! Oh! Ué! Uai! Puxa!

de *impaciência*:

Hum! Hem!

de *invocação*:
>Alô! Ó! Olá! Psiu! Tchê!

de *saudação*:
>Salve! Ave! Olá! Oi!

de *silêncio*:
>Psiu! Silêncio!

de *suspensão*:
>Alto! Basta!

de *terror*:
>Ui! Uh!

Locuções interjetivas

São as formadas por um grupo de palavras que exprimem emoções e sentimentos.

>Ai de mim!
>Ora, bolas!
>Raios te partam!
>Alto lá!
>Se Deus quiser!

MORFOLOGIA 223

TESTANDO OS SEUS CONHECIMENTOS

***

INTERJEIÇÕES

— Opa, me deparei com uma interjeição!
— Ah! que sorte!
— Espero que haja outras!
— Se Deus quiser!

***

AMIGOS

— Oi, Rodrigo.
— Oi, Mariana.
— Há quanto tempo! Você parece cansada.
— Estou estudando bastante. Tenho uma prova na semana que vem.
— Puxa! Você vai passar!
— Ai de mim...
— Senta aqui. Vou comprar um sorvete para você.
— Oba!
— Você gosta de brigadeiro?
— Hum! Está maravilhoso! Ah, estava precisando disso!
— Que bom! Você vai se sair bem.
— Tomara!

☺ Identifique as interjeições nos textos acima.

PARTE 3:

CRASE

(fenômeno fonético que decorre da fusão de duas vogais idênticas *a* + *a* e é indicado pelo acento grave: (`) *à*)

17. CRASE

CRASE: fusão de duas vogais idênticas (*a* + *a*). Ela é identificada pelo sinal grave acima do *a*. (*a* + *a* = à)

Na fusão, o primeiro *a* é sempre uma preposição. O segundo *a* pode ser:

- um artigo feminino (*a* ou *as*).

> Bernardo e Valentina foram à festa. (*a* + *a*)

- o *a* que inicia os pronomes demonstrativos *aquela(s)*, *aquele(s)*, *aquilo*.

> André e Bruno irão àquela festa. (*a* + *aquela*)

- o pronome demonstrativo *a* ou *as*.

> Esta bicicleta é igual à que eu tinha. (*a* + *a*)

- o *a* que inicia os pronomes relativos *a qual*, *as quais*.

> A amiga à qual me referi é esta. (*a* + *a qual*)

A crase deve ser usada

- apenas antes de palavras femininas (existem poucas exceções).

> Júlia vai à farmácia.
> Obedeço à professora.

- em expressões que indiquem horas[27] ou parte do dia.

> Dani e André irão às três horas.
> À noite, gosto de ficar em casa.

---

27 DICA: substitua as horas por "meio-dia". Só haverá crase se der "ao meio-dia". Veja:

A loja vai estar aberta às 10 horas.
A loja vai estar aberta ao meio-dia.

O voo está marcado para as 14 horas.
O voo está marcado para o meio-dia.

– antes de locuções adverbiais femininas que expressam ideia de tempo, lugar e modo.

> Dobre *à* esquerda.
> *Às* vezes, durmo tarde.
> Comprar *à* vista.
> Vesti-me *às* pressas.

– antes de palavra masculina ou feminina, quando a expressão "*à* moda de" estiver implícita.

> Guilherme cantou a canção *à* Roberto Carlos.
> (Guilherme cantou a canção *à* moda de Roberto Carlos).
>
> Bruno comprou sapatos *à* Luís XV.
> (Bruno comprou sapatos *à* moda de Luís XV).
>
> Roberta e Flávio comeram um bife *à* parmegiana.

– antes de nomes de lugares que exigirem artigo feminino (ver página 104).

> Lembre-se da regra:
> "Quem vem da, crase no a.
> Quem vem de, crase pra quê?"
>
> Ela vem *da* Bahia. > Fui **à** Bahia.
> Ele vem *de* São Paulo. > Fui a São Paulo.

A crase é opcional

– antes de substantivos femininos próprios.

>Sofia fez um pedido *à* Luisa   ou
>Sofia fez um pedido *a* Luisa.

– antes dos pronomes possessivos femininos (*minha, tua, nossa* etc).

>Dei uma flor *à* minha namorada   ou
>Dei uma flor *a* minha namorada.

>Diga *à* sua irmã que fui embora   ou
>Diga *a* sua irmã que fui embora.

– depois da preposição *até*.

(se depois da palavra *até* vier uma palavra feminina que aceite artigo)

>Júlia e Nina foram até *à* praia   ou
>Júlia e Nina foram até *a* praia.

> Não haverá crase depois das preposições *até, para, após, durante, entre* quando for relacionado a horas:
> A aula foi até as duas horas.

CRASE **229**

Não há crase

– antes de palavras masculinas.

> Renata foi *ao* mercado.
> Felipe gostava de andar *a* cavalo.
> Mônica veio *a* pé.

– antes de verbos.

> Mariana está apta *a* dirigir.
> O menino começou *a* falar de tudo.

– antes da maioria dos pronomes.

> Disse *a* ela que a amava.
> Quero contar *a* algumas pessoas o que vi.

> Mas há crase quando há fusão do *a* preposição com o *a* dos pronomes *aquele(s), aquela(s), aquilo(s)*.
> Iremos *àquela* reunião.

– antes de pronomes de tratamento.[28]

> Trago notícias *a* Vossa Alteza.
> Peço *a* Vossa Senhoria apenas paciência.

> Mas há crase antes dos pronomes *senhora, senhorita* e *dona*.

– diante de palavras repetidas.

> cara *a* cara, dia *a* dia, gota *a* gota

– antes de numerais cardinais (exceto se indicarem hora).

> O hotel fica *a* 42 quilômetros daqui.
> As inscrições estarão abertas de 23/03 *a* 22/06.

---

28 Muitos pronomes de tratamento não recebem artigo: Você é legal (jamais se diria "A você é legal."). Outros pedem artigo (A senhorita é culta; A dona é criativa).

Casos especiais: crase antes de *casa* e *terra*

– Antes de *casa* haverá crase quando a casa for especificada.

>Vou *à casa* dos meus pais.
>Vou *à casa* do vizinho.

– Antes de *casa* não haverá crase quando a casa não for especificada.

>Chegamos cedo *a casa*.[29]

– Antes de *terra* haverá crase quando terra for especificada.

>Os astronautas voltaram *à Terra*. (refere-se ao planeta)
>Regina foi *à terra* dos meus avós. (refere-se a um local específico)

– Antes de *terra* não haverá crase quando terra não for especificada (tem sentido de "terra firme").

>O pescador voltou *a terra*. (refere-se à terra firme)

---

[29] Quando a casa não é especificada, entende-se que é a própria casa. Seria o mesmo que dizer "cheguei cedo em casa", ou seja, neste exemplo estamos diante apenas da preposição. Mas você diria, "vou na casa dos meus pais" (*em* + *a* = *na*). Ou seja, na frase "vou *à casa* dos meus pais", estamos diante da preposição e do artigo, por isso há crase.

***

A CRASE

Às vezes, sobre a letra *a* há um sinal grave,
que parece contrariado,
porque está invertido.
Ele indica a junção da preposição com o artigo,
que é chamada de crase.

Mas não se esqueça:
é indispensável que a preposição seja *a*
e o artigo seja feminino (a)
para que a crase apareça.

Por isso, vai uma dica,
substitua a palavra feminina por uma masculina,
e veja se a crase fica.

Fui à feira tem crase,
fui ao mercado, não.
Bastou trocar a feira pelo mercado,
para se esclarecer a situação.

Parti a torta... Será que tem crase?
Pense em uma palavra masculina para substituição...
Bolo? Ótima sugestão!
Parti o bolo. Não há preposição.
Há apenas o artigo masculino (o).
Uma crase antes da torta estragaria a frase.

Mas há uma exceção
de crase antes de palavras masculinas,
quando "à moda de" ficar subentendido
(fiz um gol à Pelé, cantei à Roberto Carlos)
para que a frase faça sentido.

Quanto aos lugares:
Quem vem *da*, crase no *a*.
Quem vem *de*, crase pra quê?

A crase é opcional antes da preposição *até*,
de nomes próprios femininos
e de alguns pronomes femininos:
Fui *até* à praia e contei à Isabela a minha descoberta.
Mesmo sem as crases, a frase também estaria certa.

Enfim, a crase é representada
por um acento grave,
bastante divertido,
que parece contrariado,
porque vive invertido.

CRASE **233**

TESTANDO OS SEUS CONHECIMENTOS

☺ Leia o texto abaixo e coloque as crases onde for necessário.

***

PADARIA BRAGA

— Padaria Braga, bom dia!
— (...)
— Infelizmente, não entregamos a domicílio.
— (...)
— Entendo, senhora, mas são as regras da padaria.
(...)
— Claro! É bem fácil! A senhora conhece o Museu das Curiosidades?
— (...)
— Isto mesmo! Dali, a senhora continue na direção do centro, dobre a primeira a esquerda, depois vire na segunda a direita e a senhora verá a padaria. De manhã e a tarde temos serviço de manobrista até as 17 horas.
— (...)
— Não tem problema. Fique a vontade. Venha quando for melhor. A noite também é seguro.
— (...)
— De segunda a sexta abrimos as 7 horas e fechamos as 22 horas. Sábados e domingos abrimos as 8 horas.
— (...)
— Não, senhora, não vendemos a prazo.
— (...)
— Entendo, senhora, mas são as regras da padaria: só aceitamos pagamentos a vista.
— (...)
— Não se preocupe, ninguém espera muito. As vezes, no horário de almoço tem um pouco de fila, mas o atendimento é rápido. Estamos sempre dispostos a ajudar.
— (...)
— Muito obrigado! A senhora também é muito gentil. Será um prazer atendê-la.

☺ Leia o texto abaixo e coloque as crases onde for necessário.

***

UM DIA DE SOL

As sete da manhã,
Sabrina comeu a maçã
que estava em cima da mesa.
As oito, pôs uma saia,
e, já mais acesa,
foi a praia.
Foi a pé,
pois, sabe como é,
a cavalo não podia.
Ao meio-dia,
comeu um frango a milanesa
e uma fruta de sobremesa.
As três, olhou a hora,
e, contrariada,
decidiu ir embora.
Apressada,
não viu as meninas travessas
brincando pela rua.
A noite, enquanto olhava a lua
percebeu que a camisa usada
estava as avessas.

CRASE **235**

☺ Leia o texto abaixo e coloque as crases onde for necessário (lembre-se: às vezes, substituir a palavra feminina por uma masculina como teste pode ajudar).

***

A FLORICULTURA

Um rapaz foi a floricultura e pediu a mais bela rosa.
Depois, entregou a flor a namorada,
com quem marcou as 20 horas a porta do cinema.

Um homem fez reclamações a gerência:
disse que demoraram a entregar a encomenda
e que as orquídeas estavam feias.

No dia dos namorados,
a loja ficava cheia de amantes a moda antiga.
Alguns queriam flores idênticas aquelas mais vendidas,
outros estavam a procura de algo diferente.

Dia a dia, o trabalho era feito com dedicação:
regavam as plantas, adubavam a terra
e atendiam a todos com carinho.

A funcionária mais antiga gostava de bife a parmegiana,
a mais engraçada foi a Bahia, voltou com sotaque baiano
e disse que nas próximas férias iria a Fortaleza.

Um dia, Violeta, a dona da floricultura, ganhou um prêmio.
Ela compareceu a cerimônia com um vestido florido
e agradeceu muito a homenagem.

A noite, quando as pessoas iam embora,
a vontade das flores era relaxar.
A vontade, soltavam ainda mais seus perfumes.

PARTE 4:

SINTAXE

(análise da estrutura das orações
e de seus termos principais e acessórios)

A oração e seus termos

(Frase, oração, período)

Análise sintática

Sujeito e predicado
Complemento nominal, complemento verbal e agente da passiva
Adjunto adnominal, adjunto adverbial e aposto
O vocativo

Concordância nominal e concordância verbal

18. A ORAÇÃO E SEUS TERMOS

SINTAXE: estudo do papel que as palavras desempenham nas frases e orações.[30]

Frase

Frase é todo enunciado de sentido completo.

Pode ser formada por uma só palavra ou por várias palavras.

UMA PALAVRA SÓ:

Silêncio! Cuidado.

MAIS DE UMA PALAVRA:

A cadeira está quebrada.
Gisele gosta de sorvete.

Pode ter verbo ou não (o importante é que o enunciado tenha sentido).

FRASES NOMINAIS: não possuem verbo.

FRASES VERBAIS: possuem verbo.

A frase pode conter uma ou mais orações.

Oração

Oração é uma frase com sentido, que obrigatoriamente possui um verbo.

---

30 A sintaxe é fundamental na organização das orações. Veja: "Silvia e Fernanda acordaram cedo porque tinham prova de matemática". Não se compreenderia se fosse dito: "Prova Silvia de cedo e porque matemática acordou Fernanda tinha".

Período

Período é o enunciado que se constitui de uma ou mais orações.

Ele pode ser:

SIMPLES: formado por apenas uma oração.

> Ciça foi ao cinema.

COMPOSTO: formado por duas ou mais orações.

> Tenho sono e quero dormir.

O período termina sempre com uma pausa bem definida, marcada com ponto, ponto de exclamação, ponto de interrogação, reticências ou dois-pontos.

Tipos de frases

INTERROGATIVAS

Expressam uma pergunta, uma dúvida. Terminam com *ponto de interrogação*.

EXCLAMATIVAS

Expressam uma surpresa, uma emoção. Terminam com *ponto de exclamação*.

DECLARATIVAS

Expressam uma declaração. Terminam com *ponto final*. Podem ser: *afirmativas* ou *negativas*.

✱✱✱

— Você questiona tudo! — reclamou a exclamativa.
— E que problema há nisto? Que seria da vida sem questionamentos? E afinal, não é melhor questionar do que ficar gritando? — perguntou a interrogativa.
— Eu não grito! Sou apenas empolgada com o que digo!
— Não grita? — provocou a interrogativa.
— Acho melhor pararmos com esta discussão — disse a afirmativa, colocando um ponto final.

TESTANDO OS SEUS CONHECIMENTOS

***

O CAMELO

O camelo se olhou no espelho e achou lindas suas corcovas. Depois, teve sede.

☺ Indique o período composto no texto acima.

***

O SACI

O saci é chamado à sala da diretora da escola. Ela está muito irritada:

— Saci, precisamos ter uma conversa séria. Tenho ouvido muitas histórias ruins sobre você. Soube que você vive criando confusões, faz *bullying* com outras crianças da escola, perturba a vida dos professores. Outro dia, me disseram que você tem sido visto com um cachimbo na boca. E pior: está fumando! Você sabe o que isto significa? Se você não mudar imediatamente a sua conduta, será expulso da escola.

O saci respira fundo e calmamente responde:

— Diretora, falam muita coisa de mim, mas é tudo folclore.

☺ No texto:
1) Indique uma frase exclamativa.
2) Indique uma frase interrogativa.

19. Análise Sintática

A oração possui:

TERMOS ESSENCIAIS (sujeito e predicado).

TERMOS INTEGRANTES (complemento nominal, complemento verbal[31] e agente da passiva).

TERMOS ACESSÓRIOS (adjunto adnominal, adjunto adverbial e aposto).

> LEMBRE-SE: são termos essenciais da oração: *sujeito* e *predicado*.

Não se preocupe, vamos ver isto com calma.

---

[31] Complemento verbal (objeto direto e objeto indireto).

SINTAXE **243**

Termos essenciais da oração

Sujeito

Sujeito é o ser, o ente ou a coisa sobre o qual se faz uma declaração.

O núcleo do sujeito é a parte principal do sujeito. Exemplo:

> O professor de história é ótimo!

(sujeito: o professor de história / núcleo do sujeito: professor)

Concordância entre sujeito e verbo

O verbo sempre concorda em número e pessoa com o sujeito.

> *Eu gosto* de chocolate.

(*eu*: 1ª pessoa singular; gosto: 1ª pessoa do singular)

> *Eles gostam* de chocolate.

(*eles*: 3ª pessoa plural; *gostam*: 3ª pessoa do plural)

Tipos de sujeito

O sujeito pode ser:

> SUJEITO DETERMINADO
>
> SUJEITO INDETERMINADO

Sujeito determinado

> SUJEITO SIMPLES: um único sujeito.
>
> > *Eu* amo você.
> >
> > *Nós* gostamos de praia.

SUJEITO COMPOSTO: dois ou mais sujeitos.

> *Marina e Pedro* gostam de sorvete.
>
> *Nós e eles* gostamos de sorvete.

SUJEITO OCULTO OU DESINENCIAL: pode ser identificado pela desinência do verbo.

> *Comprei* uma camisa. (eu)
>
> *Viajamos* de trem. (nós)

(O sujeito está escondido na desinência do verbo.)

Sujeito indeterminado

SUJEITO INDETERMINADO: não é possível determinar o sujeito.

(verbo na terceira pessoa do plural ou na terceira pessoa do singular + *se*)

> *Cantaram* o hino do Brasil.
>
> *Fala-se* muito nesta sala.

Oração sem sujeito (não há sujeito)

Fenômenos da natureza e frases que têm os verbos *haver*, *fazer* e *ser* empregados impessoalmente:

> *Choveu* muito ontem à noite.
>
> *Há* muitos turistas na praia.
>
> *Faz* frio no Sul.

DICA: Em geral, descobre-se o sujeito perguntando ao verbo *quem* ou *o quê*:
Quem ama você? Eu; *Quem* gosta de sorvete? Marina e Pedro;
Quem comprou uma camisa? Eu (sujeito oculto na desinência);
Quem cantou o hino do Brasil? *Quem* fala muito nesta sala?
Não se sabe *quem* cantou ou *quem* fala (sujeito indeterminado);
Quem choveu muito? Ninguém chove. É uma coisa da natureza (oração sem sujeito).

TESTANDO OS SEUS CONHECIMENTOS

***

UM SUJEITO INDETERMINADO

Conta-se a história de um sujeito diferente. (1)
Ele não era simples. (2)
Não se confundia com os ocultos. (3)
Era misterioso e indefinido. (4)
Chamavam-no de sujeito indeterminado. (5)

Quando dele reclamavam, (6)
respondia com sinceridade: (7)
— Eu não gostaria de ser simples (8)
e jamais me ocultaria na desinência. (9)
Reclamam de mim, mas, ao menos, existo. (10)
Fez-se um breve silêncio. (11)
Em seguida, trovejou. (12)

☺ Identifique os sujeitos nas orações acima e classifique-os.

Colocação do sujeito na oração

ORDEM DIRETA: o sujeito aparece antes do verbo.

Daniel e Clarice viajaram para a Bahia.

ORDEM INDIRETA: o sujeito aparece depois do verbo.

– Em orações interrogativas, iniciadas *como*, *onde*, *por que* e *quando*.

— *Por que* não vieram José, Isadora, Benjamim e Anabela?

– Nas orações da voz passiva[32], com a partícula *se*.

Vendem-*se* casas.

– Nas orações com forma verbal no imperativo, quando se acrescenta o pronome pessoal para fins de realce.

— Não sejas *tu* um perdedor.

– Com os verbos *dizer*, *perguntar*, *responder* etc., nas orações em que se acrescenta a pessoa que disse a frase.

— Hoje, é tudo ou nada — *disse* o técnico.

– Quando inicia a oração por advérbio enfático.

— *Aqui* estou eu.

---

32 Veremos a voz passiva na página 270.

TESTANDO OS SEUS CONHECIMENTOS

***

AS NUVENS

Lá vêm várias nuvens negras. Chegam em bandos.
Tomam os céus, encobrem o sol.
Aos poucos, anoitece.
A água não suporta mais ser contida.
O raio e o trovão se agitam. Saltam no ar.
De repente, chove.

☺ Responda:
1) Em que orações o sujeito é inexistente?
2) Qual a oração em que há sujeito composto?
3) Em que oração o sujeito está invertido?

PREDICADO

PREDICADO é tudo aquilo que se diz do sujeito.

> Predicado é uma característica de um ser. Por isso, uma pessoa de muitas qualidades é alguém de muitos "predicados".

Tipos de predicado

NOMINAL

Formado por verbo de ligação + predicativo do sujeito.

> André é engraçado.

> VERBOS DE LIGAÇÃO: fazem a ligação entre o sujeito e suas características. Não indicam ação.
>
> PREDICATIVO DO SUJEITO: termo da oração que caracteriza o sujeito, atribuindo-lhe uma qualidade (ver página 258).

VERBAL

Tem como núcleo um verbo significativo.

> Gabriel comprou uma bicicleta.
> Pedro gosta de bala.
> O balão subiu.

> VERBOS SIGNIFICATIVOS: indicam uma ação. Podem ser transitivos (diretos e indiretos) e intransitivos (ver página 254).

Verbo-nominal

Formado por dois núcleos significativos (um verbo e um predicativo do sujeito).

> Lara chegou animada.

Em outras palavras

PREDICADO NOMINAL: expressa o ESTADO do sujeito (uma qualidade, um atributo).

> Marina continua linda.
> Felipe está alegre.

PREDICADO VERBAL: expressa a AÇÃO praticada ou recebida pelo sujeito.

> Júlia e Laura fizeram uma pipa.
> Gabriel gosta de música.

PREDICADO VERBO-NOMINAL: informa a AÇÃO e o ESTADO do sujeito (formado por verbo significativo mais o predicativo do sujeito).

> Amelia e Elisa chegaram felizes.
> A criança corre livre.

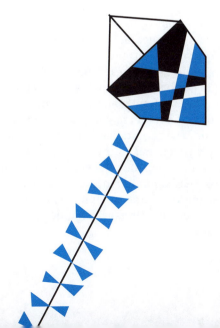

TESTANDO OS SEUS CONHECIMENTOS

***

A COMPRA DA SEGUNDA LUA

Tudo começou com uma campanha: a Terra precisa de uma nova lua. A que tínhamos não aguentava mais tantas obrigações. Era necessário ter um satélite mais imponente, que seria fundamental para colocar o mundo no patamar de outros importantes planetas. A campanha foi tão intensa que, em pouco tempo, a população ficou empolgada com aquela possibilidade, que se transformou em uma necessidade imediata. Em seguida, começaram a aparecer opções de compra. Governos de diversos países se uniram com a importante missão de aquisição da segunda lua. No entanto, diante do elevado valor de uma lua em bom estado de conservação, passaram a pedir doações. Milhares de pessoas deram parte de suas economias com a promessa de terem seus nomes gravados no novo satélite. A opção escolhida foi um satélite três vezes maior do que a atual lua, porte considerado adequado para eclipses de vulto, além de ter interferência muito positiva sobre as marés. Depois de exaustivas negociações, o satélite foi adquirido. Sua instalação ao lado da antiga lua foi motivo de grande comemoração. As cenas de inscrição dos nomes dos doadores no novo satélite também foram transmitidas ao vivo e geraram grande comoção. Passada a empolgação inicial, foi constatado que a nova lua não teve o resultado prometido. Ao contrário, houve efeito negativo sobre o clima. Algum tempo depois, denúncias indicaram que a nova lua tinha sido comprada por preço bem superior ao que valia no mercado interplanetário. Para piorar, um dos jupiterianos envolvidos na venda era cunhado do presidente de um importante país que havia coordenado a compra. Inúmeras pessoas foram às ruas para reclamar da inaceitável situação. Exigiram a imediata devolução da segunda lua e a restituição dos exorbitantes valores pagos. Alguns jupiterianos e terráqueos envolvidos na transação foram presos, outros fugiram para galáxias distantes. Apenas os apaixonados continuam achando que a compra da segunda lua foi justificada.

☺ Responda:
1) Qual a razão principal apresentada para justificar a compra da segunda lua?
2) Quais os problemas que ocorrem com a compra da segunda lua?
3) As pessoas ficaram satisfeitas com a aquisição da segunda lua?

***

ÓRION

Um asteroide viajava pela galáxia, quando se encontrou com um cometa.
— Onde você vai tão apressado?
— Estou perdido. Estava a caminho do Cinturão de Órion, mas acho que errei alguma saída — confessou constrangido.
— Cinturão de Órion? Poxa, você errou muito!
O asteroide ficou nervoso.
— Sério? Tenho uma festa lá às sete horas. Será que ainda dá tempo?
O cometa franziu a testa:
— Sinto muito, amigo. Às sete, em Órion? Nem na velocidade da luz.
O asteroide abaixou a cabeça, desolado.
— Cara, desculpe-me a franqueza, mas como alguém pode se perder nos dias atuais? Você não tem um GPS?
— GPS? — perguntou o asteroide surpreso.
A situação era mais grave do que o cometa tinha pensado.

☺ Indique os predicados nominal, verbal ou verbo-nominal nas frases:
1) Poxa, você errou muito!
2) O asteroide ficou nervoso.
3) O cometa franziu a testa.
4) O asteroide estava desolado.

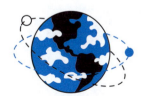

Verbos de ligação

Verbos de ligação não transmitem ideia de uma ação ou situação nova ao sujeito. Eles apenas fazem ligação entre o sujeito e suas características (essas características são chamadas *predicativo do sujeito*). Os principais verbos de ligação são: *ser, estar, parecer, permanecer, ficar, continuar, andar, tornar-se.*

Mirela *é* divertida.

(A informação importante da oração está no predicativo "divertida".)

Eduardo *anda* pensativo.

(A informação importante da oração está no predicativo "pensativo".)

> O verbo *andar* somente será verbo de ligação se fizer a ligação entre o sujeito e suas características (por exemplo: "ele anda animado"; "ele anda triste"). Mas será de ação se indicar a ação da frase (por exemplo: "ele anda rapidamente". Veja que se o verbo for mudado, o sentido será alterado, como "ele se levanta rapidamente", "ele almoça rapidamente").

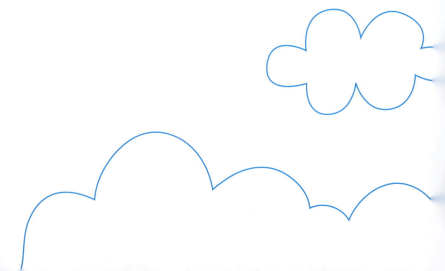

Os verbos de ligação expressam:

ESTADO PERMANENTE:

Eduardo e Marina são inteligentes.
Joana, André e Paulo Henrique estão viajando.

ESTADO TRANSITÓRIO:

Lara, Gabriel e Alexia parecem animados com a festa.

MUDANÇA DE ESTADO:

O rapaz tornou-se agressivo.

CONTINUIDADE DE ESTADO:

Maria Clara permanece ativa.

***

Ela é assim: *permanece* divertida. *Parece* feliz com tudo.
E eu, *continuo* encantado.

Verbos transitivos

Verbos transitivos são verbos de predicação incompleta. Por isso, precisam de um complemento. Dividem-se em:

TRANSITIVOS DIRETOS

Exigem complemento sem preposição obrigatória (objeto direto).

> Cris e Luciano compraram um carro.

("Cris e Luciano compraram" seria uma informação insuficiente. O que Cris e Luciano compraram? Um carro.)

TRANSITIVOS INDIRETOS

Exigem complemento com preposição obrigatória (objeto indireto).

> Amir gosta de sorvete.

("Amir gosta" seria uma informação insuficiente. Amir gosta de quê? De sorvete.)

TRANSITIVOS DIRETOS E INDIRETOS

Exigem dois complementos, *sem* e *com* preposição (objeto direto e indireto).

> Nina e Vitória ofereceram comida aos convidados.

[Nina e Vitória ofereceram o quê? Comida (objeto direto). A quem Nina e Vitória ofereceram comida? Aos convidados (objeto indireto).]

Verbos intransitivos

Verbos intransitivos não precisam de complemento.[33]

       O trem chegou.
       Moro em Jaçanã.
       Pedro Henrique viajou.

> Há verbos que podem ou não ser intransitivos de acordo com a frase. Veja:
>   Rodrigo chegou de Omã.
>   Juliana chegou a uma conclusão.
>   *de Omã*: adjunto adverbial de lugar
>   *uma conclusão*: objeto indireto

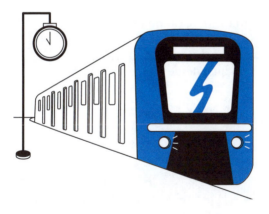

---

33 As orações acima (O trem chegou / Moro em Jaçanã / Pedro Henrique viajou) trazem informações suficientes. Elas podem ser completadas (O trem chegou atrasado; Moro em Jaçanã em uma casa; Pedro Henrique viajou ontem etc.), mas os complementos não são obrigatórios para que as orações façam sentido.

***

ACORDEI INTRANSITIVO

Acordei. Levantei.
Estava intransitivo.
Em seguida, transitivo indireto,
olhei para o relógio e fui ao banheiro.

Transitivo direto,
arrumei minhas coisas,
vesti meu *short* e meu chinelo,
desci as escadas.

E aí, novamente transitivo indireto, fui à praia.
Lá, mais uma vez transitivo direto,
comprei um sorvete de chocolate,
comi um biscoito de polvilho.

Intransitivo, caí no mar.
Só assim fiquei feliz,
com o predicativo do sujeito,
pelo qual desde cedo estava à procura.

TESTANDO OS SEUS CONHECIMENTOS

✶✶✶

TRÊS IRMÃOS

Alessandra é engraçada,
Alan gosta de sorvete,
Aline está animada.

Alessandra me surpreende,
Alan me diverte,
Aline me entende.

Alessandra sorri,
Alan canta alto,
Aline come *sushi*.

☺ Identifique no texto os verbos:
de ligação
transitivos diretos
transitivos indiretos
intransitivos

Ainda sobre o predicado nominal e o predicado verbo-nominal

Como visto:

PREDICADO NOMINAL tem

um núcleo nominal (predicativo do sujeito).

PREDICADO VERBO-NOMINAL tem

um núcleo verbal (verbo significativo) e

um núcleo nominal (predicativo do sujeito).

Predicativo do sujeito

Termo que caracteriza o sujeito da oração, a ele ligado por um verbo (de ligação ou não).

Gabriela	está	<u>preocupada</u>.
	verbo de ligação	*predicativo do sujeito*
O bebê	dorme	<u>tranquilo</u>.
	verbo de ação intransitivo	*predicativo do sujeito*
Rafaela	chegou	<u>feliz</u>.
	verbo de ação intransitivo	*predicativo do sujeito*

Veja que as informações das orações são sobre os sujeitos:

Gabriela *preocupada*, o bebê *tranquilo*, Rafaela *feliz*.

Função de predicativo do sujeito

A função de predicativo do sujeito pode ser desempenhada por:

– um *substantivo*.

> Viver é uma *aventura*.

– um *adjetivo* ou *locução adjetiva*.

> Bernardo parece *animado*.
> O bolo é *de chocolate*.

– um *pronome*.

> A diretora é *ela*.
> Meu pai é *aquele*.

– um *numeral*.

> Os acusados eram *três*.

– uma *oração substantiva predicativa*.

> Meu sonho é *ser médico*.

TESTANDO OS SEUS CONHECIMENTOS

***

TRABALHO

Nicolas anda preocupado com o trabalho. A cada dia que passa, ele tem mais coisas para fazer. Mas, ainda assim, gosta do que faz. Todos admiram sua competência. Ele é muito inteligente e responsável. O trabalho é interessante. Ontem, ele teve uma reunião que durou muitas horas. Ao final, estava exausto.

☺ Identifique os predicativos do sujeito nas orações acima.

***

MUDANÇAS

Ele era forte e ela era feia. Até que, em uma noite de lua cheia, ele se apaixonou e tudo ganhou novo sentido: ela se tornou linda e ele, toda vez que a vê, parece enfraquecido.

☺ Indique os verbos de ligação e os predicativos do sujeito.

TERMOS INTEGRANTES DA ORAÇÃO

Complemento nominal

O complemento nominal é o termo que completa o sentido de uma palavra que não seja verbo, portanto, pode completar substantivos, adjetivos ou advérbios.

> Normalmente liga-se a eles por meio de preposição.

Marcelo tem   saudades   de você.
                   substantivo   *complemento nominal*

João estava   feliz   com tudo.
                   adjetivo   *complemento nominal*

Joaquim mora   perto   de um museu.
                   advérbio   *complemento nominal*

> O complemento nominal pode ser representado por um pronome oblíquo átono (neste caso a preposição será implícita).
> A sorte *lhe* foi favorável (favorável *a ele*).

TESTANDO OS SEUS CONHECIMENTOS

***

DIÁLOGO

— Ontem, chegaram minhas provas! Estou contente com os resultados!
— Tenho muito orgulho de você.
— Você confia em mim?
— Claro que tenho confiança em você.
— Que bom! Sempre tive certeza da sua amizade.

☺ Identifique os complementos nominais.

Complemento verbal

O complemento verbal é o complemento de um verbo transitivo direto ou transitivo indireto.

Objeto direto

Objeto direto é o complemento de um verbo transitivo direto.

O verbo transitivo direto normalmente não é acompanhado de preposição.

O objeto direto pode ser:

– um *substantivo*.

> Margarida comeu uma *esfirra*.

– um *pronome*: *o, a, os, as, me, te, se, nos, vos*.

> Beth convidou-*me* para almoçar.

– um *numeral*.

> Tomei um café, Maria tomou *dois*.

– uma *palavra substantivada*.

> Lourdes e Nenzinha adoraram o *jantar*.[34]

– uma *oração*.

> Custódia disse *que queria nadar com golfinhos*.

Se a oração for colocada na voz passiva, o objeto direto se torna o sujeito da oração.

VOZ ATIVA

> O menino leu <u>o livro</u>.
> *objeto direto*

VOZ PASSIVA

> <u>O livro</u> foi lido pelo menino.
> *sujeito*

---

34 Jantar é um verbo; na frase é um substantivo.

Objeto indireto

É o complemento de um verbo transitivo indireto.

O verbo transitivo indireto é normalmente acompanhado de preposição (não se usa preposição no objeto indireto representado pelos pronomes oblíquos *me, te, lhe, nos, vos* e pelo pronome reflexivo *se*).

O objeto indireto pode ser:

– um *substantivo*.

Clarisse gosta *de carnaval.*

– um *pronome*: *lhe, me, te, se, nos, vos* (*eles*).

Bruno viajou *com eles.*

– um *numeral.*

Precisei de um casaco, Bernardo precisou *de dois.*

– uma *palavra substantivada.*[35]

Letícia concordava *com* o *sábio.*

– uma *oração.*

Bárbara lembrou-se *de que ele viria.*

---

35 Sábio é um adjetivo; na frase é um substantivo.

TESTANDO OS SEUS CONHECIMENTOS

***

COTIDIANO

Tomo café, pego um ônibus.
Volto da escola, vou ao barbeiro, corto os cabelos.
Compro um doce. Bebo um suco.
Faço o dever de casa. Estudo a matéria. Gosto de português.
Leio um livro, ouço música.
Tomo um banho. Lavo meus pés. Preciso de xampu.
Penso em muitas coisas. Preciso conversar com você.
Pego o telefone.

☺ Identifique os objetos:
diretos
indiretos

Agente da passiva

É o complemento de um verbo na voz passiva[36]. O agente da passiva pratica a ação sofrida ou recebida pelo sujeito da oração.

É normalmente introduzido pelas preposições *por* ou *de*.

Pode ser instituído por:

– um *substantivo*.

> O dragão foi vencido *pelo príncipe*.

("pelo príncipe" é agente da passiva. Se a oração estivesse na voz ativa, seria o sujeito: O príncipe venceu o dragão.)

– um *pronome*.

> O dragão foi vencido *por ele*.

– um *numeral*.

> O dragão foi vencido *pelos três*.

– uma *oração*.

> O dragão foi vencido *por quem era o mais valente*.

(oração subordinada substantiva)

> VEJA que o *agente da passiva* é quem efetivamente pratica a ação: foi o príncipe quem venceu o dragão.

---

36 Ver *voz passiva* na página 270.

TESTANDO OS SEUS CONHECIMENTOS

★★★

CAMPEONATO

O campeonato foi conquistado *pelo pior time*.
O hino do clube foi cantado *pelas ruas*.

☺ Coloque as frases na voz ativa e indique qual dos termos marcados é agente da passiva.

Em síntese, os termos integrantes da oração são:

COMPLEMENTO NOMINAL: complementa o sentido de um *substantivo*, de um *adjetivo* ou de um *advérbio*.

É quase sempre ligado por preposição.

Tenho	necessidade	de ajuda.
VTD	*objeto direto*	*complemento nominal*

COMPLEMENTO VERBAL: complementa o sentido de um *verbo transitivo direto* ou *transitivo indireto*.

Necessito	de ajuda.
VTD	*objeto indireto*

AGENTE DA PASSIVA: complementa o sentido de um *verbo na voz passiva*, indicando o autor da ação.

A terra	foi vista	pelo astronauta.
	VTD	*agente da passiva*

268 UMA GRAMÁTICA SIMPÁTICA

Ainda sobre complemento nominal[37]

Um grande número de nomes que pedem complemento nominal são substantivos abstratos[38] derivados de verbos significativos (verbos que indicam uma ação).

As pessoas têm   necessidade   de paz.
                  objeto   *complemento*
                  direto   *nominal*

> *necessidade* deriva do verbo necessitar

Ana tem   orgulho   da família.
           objeto   *complemento*
           direto   *nominal*

> *orguho* deriva do verbo orgulhar

ATENÇÃO: nem sempre o complemento nominal complementa o objeto direto ou indireto.
Às vezes, ele complementa o núcleo do sujeito.

A leitura   <u>do texto</u>   foi interessante.
           complemento
           nominal

> *leitura* deriva do verbo ler

---

37 Para encontrar o complemento nominal é preciso perguntar ao nome: *a que, a quem, de que, de quem, por que, por quem.*
38 Substantivos abstratos: ver página 81.

TESTANDO OS SEUS CONHECIMENTOS

***

O VELHO CIRCO

Era um dia como os outros no velho circo:
o domador foi vencido *pelos leões*,
o equilibrista perdeu *o equilíbrio*,
o palhaço estava *sem graça*,
os elefantes não obedeceram *aos comandos*,
os trapezistas precisavam *de cordas*.

Ainda assim, havia *uma magia no ar*.
Uns diziam que era *o cheiro do picadeiro*,
outros falavam *da lona encantada*
alguns se referiam *a um sentimento de infância*.
Ninguém conseguia explicar.
O circo era amado *por todos*.

☺ Identifique a função sintática dos termos grifados.

FORMAÇÃO DA VOZ PASSIVA

A voz passiva pode ser:

ANALÍTICA

ser, estar, ficar + particípio
A lua *era admirada* por todos.

SINTÉTICA

3ª pessoa + pronome apassivador se
Admira-se a lua.

Voz passiva analítica

– Verbos transitivos diretos (VTD)

VOZ ATIVA

O menino   comprou   um doce.
sujeito   *VTD*   *objeto direto*

VOZ PASSIVA

Um doce   foi comprado   pelo menino.
sujeito   *VTD*   *agente da passiva*

> VEJA: o sujeito da voz ativa se transforma em agente da passiva na voz passiva.

Na voz passiva, o agente pode não ser indicado.

Um doce foi comprado.

SINTAXE **271**

– Verbos transitivos diretos e indiretos (VTDI)

VOZ ATIVA

O menino	comprou	um doce	para mim.
sujeito	*VTDI*	*objeto direto*	*objeto indireto*

VOZ PASSIVA

Um doce	foi comprado	pelo menino	para mim.
Sujeito	*VTI*	*agente da passiva*	*objeto indireto*

> VEJA: o objeto direto da voz ativa se transforma em sujeito na voz passiva.

ATENÇÃO: Verbos transitivos indiretos (VTI) ou intransitivos:
Não é possível transformar na voz passiva.

VOZ ATIVA

O menino	gosta	de doce.
sujeito	*VTI*	*objeto indireto*

(Seria impossível dizer: o doce é gostado pelo menino.)

VOZ ATIVA

O trem	chegou	cedo.
sujeito	*verbo intransitivo*	*adjunto adverbial*

(Seria impossível dizer: o trem foi chegado cedo.)

Voz passiva sintética (usa-se a partícula *se*)

Verbos transitivos diretos ou diretos e indiretos.

Vendem-se casas.

(Casas é o sujeito da oração; concorda com o verbo. Na voz passiva analítica, a frase seria: Casas são vendidas.)

ATENÇÃO: Verbos transitivos indiretos (VTI) ou intransitivos.

Não é possível transformar na voz passiva. Nestes casos, a partícula *se* é um índice de indeterminação do sujeito.

Precisa-se de médicos.

(Não se sabe quem precisa de médicos. O sujeito é indeterminado.[39] Médicos é objeto indireto da oração. Por isso, o verbo não concorda com ele.)

CONCLUI-SE QUE: verbos transitivos indiretos, os de ligação e os intransitivos não admitem voz passiva.

---

39 Ver sujeito indeterminado na página 244.

TESTANDO OS SEUS CONHECIMENTOS

***

AS PLACAS

Inicialmente, *uma placa foi colocada em um poste*:
"Alugam-se bicicletas".
Apesar de isolada,
a mensagem produziu efeitos
e *várias bicicletas foram alugadas*.

Em seguida, outras placas apareceram:
"Consertam-se fogões";
"Precisa-se de mecânicos";
"Compra-se ouro";
"Vendem-se placas".

Até que surgiu uma placa esquisita:
"Trago a pessoa amada".
A curiosidade de todos foi despertada pela placa.
Como é que *a pessoa amada seria trazida*?
A mensagem não foi entendida por ninguém.

☺ Identifique no texto os casos de:
voz passiva analítica
voz passiva sintética
sujeito indeterminado

274 UMA GRAMÁTICA SIMPÁTICA

AINDA SOBRE O OBJETO DIRETO E O OBJETO INDIRETO

Objeto direto preposicionado

Normalmente, o objeto direto não é introduzido por uma preposição.

No entanto, a *preposição será obrigatória* quando o objeto direto for expresso por:

– pronome oblíquo tônico.[40]

> Amo *a ti*, como nunca amei ninguém.

– pronome relativo *quem*.

> Estes amigos a *quem* mais protejo.

A preposição será *facultativa*.

– nos verbos que expressam sentimentos.

> Amo *a* Deus.

(O verbo amar não necessita de preposição. Exemplo: eu amo você.)

– para evitar ambiguidade (duplo sentido).

> Matou o búfalo ao leão.

(Sem a preposição não se saberia quem matou e quem foi morto. Se o búfalo tivesse sido morto seria "Matou ao búfalo o leão".)

ATENÇÃO: a preposição pode indicar uma parte do todo.

Bebi *o suco*. (bebeu todo o suco) – objeto direto

Bebi *do suco*. (bebeu parte do suco) – objeto direto preposicionado

---

40 LEMBRE-SE: pronomes oblíquos tônicos têm sempre preposição. Ver página 122.

SINTAXE **275**

Objeto direto pleonástico[41]

Ocorre quando há repetição do objeto direto por meio de um pronome para reforçar a ideia que aparece no objeto.

> Aquela menina, encontrei-*a* na praia.
> Meus livros, não *os* empresto para ninguém.
> A mim, ama-*me* bastante.
> Aos amigos, dê-*lhes* atenção.
> Ao jogo, assisti *a ele* apreensivo.[42]

Predicativo do objeto

Ocorre quando é conferida uma característica ao objeto. Isto só acontece no predicado verbo-nominal.

> Antônio achou a prova fácil.

(*Fácil* traz uma informação sobre a prova, que é o objeto direto.)

UMA DICA: Uma forma de identificar o predicativo do objeto é substituir o núcleo do objeto por um pronome. Se o predicativo permanecer, é porque ele se refere ao objeto, mas não faz parte dele.

> Seu convite deixou os amigos *felizes*.
> Seu convite os deixou *felizes*.
> (*Felizes* refere-se ao objeto, mas não faz parte dele.)

Não se preocupe, veremos novamente o predicativo do objeto
e suas diferenças com o predicativo do sujeito
e o adjunto adnominal nas páginas 291 e 292.

---

41 Pleonasmo é uso da redundância para reforçar uma ideia. Exemplo: "surpresa inesperada". É uma figura de linguagem (ver página 362).
42 Veja que não haveria pleonasmo se as frases tivessem sido escritas de forma direta: Encontrei *aquela menina* na praia./ Não empresto *meus livros* para ninguém./ Ama-*me* bastante./ Dê atenção *aos amigos*./ Assisti *ao jogo* apreensivo.

TESTANDO OS SEUS CONHECIMENTOS

***

UM ROMÂNTICO

Aquelas flores lindas, ele *as* entregou a ela. (1)
Era a mulher *a quem* ele amava. (2)
Ela considerava o rapaz *um romântico*. (3)
Disse-lhe que precisava *de um tempo*. (4)
Porém, enganou *a* todos. (5)
Ela amava *a* outro. (6)

☺ Dê a classificação sintática dos termos grifados.

SINTAXE 277

Termos acessórios da oração

Os termos acessórios não são indispensáveis para o entendimento da oração.

Adjunto adnominal

Adjunto adnominal é o termo que especifica, determina ou explica um substantivo.

O adjunto adnominal pode ser representado por:

ADJETIVO

A camisa *listrada* estava suja.

LOCUÇÃO ADJETIVA

Mirelle tem um coração *de anjo*.

ARTIGO

Bel fez *um* bolo delicioso.

PRONOME ADJETIVO

Aquele filme é engraçado.

NUMERAL

Os *três* garotos eram muito amigos.

ORAÇÃO SUBORDINADA

O aluno *que é engraçado* contou uma piada.[43]

---

43 Veja: *que é engraçado* corresponde ao adjetivo engraçado. A oração poderia ser *O menino engraçado contou uma piada*, sem que o sentido fosse alterado. Estudaremos essa matéria nas orações subordinadas adjetivas, na página 304.

TESTANDO OS SEUS CONHECIMENTOS

✱✱✱

À VENDA

Tudo estava à venda:
Um sapato velho, uma bolsa manchada,
um chinelo furado, uma camisa rasgada.

☺ Indique os adjuntos adnominais no texto.

Adjunto adverbial

Adjunto adverbial é o termo que modifica o sentido de um verbo, de um adjetivo ou de um advérbio.[44]

Os adjuntos adverbiais podem ter diferentes classificações. Dentre elas:

– de *afirmação*

Mariana e Isabela virão *com certeza*.

– de *negação*

Mateus, Manu e Tiago *não* gostam de berinjela.

– de *dúvida*

Talvez Adriana compre um carro.

– de *intensidade*

Alan, Dany e Beny têm estudado *bastante*.

– de *modo*

Guilherme fala *bem* alemão.

– de *tempo*

João Pedro chegou *anteontem*.

– de *lugar*

A loja é *perto* do posto de gasolina.

– de *companhia*

João e Felipe viajaram *com os pais*.

– de *causa*

Ele morreu *de infarto*.

– de *finalidade*

Cecília e Bruno viajaram *para trabalhar*.

---

44 Lembre-se: Os advérbios classificam-se em (incluídas as locuções adverbiais): *de afirmação*: sim, certamente, efetivamente, com certeza, de fato etc.; *de negação*: não, tampouco, absolutamente, de modo algum, de forma alguma etc.; *de dúvida*: talvez, possivelmente, provavelmente, quiçá, porventura, acaso etc.; *de intensidade*: muito, pouco, bastante, bem, demais, mais, menos; *de tempo*: agora, anteontem, ontem, hoje, amanhã, ainda, jamais, logo, nunca, sempre, tarde, depois etc.; *de modo*: assim, bem, mal, depressa, devagar, pior, às escondidas, de cor e quase todos os advérbios terminados em *mente* (rapidamente, calmamente); *de lugar*: abaixo, acima, aqui, ali, acolá, longe, perto, diante, junto, detrás, onde, à direita, à esquerda etc.

TESTANDO OS SEUS CONHECIMENTOS

***

PELA RUA

Andou *pela rua*,
conversou *com os amigos*,
divertiu-se *muito*.
Depois de tudo, olhou *para a lua*
e ficou *em silêncio*.
Rapidamente, enviou uma mensagem:
Com certeza, *não* vivo sem você.

☺ Dê a correta função sintática dos termos destacados.

***

O TAPETE MÁGICO

Era um tapete como outro qualquer. Não tinha superpoderes, não voava, não era encantado. Mas, em cima dele, o menino viajava pelos locais mais exóticos do mundo. Sobrevoou palácios e pirâmides, conheceu mercados com encantadores de serpentes, fugiu de um ataque inesperado de bárbaros. Tudo em sua imaginação de criança. Afinal, era um menino como outro qualquer.

☺ Responda:
1) Que experiências o menino teve em cima do tapete mágico?
2) O menino era "como outro qualquer", mas tinha algo de especial. O que é?

Aposto

Aposto é o termo da oração que é colocado após o nome (ou pronome) com objetivo de explicá-lo ou especificá-lo melhor.

Entre o aposto e o nome a que ele se refere há, em geral, uma pausa, marcada na escrita por vírgula, dois-pontos ou travessão.[45] Pode ser:

APOSTO EXPLICATIVO

Tem função de explicar:

> Ele, *Pedro*, é o mais velho dos irmãos.
> Pedro, *o mais velho dos irmãos*, gosta muito de praia.
> Ontem, *terça-feira*, tive prova de matemática.

APOSTO ENUMERATIVO

Tem função de enumerar:

> Tenho dois sobrinhos que são gêmeos: *Lucas e Miguel*.

APOSTO RESUMITIVO OU RECAPITULATIVO

Tem função de resumir:

> Macarrão, arroz, batata e farofa, *tudo* fazia parte da dieta.

Vocativo

Vocativo é a palavra que é usada para chamar, invocar ou interpelar um ouvinte real ou hipotético.

> *Duda*, você é muito divertida!
> Ganhamos o jogo, *Ignacio*.
> *Cecilia*, você precisa ir a Buenos Aires.

Como o vocativo não mantém relação sintática com outro termo da oração, ele não pertence nem ao sujeito nem ao predicado.

---

45 Não se usa vírgula no aposto quando ele denomina o ser e o individualiza. Exemplo: O parque *Lage*; O poeta *Mário Quintana*; A praia de *Ipanema*.

***

— Joaquim, você sabe o que é vocativo?
— Não sei não, João.
— Pois bem, o vocativo serve para chamar as pessoas, Joaquim.
— João, você acha que eu me importo?
— Joaquim, como você quer chamar as pessoas sem o vocativo?
— Sei lá, estou cansado. Vamos embora. Pede a conta para o garçom, João.
— Pede você, Joaquim.

TESTANDO OS SEUS CONHECIMENTOS

***

O DESCOBRIMENTO

— Mariana, quem descobriu o Brasil?
— Pedro Álvares Cabral, professora.
— Carol, em que ano isto aconteceu?
— Em 1500, professora.
— Juliana, quem escreveu a carta para D. Manuel I, o rei de Portugal?
— Pero Vaz de Caminha, professora.

☺ Indique os vocativos no texto.

***

FESTA NO CÉU

Só os bichos que sabem voar foram convidados para a festa no céu. O crocodilo estava irritadíssimo:

— Isso é discriminação! Não gostam de mim porque sou explosivo! Isso é um absurdo! A festa permitirá a entrada de uma andorinha, uma ave inexpressiva, e não o acesso de um bicho do meu porte, um animal com mordida suficientemente forte para quebrar ossos de uma zebra.

O tucano tentou contemporizar:

— Que nada, crocodilo. O problema é você não arrumar carona de volta. Sabe como é fim de festa. De repente, pode haver algum desencontro e você fica preso lá no céu.

— Mas por que isso aconteceria? É só sair daqui com tudo combinado. Posso ir e voltar com o gavião.

— E se vocês brigarem na festa?

— Por que eu brigaria com alguém?

— Crocodilo, você mesmo disse que é explosivo...

— Tucano, você está me irritando!

☺
1) Identifique os vocativos no texto acima.
2) Nas frases em que há vocativos, qual a função sintática deles?
3) Identifique os apostos do texto.

***

CONSELHO

— Zé Guilherme, eu lhe recomendo uma coisa: não deixe nada para a última hora.

— Obrigado, Eduardo. Gustavo, meu primo, sempre me diz isso.

☺ Identifique os apostos e os vocativos.

***

A FEIRA DE MONSTRINHOS

Era sábado e depois de muita insistência o pai concordou em ir com os filhos a uma feira de monstrinhos. A mãe já estava disposta a comprar um, mas ainda faltava uma oportunidade. Nada como um sábado chuvoso.

— Quero um grande e peludo! — disse a filha.

— Ele vai dormir no meu quarto! — completou o filho.

— Nada de muitos pelos! Dormir no quarto? Nem pensar! Monstros dormem na varanda! — disse o pai convicto.

Na feira, os monstrinhos pareciam tranquilos, carinhosos, bonitos, inteligentes.

— Quero esse aqui! — disse a filha.

— Ele vai dormir no meu quarto! — completou o filho.

— No quarto nem pensar! — bradou o pai.

A mãe deu força.

— Vai ser bom para a família — ela disse animada.

O pai cedeu e o monstrinho foi comprado.

Em menos de um mês, ele se revelou: destruía móveis, comia chinelos, urinava onde não podia, soltava pelos. O pai ficou desesperado:

— Sábado que vem, sem falta, vamos devolver essa criatura! Onde estava com a cabeça?

Mas nada como um dia após o outro. Aos poucos, o monstrinho foi cativando o pai. Fazia festa quando ele chegava, ficava no pé dele enquanto lia jornal, abanava o rabo quando saíam para passear. O pai acabou se afeiçoando e o sábado em que a devolução ocorreria nunca chegava.

Um dia, o pai reuniu a família e explicou que, no inverno, a varanda era fria demais para o monstro, agora já mais crescido, e deixou que ele dormisse na sua cama. Dali, nunca mais saiu.

☺

1) Como o monstrinho cativou o pai?

2) Ache os apostos no texto.

Algumas comparações

Complemento nominal x objeto indireto

O *complemento nominal* completa o sentido dos nomes (substantivo, adjetivo e advérbio).

O *objeto indireto* completa o sentido do verbo transitivo indireto.

Temos	necessidade	de ajuda.
verbo	*substantivo*	*complemento nominal*

Necessitamos	de ajuda.
verbo	*objeto indireto*

> *Necessitamos* é verbo: eu necessito, tu necessitas,
> ele necessita, nós necessitamos...
> *Necessidade* é substantivo, não é verbo. Não se conjuga.

TESTANDO OS SEUS CONHECIMENTOS

***

DIFERENÇAS

O jardineiro gosta *de flores*,
o covarde sente medo *do escuro*,
o torcedor tem paixão *por futebol*,
o sonhador crê *no futuro*.

☺ Separe os termos marcados, de acordo com a sua função sintática:
objeto indireto
complemento nominal

COMPLEMENTO NOMINAL X ADJUNTO ADNOMINAL

– O complemento nominal (CN) se liga a substantivos abstratos, a adjetivos e a advérbios. O adjunto adnominal (AA) se liga a substantivos abstratos ou concretos.

> As pessoas têm necessidade *de amor*. (CN)
>
> A cadeira *de palha* está furada. (AA)

– O complemento nominal tem sentido passivo (o agente recebe a ação expressa pelo nome). O adjunto adnominal tem sentido ativo (ele pratica a ação).

> O amor *pelos pais* é fundamental. (CN)

(pais sofrem a ação: eles recebem o amor)

> O amor *dos pais* é fundamental. (AA)

(pais são agentes da ação: praticam a ação, isto é, sentem amor)

– O complemento nominal não indica ideia de posse. O adjunto adnominal frequentemente indica ideia de posse.

> A meia *de Pedro*, o casaco *de Elisa*. (AA)

– O complemento nominal é sempre ligado por preposição*. O adjunto adnominal pode não estar ligado por preposição e, se estiver, será a preposição *de*.

> Todos devem obediência *às leis*. (CN)
>
> O apoio *dos amigos* é fundamental. (AA)

> *Às vezes, a preposição está implícita no pronome oblíquo átono. Exemplo:
> Aquele remédio *nos* era prejudicial.
> (era prejudicial a nós)

SINTAXE **287**

★★★

COMPLEMENTO NOMINAL
OU ADJUNTO ADNOMINAL?

A professora esclarece como diferenciar o complemento nominal do adjunto adnominal:
1) Se *não houver preposição* será *adjunto adnominal*.
2) Se for relacionada a *adjetivo ou advérbio* será *complemento nominal*.
3) Se for relacionada a *substantivo concreto* será *adjunto adnominal*.
4) Se for relacionada a *substantivo abstrato* será *adjunto adnominal se o termo pratica a ação*.
5) Se for relacionada a *substantivo abstrato* será *complemento nominal se o termo sofre a ação*.
6) Se *indicar posse* será *adjunto adnominal*.
— Enfim, entendi a explicação da matéria — provoca o aluno mais relapso da turma.
— Então: "da matéria" é complemento nominal ou adjunto adnominal? — pergunta a professora desconfiada.

TESTANDO OS SEUS CONHECIMENTOS

★★★

A MULHER DO VIZINHO

A mulher *do vizinho* perdeu seu anel *de ouro*. O marido, consciente *de tudo*, foi a uma loja *de joias* e comprou um novo anel. Poucos dias depois, o antigo foi achado embaixo do sofá *de couro*. O vizinho ficou aliviado, porque tinha gastado mais do que podia no seu cartão *de crédito* e avisou à mulher que devolveria o novo. Imediatamente, ela respondeu chorosa:
— Você não gosta mais de mim.

☺ Identifique nas palavras marcadas os adjuntos adnominais e os complementos nominais.

Em outras palavras:

TERMO SEM PREPOSIÇÃO (AA)

Aquele menino tem olhos *azuis*. (sem preposição – AA)

O carro *velho* foi consertado. (sem preposição – AA)

ADJETIVO OU ADVÉRBIO (CN)

Gabriel está feliz *com a notícia*. (feliz é adjetivo – CN)

O juiz agiu favoravelmente *ao réu*. (favoravelmente é advérbio – CN)

SUBSTANTIVO CONCRETO (AA)

A camisa *de Vivian* é verde.

(camisa é substantivo concreto e camisa "de" indica posse – AA)

O vaso *de barro* quebrou. (vaso é substantivo concreto – AA)

SUBSTANTIVO ABSTRATO se tiver sentido ativo (AA), se tiver sentido passivo (CN).

A greve *dos funcionários* acabou.

(funcionários são agentes da greve – AA)

A crítica *do professor* foi injusta.

(professor fez crítica; sentido ativo – AA)

A crítica *ao professor* foi injusta.

(professor sofre crítica; sentido passivo – CN)

Rafael e Daniel fizeram a leitura *do texto*.

(texto foi lido; sentido passivo – CN)

OBSERVAÇÃO: Às vezes, um mesmo nome se liga a um adjunto adnominal e a um complemento nominal.

A homenagem *dos alunos ao professor* foi emocionante.

(dos alunos: sentido ativo – AA) (ao professor: sentido passivo – CN)

Em outras, um mesmo nome se liga a dois complementos nominais.

A entrega *dos diplomas aos alunos* foi emocionante.

(dos diplomas: sentido passivo – CN)

(aos alunos: sentido passivo – CN)

Há casos em que o pronome possessivo funciona como complemento nominal.

Sinto saudades *suas*. (suas = de você)

SINTAXE **289**

TESTANDO OS SEUS CONHECIMENTOS

***

UM MENINO FALANTE

Aquele menino *falante* disse apenas:
— Estou feliz *com a minha vida*!
Moro perto *da escola,*
tenho uma caixa *de brinquedos.*
O amor *da minha mãe* é imenso
e meu amor *pela minha mãe* é ainda maior.
Só tenho medo *de fantasmas.*

☺ Identifique os adjuntos adnominais (AA) e os complementos nominais (CN).

***

OS TRÊS PORQUINHOS

A mãe pega o livro de histórias na mesa de cabeceira e conta para seu filho:
— Os três porquinhos tinham medo do lobo mau. O primeiro porquinho construiu uma casa de palha. O porquinho estava contente com seu novo lar. De repente, o lobo chegou cheio de energia. Furioso, ele bateu à porta e o porquinho disse que não o deixaria entrar. O lobo soprou, soprou, soprou e a casa foi pelos ares. O porquinho correu mais rápido do que o lobo e chegou na casa de madeira do segundo porquinho.

O menino curioso interrompe:
— Mãe, como pode um porquinho indefeso correr mais do que um poderoso lobo?

A mãe pensa e responde:
— Tenho a impressão de que o lobo tinha problemas respiratórios.

O menino não se conforma:
— Se ele tinha problemas de respiração, como conseguiu derrubar uma casa com seu sopro?

☺ Identifique os adjuntos adnominais (AA) e os complementos nominais (CN) no texto.

A FÁBRICA DE AMOR

O chefe estava jogando paciência no computador, quando um fiscal entrou na sala apressadamente:
— Senhor, temos um problema sério no setor de beijos!
O chefe arregalou os olhos:
— Que tipo de problema?
— É algo muito estranho. Nunca vi nada igual. Alguns beijos não estão sendo produzidos, outros estão saindo deformados...
— Deformados? Como? — perguntou o chefe.
Antes que o fiscal pudesse responder, foi interrompido pela chegada de outro fiscal:
— Chefe, há algo de muito estranho no setor de abraços...
— O quê? — questionou o chefe cada vez mais nervoso.
— Se a situação não for revertida, em pouco tempo, ele não conseguirá mais dar abraços.
O fiscal do setor de cafunés surgiu como um foguete:
— Perdemos o dispositivo de interesse em cabelos...
O fiscal do setor de cartas de amor também chegou agitado:
— Tudo parado! Nenhuma vontade de escrever e não há nenhuma lágrima disponível!
O chefe deu um murro na mesa:
— Estamos sendo atacados! Quem poderia fazer isso? Ah! Que ódio!
— Você também acha que foi ele? — respondeu o fiscal do setor de filmes românticos.

1) Que problema estava ocorrendo na fábrica de amor e qual era a principal causa do problema?

SINTAXE **291**

PREDICATIVO DO SUJEITO X PREDICATIVO DO OBJETO

O *predicativo do sujeito* traz informação sobre o sujeito.

O *predicativo do objeto* traz informação sobre o objeto.

Vicente é <u>inteligente</u>.

predicativo
do sujeito

O juiz considerou o réu <u>inocente</u>.

objeto *predicativo*
direto *do objeto*

(*Inteligente* dá informação sobre o sujeito; *inocente* dá informação sobre o objeto.)

TESTANDO OS SEUS CONHECIMENTOS

★★★

A AUDIÊNCIA

A sala de audiências estava lotada.
Entrou um homem oprimido.
Ele era feio e estava malvestido.
Todos o julgaram culpado.
O juiz ouviu o acusado.
Ele era inteligente e até engraçado.
As testemunhas nada viram de diferente.
O homem foi considerado inocente.

☺ Identifique os casos de: predicativo do sujeito e predicativo do objeto.

Predicativo do objeto x adjunto adnominal

Adjunto adnominal (AA) é termo da oração que modifica o substantivo.

Predicativo do objeto (PO) traz informação sobre o objeto.

DIFERENÇAS:

– O adjunto adnominal é termo acessório: pode ser retirado da oração sem que isso altere o sentido. O predicativo do objeto não é termo acessório: se for retirado da oração, altera seu sentido.

> Rejane fez um curso *de francês*. (AA)
> Rejane fez um curso. (A frase fez sentido.)

> Cláudio considerou o curso *excelente*. (PO)
> Cláudio considerou o curso. (A frase não faria sentido.)

– No adjunto adnominal a característica já é inerente ao objeto. No predicativo do objeto, quem dá a característica é o sujeito.

> O professor puniu o aluno culpado. (AA)

(O atributo já é do aluno, independentemente do professor.)

> O professor considerou o aluno culpado. (PO)

(Quem dá o atributo é o professor.)

Uma dica: Uma forma de identificação é substituir o substantivo por um pronome e ver se o termo que se quer analisar desaparece ou não. Se isso acontecer, ele é acessório; é, portanto, adjunto adnominal.

> Eu quebrei o portão *velho*.
> > *portão* (substantivo) — Eu *o* quebrei.
> > Não faria sentido: Eu o quebrei "velho".
> > Portanto, *velho* é adjunto adnominal.

> Eu considerei a decisão *justa*.
> > *decisão* (substantivo) — Eu *a* considerei justa.
> > Ficaria incompleta a frase "Eu a considerei".
> > Portanto, *justa* é predicativo do objeto.

O professor puniu o aluno *culpado*.
> *aluno* (substantivo) — O professor *o* puniu.
> Não faria sentido: O professor o puniu "culpado".
> Portanto, *culpado* é adjunto adnominal.

O professor considerou o aluno *culpado*.
> *aluno* (substantivo) — O professor *o* considerou culpado.
> Ficaria incompleta a frase "O professor *o* considerou".
> Portanto, *culpado* é predicativo do objeto.

Adjunto adnominal x aposto

Ambos estão ligados a substantivos concretos.

O *aposto* especifica o substantivo (indica o nome).

> A cidade *de Petrópolis* é linda.
>
> O poeta *Mario Quintana* nasceu em Alegrete.

O *adjunto adnominal* determina, caracteriza ou explica o substantivo.

> A catedral *de Petrópolis* é linda.
>
> O poema *de Mário Quintana* é emocionante.

> Veja: no aposto, os termos se equivalem:
> cidade = Petrópolis; poeta = Mário Quintana;
> no adjunto adnominal, os termos não se equivalem:
> catedral ≠ Petrópolis; poema ≠ Mário Quintana.

Dica: Elimine o primeiro termo. Se não houver alteração de sentido, será um aposto. Se houver, será um adjunto adnominal.

"A cidade de Petrópolis é linda" ou "Petrópolis é linda" significam a mesma coisa.

"A catedral de Petrópolis é linda" ou "Petrópolis é linda" têm sentido distinto. Na primeira frase, considera-se linda apenas a catedral de Petrópolis; na segunda, considera-se linda toda a cidade de Petrópolis.

TESTANDO OS SEUS CONHECIMENTOS

★★★

UM ANJO TORTO

— O poeta Drummond é meu favorito! — disse Pietra.
— O meu também! A poesia de Drummond é linda! — respondeu Lorena.

☺ Identifique no texto:
aposto
adjunto adnominal

★★★

UM BARÃO EXCÊNTRICO

Havia *um barão excêntrico*,
que vivia *com uma doce baronesa*,
em um castelo *à beira de um lago*.

Toda manhã, ele saía *pelo jardim*,
de pijama velho e chinelo furado,
para ver *as flores do campo*.

Depois, andava *de bicicleta elétrica*,
comia *sorvete de flocos*
e se espreguiçava *na rede*.

À tarde, tocava *o piano desafinado*,
comia *um pedaço de pizza*
e tirava *um rápido cochilo*.

De noitinha, bebia *vinho tinto*,
jurava *seu amor à baronesa*
e dormia *um sono profundo*.

☺ Identifique a função sintática das palavras marcadas.

Se

Como vimos, o pronome *se* pode exercer várias funções. São elas:

PRONOME PESSOAL REFLEXIVO (sujeito age e sofre as consequências). (ver página 123)

> Sonia levantou-*se* cedo.

PRONOME PESSOAL RECÍPROCO (envolve dois sujeitos, cada um pratica a ação sobre o outro). (ver página 123)

> Fabiana e Beto *se* amam.

PRONOME APASSIVADOR (serve para indicar que a frase está na voz passiva). (ver página 270)

> Vendem-*se* doces.

ÍNDICE DE INDETERMINAÇÃO DO SUJEITO (neste caso, muitos gramáticos não consideram *se* um pronome). (ver página 358)

> Precisa-*se* de enfermeiros.

CONJUNÇÃO SUBORDINATIVA (ver página 216)

> Perguntei *se* iria comigo.

TESTANDO OS SEUS CONHECIMENTOS

***

SE

Ele *se* arrependeu de ter falado do "se".
Se tivesse esperado, talvez fosse melhor.
Agora, fazem-*se* perguntas,
precisa-*se* de explicações,
embora o *se* nem *se* preocupe.

☺ Identifique as funções sintáticas do *se*.

20. O PERÍODO E SUA CONSTRUÇÃO

PERÍODO SIMPLES E COMPOSTO

O PERÍODO pode ser:

SIMPLES: formado por uma única oração.

Mari e João *foram* à escola.

COMPOSTO: formado por duas ou mais orações.

Eu *adoro* meu primo, mas o *vejo* muito pouco.

> LEMBRE-SE: para cada verbo há uma oração:
> *Acordei,* / *escovei* meus dentes / me *vesti,* / e *saí.*

No *período composto*, as orações podem ser:

ORAÇÕES COORDENADAS: são totalmente independentes.

ORAÇÕES SUBORDINADAS: uma oração exerce uma função sintática em relação à outra.

Marcelo estuda	e trabalha muito.
oração coordenada	*oração coordenada*
Raphaela disse	que adora pizza.
oração principal	*oração subordinada*

No primeiro exemplo, as orações são independentes, porque nenhuma é "mais importante" que a outra. No segundo exemplo, a segunda oração (que adora pizza) complementa a informação da primeira (o que ela disse). É, portanto, uma oração subordinada.

As *orações coordenadas* dividem-se em:

ASSINDÉTICAS: não são introduzidas por conexão.

Não quero ir embora,

SINDÉTICAS: são introduzidas por conexão.

mas já é tarde.

As *orações subordinadas* dividem-se em SUBSTANTIVAS, ADJETIVAS e ADVERBIAIS, dependendo da função que exercem.

Duda quer	sua ajuda.
	objeto direto

Duda quer	que você ajude.
	oração subordinada *substantiva* *objetiva direta*

Meu primo	guloso	comeu muito.
	adjetivo	

Meu primo,	que é guloso,	comeu muito.
	oração subordinada *adjetiva*	

É o que veremos com mais detalhes a seguir.

SINTAXE 299

Orações coordenadas

As orações coordenadas dividem-se em:

ASSINDÉTICAS

Não são introduzidas por conexão.

Acordei cedo, levantei depressa, me vesti.

SINDÉTICAS

São introduzidas por conexão.

São classificadas de acordo com a conexão que introduz a oração. Podem ser:

– ADITIVAS: se a conjunção é aditiva.

Ele canta   <u>e</u> dança.
oração coordenada   *oração coordenada*
assindética   *sindética adjetiva*

– ADVERSATIVAS: se a conjunção é adversativa (que se opõe ao sentido da primeira oração).

Ele canta   , <u>mas</u> não dança.
oração coordenada   *oração coordenada*
assindética   *sindética adversativa*

– ALTERNATIVAS: se a conjunção é alternativa.

Ele canta   <u>ou</u> dança?
oração coordenada   *oração coordenada*
assindética   *sindética alternativa*

– CONCLUSIVAS: se a conjunção é conclusiva.

Ele desafina   <u>logo</u> não canta.
oração coordenada   *oração coordenada*
assindética   *sindética conclusiva*

– EXPLICATIVAS: se a conjunção é explicativa.

Ele canta bem   <u>porque</u> praticou muito.
oração coordenada   *oração coordenada*
assindética   *sindética explicativa*

TESTANDO OS SEUS CONHECIMENTOS

***

O CARRO VELHO

O carro está velho *e o pneu está gasto*.
Anda, *mas não funciona bem*.
Na última vez, fui *porque já tinha combinado*.
Ou você manda consertá-lo *ou vai ficar a pé*.

☺ Classifique as orações coordenadas indicadas:
[e] o pneu está gasto   [mas] não funciona bem
[porque] já tinha combinado   [ou] vai ficar a pé

***

DE MANHÃ

Acorda com o despertador.
Tem sono, *mas se levanta*.
Ou se apressa ou chegará atrasado.
Veste a roupa *e prepara o café*.
Lê o jornal. *Ora se anima ora se aborrece*.
Está animado, *pois tem um novo projeto*.
Trabalha bem, *portanto será promovido*.
Não dormiu pouco, *porém o sono ainda é grande*.
Gostaria de voltar para a cama, *mas não pode*.

☺ Classifique as orações grifadas.

SINTAXE 301

Orações subordinadas

As orações subordinadas dividem-se em *substantivas, adjetivas* e *adverbiais*.

Orações subordinadas substantivas

A função das orações subordinadas corresponde à desempenhada por um *substantivo*. Classificam-se em:

SUBJETIVAS: exercem a função sintática de *sujeito do verbo* da oração principal.

É importante	que você venha.
oração principal	*oração subordinada substantiva subjetiva*

OBJETIVAS DIRETAS: exercem a função sintática de *objeto direto do verbo* da oração principal.

Rodrigo falou	que viajará amanhã.
oração principal	*oração subordinada substantiva objetiva direta*

OBJETIVAS INDIRETAS: exercem a função sintática de *objeto indireto do verbo* da oração principal.

Michele gostaria	de conhecer o Japão.
oração principal	*oração subordinada substantiva objetiva indireta*

PREDICATIVAS: exercem a função sintática de *predicativo do sujeito* da oração principal.

A verdade é	que todos riram.
oração principal	*oração subordinada substantiva predicativa*

COMPLETIVAS NOMINAIS: exercem a função sintática de *complemento de um nome* da oração principal.

Tenho necessidade	de que me emprestem um livro.
oração principal	*oração subordinada substantiva completiva nominal*

APOSITIVAS: exercem a função sintática de *aposto* de um nome da oração principal.

Desejo apenas uma coisa:	que sejam muito felizes.
oração principal	*oração subordinada substantiva apositiva*

UMA DICA: substituir a oração substantiva pela palavra "isso" ajuda a identificar a sua função sintática:

É importante (que você venha).
É importante *isso* ou *Isso* é importante (sujeito).

Rodrigo falou (que viajará amanhã).
Rodrigo falou *isso* (objeto direto).

Michele gostaria (de conhecer o Japão).
Michele gostaria *disso* (objeto indireto).

A verdade é (que todos riram).
A verdade é *isso* (predicativo).

Tenho necessidade (de que me emprestem um livro).
Tenho necessidade *disso* (complemento nominal).

Desejo apenas uma coisa: (que sejam muito felizes).
Desejo apenas uma coisa: *isso* (aposto).

TESTANDO OS SEUS CONHECIMENTOS

***

A INVASÃO MARCIANA

— Parece *que os marcianos estão fortemente armados*. Dizem *que eles vão invadir a Terra*.
— Você acredita nisso? Fala sério!
— O seu problema é *que você pensa que estamos sozinhos no Universo*. Lembre-se *de que há milhares de planetas e galáxias*. Por que somente aqui haveria vida?
— Sinceramente, não tenho medo *de que os marcianos venham*. Adoraria ter um amigo verde.
— Pois continue achando graça. Eu tenho apenas uma esperança: *que nos deixem viver livremente*.

☺ Dê a classificação sintática das frases grifadas.

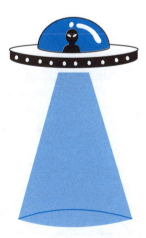

UMA GRAMÁTICA SIMPÁTICA

Orações subordinadas adjetivas

A função da oração subordinada adjetiva corresponde à desempenhada por um *adjetivo*.

Veja duas orações simples:

> A princesa não comeu a maçã *envenenada*.
> A bruxa *má* ficou desapontada.

Agora, repare que os adjetivos marcados podem ser substituídos por orações:

> A princesa não comeu a maçã *que estava envenenada*.
> A bruxa, *que era má*, ficou desapontada.

As novas orações funcionam como adjetivos da maçã e da bruxa, porque definem os substantivos. Por isso, são orações subordinadas adjetivas.

As orações subordinadas adjetivas podem ser:

EXPLICATIVAS: acrescentam uma qualidade ao antecedente.

> O leão, que é o rei dos animais, rugiu.*

O leão rugiu	que é o rei dos animais.
oração principal	*oração subordinada adjetiva*

(O fato de ser "rei dos animais" é uma qualidade do leão.)

> *As explicativas estão sempre entre vírgulas.

RESTRITIVAS: restringem o significado do antecedente.

> As uvas que estavam estragadas foram descartadas.

As uvas foram descartadas	que estavam estragadas.[46]
oração principal	*oração subordinada adjetiva*

---

46 A informação dá sentido completo ao pensamento. Sem ela, todas as uvas teriam sido descartadas e não apenas as estragadas.

TESTANDO OS SEUS CONHECIMENTOS

***

O COCORICÓ QUE IRRITAVA

O galo *que cantava alto* morreu
e o fazendeiro, *que tinha sono leve,* ficou feliz.
As galinhas fizeram um manifesto,
que reclamava de tamanha insensibilidade.
Exaltaram o galo, *que despertava a todos,*
e enumeraram suas virtudes, *que eram inúmeras.*
O fazendeiro, *que era um homem de bem,* se arrependeu.
Agora, o cocoricó *que tanto o irritou* faz falta.

☺ Classifique as orações subordinadas adjetivas em restritivas ou explicativas.

***

SOMOS DIFERENTES?

Ontem encontrei meu primo *que mora em Teresópolis.*
Ontem encontrei meu primo, *que mora em Teresópolis.*

☺ Você consegue classificar as orações marcadas e identificar a diferença de sentido entre elas?

ORAÇÕES SUBORDINADAS ADVERBIAIS

A função da oração subordinada adverbial corresponde à desempenhada por um *advérbio*.

Veja duas orações simples:

> *Desde a semana passada*, a cidade ficou mais alegre.
> Todos estavam felizes *lá*.

Agora, repare que no lugar dos advérbios ou locuções adverbiais marcados podem existir orações:

> *Quando o circo chegou*, a cidade ficou mais alegre.
> Todos estavam felizes, *porque havia um espetáculo*.

As novas orações funcionam como advérbios da oração principal, porque indicam as circunstâncias em que ocorreu o evento nela descrito. Por isso, são orações subordinadas adverbiais.

As orações subordinadas adverbiais podem ser:

CAUSAIS: indicam a causa da oração principal.

> Fugiu,   porque teve medo.
> *oração principal*   *oração subordinada*
>   *adverbial causal*

PRINCIPAIS CONJUNÇÕES: *porque, visto que, já que, uma vez que, como* (quando for equivalente a porque).

COMPARATIVAS: exprimem comparação.

> Gosto tanto de viajar   como gosto de ficar em casa.
> *oração principal*   *oração subordinada*
>   *adverbial comparativa*

(O verbo pode vir implícito: Gosto tanto de viajar como [gosto] de ficar em casa.)

PRINCIPAIS CONJUNÇÕES: *como, que* (precedido de *mais* ou de *menos*).

CONCESSIVAS: exprimem contrariedade.

> Cantou   embora estivesse rouco.
> *oração principal*   *oração subordinada*
>   *adverbial concessiva*

PRINCIPAIS CONJUNÇÕES: *embora, a menos que, se bem que, ainda que, mesmo que, conquanto que.*

SINTAXE 307

CONDICIONAIS: exprimem condição.

Irei embora   caso esteja cansado.
oração principal   *oração subordinada*
                       adverbial condicional

PRINCIPAIS CONJUNÇÕES: *se, caso, contanto que, desde que.*

CONFORMATIVAS: exprimem conformidade, concordância.

Adriana acordou cedo   como de costume.
oração principal   *oração subordinada*
                       adverbial condicional

PRINCIPAIS CONJUNÇÕES: *conforme, segundo, consoante, como.*

CONSECUTIVAS: exprimem consequência.

Corri tanto   que tive dor.
oração principal   *oração subordinada*
                       adverbial consecutiva

PRINCIPAIS CONJUNÇÕES: *que* (precedido de *tão, tal, tanto, de modo que, de forma que*).

FINAIS: exprimem finalidade.

Gabriel tocou   para que Alan cantasse.
oração principal   *oração subordinada adverbial final*

PRINCIPAIS CONJUNÇÕES: *para que, a fim de que, que, por que.*

PROPORCIONAIS: exprimem proporção entre duas coisas.

Quanto mais estudo   tanto mais me interesso.
oração principal   *oração subordinada*
                       adverbial proporcional

PRINCIPAIS CONJUNÇÕES: *à medida que, à proporção que, quanto mais...tanto mais, tanto menos.*

TEMPORAIS: exprimem tempo.

Por favor, me ligue   assim que você chegar lá.
oração principal   *oração subordinada*
                       adverbial temporal

PRINCIPAIS CONJUNÇÕES: *quando, enquanto, logo que, assim que, desde que.*

TESTANDO OS SEUS CONHECIMENTOS

***

LOBO BOM

O lobo bom tinha medo do homem mau.
Quanto mais lia as histórias infantis, *tanto mais se angustiava*.
O homem, *que era muito inteligente*, era um mentiroso.
Contava histórias sobre lobos, *embora mudasse os fatos*.
E assim o lobo não dormia, *porque ficava nervoso*.
Um dia, encontraram-se na floresta.
O lobo bom falou *que não concordava com aquelas histórias*.
Gritou alto *para que alguém ouvisse*,
reclamou tanto *que ficou exausto*.
A verdade é *que o homem mau não se abalou*.

☺ Dê a classificação das orações grifadas.

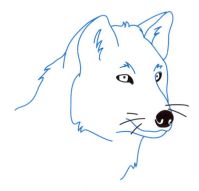

***

| **SIM** | / | **NÃO** |

Ele se põe de joelhos:
— Casa comigo?
— Sim!
— Você me ama?
— Muito!
Ele entrega o anel.
Eles choram.

Ele se põe de joelhos:
— Casa comigo?
— Não.
— Você não me ama?
— Não o bastante.
Ele guarda o anel.
Eles choram.

☺ Os caminhos dos textos são diferentes, mas nos dois finais "eles choram". Como você explica isso?

***

CARTAS PARA JULIETA (E SUAS RESPOSTAS)

Amada Julieta,
Escrevo-te *porque te amo*. (1)
Quanto mais te vejo, *mais me apaixono*. (2)
Viajarei na semana que vem *a fim de pedir a tua mão em casamento*. (3)
Do sempre teu,
Romeu

Amada Julieta,
Nem tudo ocorreu *como previsto*. (4)
Embora tenha demonstrado meu amor, seu pai recusou meu pedido. (5)
Enfrentarei seu pai, *desde que meu amor seja correspondido por você*. (6)
Do sempre seu,
Romeu

Amado Romeu,
Assim que recebi tua carta, caí em prantos. (7)
À medida que o tempo passa, sinto cada vez mais a tua ausência. (8)
Por favor, insiste com meu pai *porque te amo mais a cada dia*. (9)
Se ele não aceitar, fujo contigo. (10)
Da sempre tua,
Julieta

Amada Julieta,
Meu desejo era *que ele me ouvisse*. (11)
Mas, quanto mais eu falava, *mais ele me dizia não*. (12)
As pessoas *que desconhecem o amor* não deveriam existir. (13)
Eu sinto *que não resistirei sem você*. (14)
Do sempre seu,
Romeu

Amado Romeu,
Estou disposta a morrer *caso não possamos ficar juntos*. (15)
Temo *que esta história termine mal*. (16)
Da sempre sua,
Julieta

☺ Classifique as orações destacadas.

Orações reduzidas

Orações reduzidas são as que apresentam verbos em suas formas nominais (infinivo, gerúndio ou particípio). As orações reduzidas não são ligadas por conectivos.

Veja a diferença entre as orações:

ORAÇÕES REDUZIDAS DE INFINITIVO

Carlos Augusto ouviu *que o cão latia*.
Carlos Augusto ouviu *o cão latir*. (reduzida)

ORAÇÕES REDUZIDAS DE PARTICÍPIO

Quando terminou a prova, Isac foi para a praia.
Terminada a prova, Isac foi para a praia. (reduzida)

ORAÇÕES REDUZIDAS DE GERÚNDIO

Selma encontrou seu afilhado *que brincava na praça*.
Selma encontrou seu afilhado *brincando na praça*. (reduzida)

As orações reduzidas possuem as mesmas características sintáticas das orações subordinadas desenvolvidas. Veja alguns exemplos:

REDUZIDAS DE INFINITIVO

– SUBSTANTIVAS:[47]

É necessário	estudar muito. *subjetiva*
Diego e André esperam	ganhar o jogo. *objetiva direta*
Ana Paula gosta	de comer esfirra. *objetiva indireta*
Tenho medo	de perder o trem. *completiva nominal*
O objetivo dele é	viajar para Paris. *predicativa*
Tenho um sonho:	conhecer a Itália. *apositiva*

---

47 Lembre-se da dica para identificar as orações subordinadas na página 302.

– ADJETIVAS:
Vi a menina *a cantar*. (= que cantava)

– ADVERBIAIS:
Quando terminar o trabalho, te ligo.

Reduzidas de particípio

– ADJETIVAS:
O livro *indicado pelo professor* é interessante.

– ADVERBIAIS:
Terminado o trabalho, Adriana e Luciana foram dormir.

Reduzidas de gerúndio

– ADJETIVAS:
Zizi viu um rapaz *jogando tênis*. (= que jogava)

– ADVERBIAIS:
Chegando as férias, vou viajar. (= assim que chegar)

> As orações adverbiais reduzidas mais comuns são as adverbiais temporais, mas há também adverbiais causais, concessivas, condicionais, consecutivas e finais.

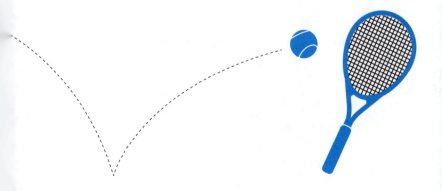

TESTANDO OS SEUS CONHECIMENTOS

★★★

A PRINCESA E O SAPO

O sapo se ajoelhou e disse para a princesa:
— Só penso em uma coisa: *casar com você*.   (1)
Meu sonho é *fazer você feliz*.   (2)
Mas não almejo sua riqueza,
viveremos aqui no brejo, longe de toda realeza.

A princesa ficou *desorientada*:   (3)
— Tenho receio *de beijar você*.   (4)
E se você não for um príncipe encantado?
O sapo começou a rir:
— Sou apenas um sapo apaixonado.

A princesa continuava *perdida*   (5)
e disse *precisar de um tempo*.   (6)
Mas, *entrando em casa*, percebeu o erro.   (7)
Onde encontraria alguém tão cavalheiro,
em busca de amor e não de dinheiro?

Estava disposta *a largar tudo*.   (8)
Seu desejo era *começar uma nova vida*.   (9)
Ordenou *arrumarem suas malas*.   (10)
Partiu para o brejo, onde recebeu seu primeiro beijo,
e jamais ficou *arrependida*.   (11)

☺ Indique a análise sintática das palavras marcadas.

***

AS PESSOAS DA ALDEIA

No final de uma rua de terra,
havia uma casa *destelhada*,
e diziam *as pessoas da aldeia*
que era mal-assombrada.

Nela vivia *um velho solitário*
que as pessoas da aldeia
diziam que era *rabugento e violento*
e que prendia pessoas *num armário*.

Na casa, havia um cachorro
que as pessoas da aldeia
contavam que virava *um lobo*,
quando uivava *para a lua cheia*.

Ali trabalhava *uma velha senhora*
que as pessoas da aldeia
diziam que era *má e vingativa*,
além de triste e muito feia.

A cada dia surgiam *novas histórias*
do velho, de seu cachorro e da empregada,
mas ninguém nunca *os* viu,
na velha casa abandonada.

☺ Faça a análise sintática das palavras grifadas.

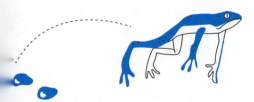

21. Concordância Verbal

Regra geral

Verbo e sujeito concordam em número e pessoa.

> Eu viajo.
> Nós viajamos.

Casos diferentes

Substantivos coletivos

O coletivo é um conjunto de coisas. Ainda assim, a concordância é feita no singular (exceto se houver mais de um coletivo).

> O batalhão festejou a vitória.
> Os batalhões festejaram a vitória.

(Se o coletivo no singular estiver acompanhado de adjunto adnominal no plural, a concordância pode ser feita com o singular ou com o plural.)

> Uma manada de búfalos bebia água.
> Uma manada de búfalos bebiam água.

Sujeito composto

Formado por *pessoas gramaticais diferentes*: observa-se a regra geral.

> Tauti e Ernesto viajaram.

Núcleos do sujeito composto ligados por *ou*

– Se a conjunção tiver sentido excludente (ou um ou o outro), o verbo fica no singular.

> Recife ou Foz do Iguaçu será o destino da minha próxima viagem.

– Se a conjunção não tiver sentido excludente, o verbo fica no plural.

> Recife ou Foz do Iguaçu são opções da minha próxima viagem.

Núcleos do sujeito composto ligados por *com*

O verbo vai para o plural.

> O pai com seus filhos foram ao cinema.

Sujeito formado por expressões correlativas

(*não só...mas também*; *tanto... quanto...*; *nem... nem* etc.):

Concordância se faz no plural.

> Nem a leoa nem o leão foram vistos.

Pronome de tratamento

O pronome de tratamento fica na terceira pessoa do singular ou do plural, de acordo com o número do pronome de tratamento.

> Vossa Majestade está pronta?
> Vossas Majestades estão prontas?

Nomes no plural

Se a palavra NÃO estiver precedida de artigo, fica no singular. Se estiver, fica no plural.

> Minas Gerais é a terra natal dos meus avós Nair e José.
> As Minas Gerais são a terra natal dos meus avós Nair e José.

Pronome relativo *que*

Quando o sujeito é representado pelo pronome relativo *que*, a concordância é feita com o antecedente do pronome relativo.

> Este é o amigo que viajou comigo.
> Estes são os amigos que viajaram comigo.[48]

Quem

Quando o sujeito é representado pelo pronome relativo *quem*, o verbo fica na terceira pessoa do singular ou concorda com o antecedente do pronome.

---

48 Veja que há duas orações em cada exemplo: este é o amigo / o amigo viajou comigo; estes são os amigos / os amigos viajaram comigo. Viajar concorda com o sujeito da segunda oração: amigo / amigos.

318 UMA GRAMÁTICA SIMPÁTICA

Serei eu quem fará o discurso.
Serei eu quem farei o discurso.

Sujeito é formado por expressão partitiva

(*parte de, uma porção de, a maior parte de, grande parte de...*) seguida de substantivo ou pronome no plural:

O verbo pode ficar no singular (mais comum) ou ficar no plural.

A maior parte dos alunos passou de ano.
A maior parte dos alunos passaram de ano.

Mais de um / mais de dois / mais de...

O verbo concorda com o numeral.

Mais de uma pessoa se machucou.
Mais de três pessoas se machucaram.

Expressões que representem porcentagem[49]

Quando o sujeito é uma expressão que representa uma porcentagem, o verbo acompanha o numeral cardinal.

Um por cento foi reprovado.
Dez por cento faltaram à prova.

Números fracionários

Quando o sujeito for um número fracionário, a concordância deve ser feita com o numerador.

Um quinto dos alunos estava doente.
Três quintos dos alunos estavam satisfeitos.

Cerca de / perto de

Quando estas expressões indicam quantidade aproximada, o verbo irá para o plural.

Cerca de dez meninos comeram pastel.
Perto de quinze meninas saíram mais cedo.

---

49 A grafia percentagem também é correta.

SINTAXE **319**

Concordância de alguns verbos diferentes

Haver e fazer impessoais

Verbo *haver* (no sentido de existir ou de tempo transcorrido) e *fazer* (indicando tempo transcorrido): como a oração não tem sujeito, ela deve ficar na terceira pessoa do singular.

> Aqui, *havia duas casas* que foram demolidas. (= existir)
> *Deve haver* várias pessoas na mesma situação. (= existir)
> *Faz* dez meses que não te vejo.
> *Vai fazer* dez meses que não nos vemos.

Parecer seguido de infinitivo

Flexiona-se um ou o outro.

> Os bonecos parecem cantar de verdade.
> Os bonecos parece cantarem de verdade.

Ser

Concorda com o predicativo:

– Se o sujeito for pronome interrogativo *quem* ou *que*.

> Quem foram os vencedores?
> Que são estes pacotes?

– Se o sujeito for *tudo*, *nada*, *o*, *isto*, *isso* e *aquilo*.

> Tudo são flores.
> Isto são meus objetos.

– Quando o verbo indicar hora, dias, distância (concorda com o numeral).

> É uma hora.
> Eram três da tarde.

Fica no singular:

– Com as locuções *é muito*, *é pouco*, *é bom*, *é demai*s, *é suficiente*.

> Trezentos reais é suficiente.
> Um é pouco, dois é bom, três é demais.

***

UMA PORTA MISTERIOSA[50]

Em uma porta misteriosa há muitas fechaduras. Ao seu lado, há um pote cheio de chaves e um desafio: abra a porta em uma hora ou levarei sua vida.

Apesar do alto risco, há inúmeros cavaleiros destemidos que arriscam a vida para decifrar o instigante enigma. Há alguns que esperam encontrar uma princesa; há outros que buscam riqueza, mas há também os que somente almejam fama.

Por ironia, atrás da porta misteriosa há apenas a ambição dos que a enfrentam.

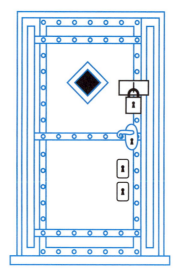

---

50 Veja: verbo *haver* usado no sentido de "existir" fica no singular: há muitas fechaduras..., há inúmeros cavaleiros...

SINTAXE   321

TESTANDO OS SEUS CONHECIMENTOS

★★★

A FESTA DO CONDE DRÁCULA

_____ (*fazer*) cem anos que o conde não dava uma festa daquelas. Por isso, _____ (*haver*) muitos vampiros que tinham se esquecido de como o conde era festeiro. _____ (*ser*) onze horas quando a múmia entrou de penetra. A maior parte dos convidados _____ (*pensar*) que daria confusão, mas o conde simplesmente _____ (*achar*) graça.

☺ Complete as frases acima, observando a concordância correta.

★★★

O BATALHÃO

Eram quatro da tarde, o *batalhão festejava* a vitória:
Havia soldados que tinham morrido,
cerca de dez estavam gravemente feridos,
um quinto precisava de cuidados imediatos,
mas *a maior parte* deles estava salva.
Mais de um inimigo foi capturado,
mais de trinta soldados foram libertados.
Não só a batalha *mas também* a guerra foram vencidas.
O comandante *com* o soldado menos graduado comemoravam.
Fazia dois anos de conflito, que, enfim, tinha terminado.

☺ Identifique as razões para as concordâncias verbais destacadas.

A RIMA

— O que houve, rinoceronte? — perguntou o coelho.

— Estou em busca de uma rima.

— E por que você acha que ela vai estar aí pelo chão?

— Porque o leão achou a dele por aqui.

— Rinoceronte, leão é rima fácil. Está no chão, no caminhão, no trovão... Para o leão não há razão para preocupação — respondeu o coelho fazendo graça.

— Pois é, coelho, você fala estas coisas, mas para você a rima é também fácil. Basta olhar no espelho ou usar algo vermelho.

— Deixa de besteiras, rinoceronte. Abra seu horizonte, porque a sua rima está aí defronte.

O rinoceronte agradeceu bastante.

— Coelho, aqui me ajoelho e, de agora em diante, somente com você me aconselho.

O coelho abriu um sorriso:

— Rinoceronte, deixa disso. Para que você quer uma rima?

— Porque tenho um compromisso e preciso estar por cima.

— Viu! Você conseguiu! A rima está dentro de você e não precisa de óculos para encontrá-la.

— Agora, estou aliviado! Vou a uma roda de poesias e não entenderia a conversa se não soubesse falar rimado.

— E quem disse que poesia precisa de rima? — perguntou o coelho.

O rinoceronte ficou desorientado:

— Poesia sem rima? Isto faz algum sentido?

— Claro! Vamos lá, pense em algo poético que não tenha rima!

— Algo poético sem rima? Já sei: A formiga escreve versos na lua.

O coelho ficou empolgado:

— Isso mesmo! Que maravilha! A formiga escreve versos na lua nova, que abriga tanta trova, que se sente sempre nova, e nua.

— Peraí, coelho, você disse que poesia não precisava de rima.

— Desculpe, não resisti!

☺ Responda:

1) Por que o rinoceronte queria encontrar rimas?

2) Qual a frase poética que o rinoceronte fala?

3) Por que o rinoceronte achou que o coelho o ajudou?

22. Concordância nominal

Regra geral

O artigo, o adjetivo, o pronome e o numeral concordam em gênero (feminino ou masculino) e em número (singular ou plural) com o nome a que se referem.

> Os meninos bagunceiros.
>
> A menina engraçada.
>
> Minhas figurinhas preferidas.

Casos diferentes

Um adjetivo que se refere a mais de um substantivo

De acordo com o caso pode ocorrer:

CONCORDÂNCIA LÓGICA OU GRAMATICAL

Concorda com o plural (se substantivos tiverem gênero diferentes, adjetivo concorda com o plural masculino).

CONCORDÂNCIA ATRATIVA

Concorda com o substantivo mais próximo:

– Se o adjetivo vem antes do substantivo, concorda com o substantivo mais próximo.

> Felipe comprou belos casacos e camisas.
>
> João comprou belas camisas e casacos.

– Se o adjetivo for predicativo, concorda com o substantivo mais próximo ou vai para o plural (substantivos com gêneros diferentes, adjetivo vai para o plural masculino).

> Estava tranquila a menina e o menino.
>
> Estavam tranquilos a menina e o menino.

– Se o adjetivo vier antes de nomes próprios, o plural é obrigatório.

Estavam tranquilas Maria Antônia, Sofia e Helena.

– Se o adjetivo vem depois do substantivo, concorda com o substantivo mais próximo ou irá para o plural (substantivos com gêneros diferentes, adjetivo vai para plural masculino).

COM SUBSTANTIVO	COM PLURAL
casaco e sapato novo	bolsa e saia novas
bolsa e saia nova	casaco e sapato novos
casaco e bolsas novas	bolsa e sapato novos
bolsa e casacos novos	sapato e bolsa novos

> ATENÇÃO: o adjetivo concordará apenas com o último substantivo se o sentido indicar que está se referindo apenas a ele. Exemplo: Comprei camisas e biscoito salgado (camisa não pode ser salgada).

Bastante, muito, pouco, caro, barato, longe, meio, sério, alto

SE FOREM ADJETIVOS OU PRONOMES INDEFINIDOS SÃO VARIÁVEIS	SE FOREM ADVÉRBIOS SÃO INVARIÁVEIS
Bastantes pessoas viajaram.	Eles são *bastante* divertidos.
Ela bebeu *meia* garrafa de água.	Ela é *meio* louca.
Muitos jovens se alistaram.	Eles estudaram *muito*.
Poucas pessoas são escolhidas.	Ela sabe *pouco* a matéria.
Os sapatos estão *caros*.	Os sapatos custam *caro*.
Os sapatos estão *baratos*.	Os sapatos custam *barato*.
Eles são *sérios*.	Eles falam *sério*.
Eles são *altos*.	Eles falam *alto*.

SINTAXE **325**

> | bastante | = muitos/muitas (adjetivo ou pronome) |
> |---|---|
> | meio | = metade (adjetivo) |
> | meio | = um pouco (advérbio) |

Só

SE FOR ADJETIVO	SE FOR ADVÉRBIO
É VARIÁVEL	É INVARIÁVEL
Os alunos ficaram *sós*.	Nos pratos *só* sobraram três doces.

> | só | = sozinho (adjetivo) |
> |---|---|
> | só | = apenas (advérbio) |

A sós

É *invariável*.

Preciso falar *a sós* com ele.

É bom, é necessário, é proibido, é preciso

– Quando a expressão é usada de forma genérica, usa-se o masculino.

Água *é bom* para a saúde.

É proibido entrada de estranhos.

– Quando antes do sujeito vier artigo, pronome demonstrativo ou possessivo, há concordância.

A água é bo*a* para saúde.

É proibid*a a* entrada de animais.

Anexo, incluso, obrigado, mesmo, próprio

– O adjetivo concorda com o substantivo a que se refere.

Segue anex*o o documento*.	*Ele* disse obrigad*o*.
Segue anex*a a nota*.	*Ela* disse obrigad*a*.
Ele mesm*o* trará a encomenda.	*Ela* mesm*a* trará a encomenda.

– anexo: se for precedido da preposição *em* é invariável.

Segue em anex*o o documento.*

Segue em anex*o a nota.*

– mesmo: se for advérbio (com sentido de realmente, de fato) é invariável.

Ele viajará mesm*o* no sábado.

Ela viajará mesm*o* no sábado.

Menos, alerta, pseudo

São sempre invariáveis.

Havia *menos* menin*os* no evento.

Havia *menos* menin*as* no evento.

Os soldados est*ão alerta.*

Concordância com nomes de cores

– Varia se o nome da cor é originário (não vem de objeto com aquela cor) (azul, amarelo, verde, vermelho...)[51]

Os jogadores estão usando camisas azuis.

– Não varia se o nome da cor vem de objetos que têm aquela cor (laranja, vinho, cinza).[52]

Os jogadores estão usando camisas laranja.

Particípio

– O particípio normalmente concorda com o substantivo a que se refere.

O celular foi consertad*o* pelo técnico.

A televisão foi consertad*a* pelo técnico.

---

51 Neste caso, o nome das cores já é um adjetivo. Faz concordância como adjetivo.
52 Aqui o substantivo é empregado como adjetivo. Fica invariável. Exemplo: vinho (bebida) usado para descrever a cor vinho; laranja (fruta) utilizada para descrever a cor laranja.

– Quando o particípio faz parte de locução verbal na voz ativa, é invariável.

> O *menino* tinha estudado bastante.
> Os *meninos* tinham estudado bastante.

Pronome de tratamento

Os pronomes de tratamento são usados na terceira pessoa do singular ou do plural.

> *Você* é incrível!
> *Vossa Alteza* está coberta de razão.
> *Vossas Altezas* estão cobertas de razão.

Por vezes, a concordância não é feita com a palavra expressa na oração, mas sim com o sentido. É a chamada *silepse* (ver página 363).

TESTANDO OS SEUS CONHECIMENTOS

***

MEIO SONOLENTA

Ela acorda de madrugada,
está *meio sonolenta*,
mas *bastante agitada*.

O mundo está perdido,
há *muitos conflitos, muitas guerras*,
nada disso faz sentido.

Pensa: no fundo, *poucas pessoas* querem confusão.
Ri alto, toma *meia taça* de vinho,
não se sente só, o mundo é bom.

E conclui: é preciso ter esperança e fé,
e para não acordar de madrugada,
é bom beber menos café.

☺
1) Das palavras marcadas no texto, identifique quais são os advérbios, os adjetivos e os pronomes indefinidos.
2) Explique por que estão corretas as concordâncias nas frases abaixo:

"O mundo está perdido."
"É preciso ter esperança e fé."
"É bom beber menos café."

23. REGÊNCIA

REGÊNCIA VERBAL

REGÊNCIA VERBAL indica relação que um verbo (termo regente) estabelece com seu complemento (termo regido). A regência determina se é necessário colocar uma preposição para ligar o verbo a seu complemento.

Lembre-se de que os verbos podem ser:

– *intransitivos*: não exigem complemento.

Choveu ontem.

– *transitivos diretos*: são complementados por objeto direto e não exigem preposição.

Roberto *escreveu* uma carta.

– *transitivos indiretos*: são complementados por objeto indireto e exigem preposição.

Doris *gosta de* pizza.

– *transitivos diretos e indiretos*: são complementados por objeto direto e objeto indireto.

Nina *entregou* um bilhete *para* a filha.

– *de ligação*: não expressa ação, mas apenas estado.

Paulo César *está* feliz.

O estudo da regência permite identificar a relação que o verbo estabelece com os termos que o complementam (objeto direto ou objeto indireto, predicativo) ou que o caracterizam (adjunto adverbial).

Assim:

Choveu ontem.

(Como o verbo chover é intransitivo, *ontem* apenas o caracteriza. É um adjunto adverbial.)

Roberto escreveu uma carta.

(O verbo *escrever* precisa de complemento. Roberto escreveu o quê? Um bilhete? Uma redação? Um livro? Uma carta! que é o objeto direto.)

Doris *gosta* de pizza.

(O verbo *gostar* precisa de complemento. Doris gosta de quê? Imagine de quantas coisas Doris pode gostar? No exemplo, gosta de pizza, que é o objeto indireto. Veja que seria errado dizer "gosta pizza". Quem gosta, *gosta de* alguém ou *de* alguma coisa; a preposição é necessária.)

Paulo César *está* feliz.
(O verbo *está* é de ligação entre o sujeito e o predicativo.)

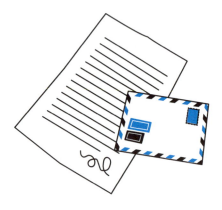

SINTAXE 331

TESTANDO OS SEUS CONHECIMENTOS

***

A REGÊNCIA

O príncipe regente Dom João *estava* irritadíssimo. Um fiel escudeiro lhe *informara* que os verbos *tinham* regência própria. Ele *estava* nervoso:

— *Preciso* de ar! Sou ou não sou o único regente deste reino?

— Calma, Majestade. Por certo, Vossa Alteza é, mas os verbos *têm* regência própria.

— Regência própria? Não *acredito*! Como chegamos a este ponto: um príncipe regente que *não comanda os verbos*, a base da nossa língua? Prendam imediatamente os verbos com regência!

— Mas, Alteza, são regras da gramática... Não há nada de extraordinário nisso. Com todo o respeito, que há de errado com a regência dos verbos? Também os maestros *regem* suas orquestras.

O príncipe regente ficou vermelho de raiva:

— Como é? Prendam imediatamente os maestros regentes!

☺ Você consegue classificar os verbos destacados?

***

UMA ROSA

Um homem *compra* uma rosa para a namorada. *Está* atrasado. *Corre* bastante. Escorrega e *cai*. *Vê* seu sangue no asfalto. Não se preocupa: ao menos, a rosa *permanece* intacta.

☺ Classifique os verbos destacados.

Regência de alguns verbos

Há verbos que apresentam mais de uma regência.

Veja alguns exemplos:

> OBSERVE que o verbo pode mudar sua regência de acordo com o seu significado.

Aspirar

transitivo direto — aspirar... (= respirar, inspirar)

André aspira o ar da montanha.

transitivo indireto — aspirar a... (= desejar, pretender)

Priscila aspira *a* um cargo no governo.

Assistir

transitivo indireto — assistir a (= presenciar, ver)

Natalie e Márcio assistiram *a*o filme.

transitivo indireto — assistir a (= pertencer, caber)

Este direito assiste *a*o aluno.

transitivo direto ou indireto — assistir (a) (= acompanhar, dar assistência, auxiliar)

O médico assistiu o doente.

O médico assistiu *a*o doente.

transitivo indireto — assistir em (= morar, residir)

Pedro assiste *em* Petrópolis.

SINTAXE 333

Chamar

transitivo direto   chamar (= fazer vir, convocar)
> Carlos Alexandre chamou os amigos.

transitivo indireto   chamar de (= chamar pelo nome, apelidar)
> Carol o chamou *de* gênio.

transitivo indireto   chamar por (= invocar)
> Ele chamou *pelo* seu pai.

Implicar

transitivo direto   implicar (= acarretar, provocar)
> Sua atitude implicará punição.

transitivo indireto   implicar com (= antipatizar)
> Márcio implicava *com* o vizinho barulhento.

Olhar

transitivo direto   olhar (= contemplar)
> Olhou a paisagem e suspirou

transitivo indireto   olhar para / por (= observar / tomar conta)
> O pai *olhou para* ela.
> O pai olhou *por* ela.

Precisar

transitivo direto   precisar (= indicar com precisão)
> O detetive precisou o lugar do crime.

transitivo indireto   precisar *de* (= necessitar)
> Zeca precisa *de* Patricia ao lado dele.

> Se o complemento for um verbo no infinitivo, não se exige preposição. Exemplo: Preciso viajar.

Proceder

intransitivo   proceder (= ter fundamento, agir)

> O que ele falou não procede.
> Paulo procedeu muito bem.

transitivo indireto   proceder de (= vir de algum lugar)

> Ilana procede *de* Pirenópolis.

Querer

transitivo direto   querer (= desejar, permitir)

> Nicolau quer conhecer a Patagônia.

transitivo indireto   querer *a* (= estimar, ter afeto)

> Mariana quer bem *a* seus amigos.

Reparar

transitivo direto   reparar (= consertar)

> Marcelo reparou o erro.

transitivo indireto   reparar em (= prestar atenção, observar)

> Lavínia reparou *na* explicação do professor.

Visar

transitivo direto   visar (= mirar)

> O soldado visou o alvo e acertou.

transitivo indireto   visar a (= almejar, pretender)

> A medida visa *ao* bem de todos.

TESTANDO OS SEUS CONHECIMENTOS

***

HISTÓRIAS DA VOVÓ

Pedrinho sempre pedia à avó que contasse histórias antigas. Ela falava de um tempo em que as pessoas não tinham telefones celulares. Dizia que não conseguia falar com o avô dele, quando ele estava fora do escritório. Contava como as pessoas faziam para marcar um encontro quando estavam na rua e o que acontecia quando alguém se atrasava ou, por algum problema, deixava de ir. Explicava como era encontrar algum amigo e apenas ficar concentrado na conversa, como se a coisa mais importante fosse o encontro e não o que estava se passando ao redor do mundo.

O menino ficava encantado!

☺ Como você vê o uso do telefone celular nos dias atuais?

***

A MALA EXTRAVIADA

A mala ficou desesperada quando acordou em um país diferente do que fora planejado. Tinha-se perdido de sua família e das demais malas que faziam parte de seu grupo de viagem. Como é que ela, uma mala experiente, deixou aquilo acontecer?

Certamente, não deveria ter dormido na hora do desembarque. A cada dia que passa os aeroportos ficam maiores e não dá mais para simplesmente confiar que vão te colocar nos locais certos; se não estiver prestando muita atenção, a gente se perde — pensou, já se penitenciando por seu inaceitável descuido.

Agora, estava em um país estranho, com medo de ficar perdida para sempre. Procurando se acalmar, lembrou-se de sua mãe: "em caso de extravio, não se afaste da esteira e só saia dali com o pessoal da companhia aérea." Ainda assim, continuava assustada. E se fosse levada por alguém mal-intencionado? Neste caso, gritaria. O mais alto possível. Até que aparecesse alguém da polícia, até que fosse colocada no voo certo.

☺ Responda:
1) Por qual razão a mala acredita ter sido extraviada?
2) Qual a orientação que a mala havia recebido em caso de extravio?
3) O que a mala faria se fosse levada por alguém estranho?

PARTE 5:
MORFOSSINTAXE

(análise conjunta da morfologia e da sintaxe)

24. Morfossintaxe

Classes gramaticais que não têm função sintática

Preposição

As *preposições* não desempenham função sintática na oração. Elas apenas unem palavras.

Conjunção

As *conjunções* não desempenham função sintática na oração. Elas apenas servem para ligar as palavras ou as orações. São chamadas conectivos.

Em um período composto, as conjunções estabelecem as relações de coordenação e subordinação entre as orações.

Interjeição

A *interjeição* não desempenha função sintática na oração. Alguns gramáticos não consideram a interjeição uma classe gramatical, mas apenas uma frase emocional (ops!).

TESTANDO OS SEUS CONHECIMENTOS

***

OS SEM FUNÇÃO SINTÁTICA

— *Interjeição e preposição*, estou preocupado. Nós não temos função sintática! — disse a conjunção.
— *Puxa!* — respondeu a interjeição.
— *Desde* quando? — perguntou a preposição.

☺ Indique as preposições, as conjunções e as interjeições no texto.

Classes gramaticais que têm uma só função sintática

Artigo

O *artigo* exerce a função sintática de *adjunto adnominal*. Ele acompanha o substantivo, com quem concorda em gênero e número.

Advérbio

Os *advérbios* e as *locuções adverbiais* desempenham função sintática de *adjuntos adverbiais*.

TESTANDO OS SEUS CONHECIMENTOS

***

O MÁGICO

Para grande espanto,
o mágico tirou de *dentro* de *uma* cartola
um coelho branco.

Rapidamente, fez de *um* lenço *uma* flor,
e, com a ajuda de *um* funil,
tirou água das crianças,
sem lhes causar nenhuma dor.

Como ele fazia isto, *não* se sabia.
Os adultos dizem que é *um* truque,
as crianças acreditam na magia.

☺ Indique os artigos e advérbios no texto e dê suas funções sintáticas.

Os verbos

Funções sintáticas dos verbos

A função sintática dos VERBOS SIGNIFICATIVOS é de *núcleo do predicado verbal* ou *verbo-nominal* (já que o verbo será a informação mais importante do predicado).

> Guilherme *jogou* bola.

A função sintática dos VERBOS DE LIGAÇÃO é de predicado. O núcleo do predicado será um adjetivo (o verbo é "fraco"; a informação mais importante do predicado será o adjetivo).

> Regina *é* alegre.

LEMBRE-SE:
Verbos significativos: são os que indicam ações, fenômenos da natureza.
Verbos de ligação: são os que não indicam ação, mas apenas fazem a ligação entre o sujeito e o predicado.

TESTANDO OS SEUS CONHECIMENTOS

★★★

UM E O OUTRO

Um *reclama* de tudo: *fica* irritado, *vive* cansado.
O outro *parece* estranho: *dança* na chuva, *canta* no banho.
Um *pediu* um conselho, o outro *deu*:
Acorde cedo, *ria* da vida, *perca* seu medo.

Um *achou* tudo estranho,
o outro não *ficou* chateado.
Enquanto um *permanece* irritado,
o outro *canta* na chuva e *dança* no banho.

☺ Identifique os verbos significativos e os verbos de ligação.

Os substantivos

Funções sintáticas do substantivo

O substantivo pode exercer as seguintes funções sintáticas:

SUJEITO
O *menino* deitou na grama.

PREDICATIVO DO SUJEITO
Carlos é *médico*.

PREDICATIVO DO OBJETO
O juiz considerou o réu *culpado*.

OBJETO DIRETO
Duda e Tuca compraram dois *sorvetes*.

OBJETO INDIRETO
Adriana gosta de *doces*.

COMPLEMENTO NOMINAL
Kaluf tem medo de *cobras*.

AGENTE DA PASSIVA
O caderno foi riscado pelo *menino*.

APOSTO
Vinicius, o *poetinha*, é incrível.

VOCATIVO
Professor, pode me dar uma ajuda?

O substantivo também pode aparecer em:

LOCUÇÕES ADJETIVAS
Estou com dor *de dente*.

LOCUÇÕES ADVERBIAIS
Antonio chegou *de manhã*.

UMA GRAMÁTICA SIMPÁTICA

TESTANDO OS SEUS CONHECIMENTOS

☺ Identifique a função sintática dos substantivos marcados nos textos abaixo.

***

A FEIRA E A FERA

Davi é um *menino* que gosta de *doces*.
Um dia, sua *mãe* disse:
— *Filho*, vá até a feira e compre um *doce* bem gostoso.
— Não posso. Tenho medo de *leões* — respondeu assustado.
A *mãe* achou graça:
— Davi, meu *querido*, não se preocupe, *leões* não vão à feira.
O *menino* era desconfiado:
— Nem aos domingos?

***

O CANTO DA SEREIA

O *canto* da sereia seduziu o *marinheiro*
que prontamente pulou no *mar*.
Mas quando ele prometeu *amor* eterno,
a sereia parou de cantar.

Os adjetivos

Funções sintáticas do adjetivo

O adjetivo pode exercer as seguintes funções sintáticas:

ADJUNTO ADNOMINAL: quando acompanha diretamente o substantivo sem interferência do verbo.

O menino *feliz* foi para o parque.
(*Feliz* caracteriza o menino. Menino é o núcleo do sujeito.)

O carro tinha um pneu *velho*.
(*Velho* caracteriza o pneu. Pneu é o núcleo do objeto direto.)

PREDICATIVO DO SUJEITO: quando se relaciona ao sujeito da oração, por meio de um verbo (de ligação ou não).

Laura está *animada* com o novo projeto.
(*Animada* caracteriza Laura. Laura é sujeito da oração.)

Bia trabalha *satisfeita*.
(*Satisfeita* caracteriza Bia. Bia é o sujeito da oração.)

PREDICATIVO DO OBJETO: quando se refere ao objeto, por meio de um verbo transitivo.

Luisa e Pedro consideraram a aula *excelente*.
(*Excelente* caracteriza a aula. Aula é o núcleo do objeto direto.)

TESTANDO OS SEUS CONHECIMENTOS

***

A ABELHA

A abelha ficou *irritada*
quando foi ao supermercado
e viu nas prateleiras vidros cheios de mel.
Era o trabalho roubado,
de forma cruel,
e vendido sem autorização.
A abelha *irritada* preparou seu ferrão.
Deu uma ferroada no gerente
e foi presa imediatamente.
Levada a julgamento,
mesmo agonizante, a abelha estava *feliz*
e declarou não se arrepender de nada.
O juiz considerou a abelha *culpada*.

☺ Identifique a função sintática dos termos grifados.

Classes gramaticais que, por vezes, substituem os substantivos

Neste caso exercem as funções que o substantivo pode ter.

Funções sintáticas do numeral

Para verificar a função desempenhada pelo *numeral*, é preciso ver se ele está substituindo ou acompanhando o substantivo.

– Se estiver substituindo o substantivo: exerce as mesmas funções que ele exerceria (sujeito, objeto direto, objeto indireto, complemento nominal, predicativo etc.)

> *Um* é pouco, *dois* é bom, *três* é demais. (sujeito)
>
> Comprei um livro e ele comprou *dois*. (objeto direto)
>
> O resultado da soma é *cinco*. (predicativo do sujeito)

– Se estiver acompanhando o substantivo: exerce a função de adjunto adnominal.

> *Oito* meninos jogaram futebol.

TESTANDO OS SEUS CONHECIMENTOS

★★★

AÇOUGUE

— Quantos quilos de carne você quer? Vou separar *três*.
— *Três* é muito. Preciso de *dois*.
— Desculpe, não ouvi. De quantos quilos?
— *Dois* quilos são suficientes.

☺ Indique a função sintática dos termos grifados.

***

A ÁGUA MILAGROSA

Em uma pequena cidade do interior, apareceu um vendedor ambulante que, com seu poderoso alto-falante, anunciou, todo prosa, a venda de água milagrosa.

Imediatamente, a vila se pôs em uma fila. Do mais pobre ao mais rico, do mais feio ao mais bonito, todos queriam a fonte da juventude, que tinha gosto de aguardente, mas parecia água do açude.

Os planos de eternidade se perderam depois de pouco tempo decorrido, já que todos da cidade haviam envelhecido. Tentaram reclamar com o vendedor por sua falsidade, mas descobriram que o impostor já havia morrido.

☺ Você compraria uma água milagrosa de um vendedor ambulante?

Funções sintáticas dos pronomes

PRONOMES SUBSTANTIVOS

Quando um pronome substituir um substantivo, ele exercerá as funções sintáticas que o substantivo pode ter.

> *Ele* é levado. (sujeito)
>
> Comprei um livro para *ele*. (objeto indireto)

PRONOMES ADJETIVOS

Quando um pronome acompanhar um substantivo, exercerá a função sintática de adjunto adnominal.

> *Minha* casa é bonita. (adjunto adnominal)

PRONOMES PESSOAIS RETO

Os pronomes pessoais do caso reto podem ser empregados nas funções de *sujeito* e *predicativo do sujeito*:

> *Nós* cantamos muito naquela noite. (sujeito)
>
> Os professores somos *nós*. (predicativo)

– Se o predicativo do sujeito for um pronome pessoal reto, a concordância será feita com o predicativo:

> O professor sou *eu*. / Os professores somos *nós*.

– *Tu* e *vós* podem ser empregados na função de vocativo.

> Ó *tu*, que só fazes besteiras. (vocativo)

> LEMBRE-SE: o vocativo é um termo isolado da oração, ele não pertence nem ao sujeito nem ao predicado.

PRONOMES PESSOAIS OBLÍQUOS

– *Ele*, *ela*, *nós*, *eles* e *elas* (quando usados como oblíquos e precedidos de preposição): são empregados nas funções de *complemento verbal*, *complemento nominal* ou *agente da passiva*.

Pedi *a ele* um pouco de paciência.	(complemento verbal)
Ele tinha medo *de mim*.	(complemento nominal)
As músicas foram cantadas *por nós*.	(agente da passiva)

– *O*, *a*, *os*, *as*: empregados como complemento de verbos transitivos diretos.

– *Lhe*, *lhes*: empregados como complemento de verbos transitivos indiretos.

Ele *a* encantou.	(objeto direto)
Ela *lhe* implorou perdão.	(objeto indireto)

– *Me*, *te*, *se*, *nos* e *vos*: dependendo do verbo, podem funcionar como *objeto direto* ou *objeto indireto*.

Encontrou-*nos* no cinema.	(objeto direto)
Entregou-*nos* um livro.	(objeto indireto)

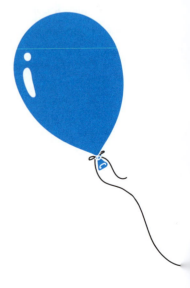

TESTANDO OS SEUS CONHECIMENTOS

☺ Identifique a função sintática dos pronomes grifados nos textos a seguir.

***

ELE

— Onde *ele* está?
— Ainda não chegou.
— Não chegou?
— Sinceramente, não *me* surpreendo.
— *Ele nos* garantiu que viria.
— *Eu lhe* disse que *ele* é enrolado.
— Será que se perdeu?
— Pode *se* conformar, *nós nos* arrumamos à toa.
— Se *eu o* encontrar, não sei o que vou *lhe* dizer.
— Bom, *ela* avisou que isto iria acontecer.
— Ela? Quem é *ela*?

***

CONFUSÃO

Mabi ligou para Malu:
— O Gabriel não irá na festa do Tomás.
— Quem *lhe* disse isso?
— A Luiza. Ela disse que o Lucas encontrou o Daniel que disse que *ele* não irá.
— Nós precisamos falar com o Gabriel! Se não for, ele vai se arrepender.
— Nem adianta. Ele está muito chateado, nem quis falar direito comigo.
— Vou falar com *ele*. Você sabe quem *o* chateou?
— Aquela menina da turma C.
— Ela vai à festa? Quem *a* convidou?
— Sei lá? Só sei que ela vai.
— Então, *eu* também não vou.

Pronome possessivo

Em geral, os pronomes possessivos acompanham o substantivo, exercendo a função de *adjunto adnominal*.

> *Minha* camisa está suja.
> (adjunto adnominal do sujeito)
>
> Estes são os *meus* ingressos.
> (adjunto adnominal do predicativo do sujeito)

★★★

NOSSAS COISAS

> Perdi *meu* chinelo na praia,
> esqueci *teu* casaco na praça,
> as traças furaram *minha* saia.

Pronome demonstrativo

PRONOMES DEMONSTRATIVOS VARIÁVEIS (*este, esse, aquele* e variações feminina e plural): exercem as funções do substantivo (sujeito, objeto direto, objeto indireto etc.) ou do adjetivo (adjunto adnominal e predicativo).

> Meu carro é *aquele*. (predicativo)
> *Esta* sacola está pesada. (adjunto adnominal)

PRONOMES DEMONSTRATIVOS INVARIÁVEIS (*isto, isso, aquilo*): sempre desempenham as funções próprias do substantivo (sujeito, objeto direto, objeto indireto etc.).

> *Isto* é muito bom. (sujeito)
> Eu quero *aquilo*. (objeto direto)
> Eu preciso *disso*. (objeto indireto)

O, A, OS, AS, TAL, MESMO, PRÓPRIO (e variações feminina e plural) e **SEMELHANTE**(s) como pronomes demonstrativos (ver página 132).

O prato não foi *o* que escolhi.

(= aquele que escolhi – sujeito)

Tal menino é curioso.

(= esse menino – adjunto adnominal)

Os motivos são os *mesmos.*

(predicativo)

A *própria* escritora ilustrou o livro.

(= essa escritora – adjunto adnominal)

TESTANDO OS SEUS CONHECIMENTOS

★★★

DIFÍCIL SITUAÇÃO

— *Este* fogão não funciona. *Aquela* geladeira não gela.
— *Isso* é um problema.

☺ Faça a análise sintática dos pronomes demonstrativos destacados.

***

COLMEIA

A *própria* abelha-rainha fez a crítica:
— Essa colmeia não é *a* que queremos.
O primeiro-ministro pediu a palavra:
— Majestade, o motivo é sempre o *mesmo*: corrupção.
A abelha-rainha ficou nervosa:
— *Tal* situação é complicada.

☺ Faça a análise sintática dos pronomes demonstrativos destacados.

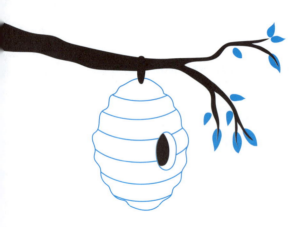

Pronome relativo

> VARIÁVEIS: *que, o qual, a qual, os quais, as quais; cujo, cuja, cujos, cujas, quanto, quanta, quantos, quantas.*
> INVARIÁVEIS: *quem, que, onde.*

SUJEITO

Daniela, *que* mora no Leblon, gosta de praia.
(Daniela gosta de praia.) (Daniela mora no Leblon.)

OBJETO DIRETO

Érika e Isabela viram o filme, *que* Ângela sugeriu.
(Érika e Isabela viram o filme.) (Ângela sugeriu o filme.)

OBJETO INDIRETO

Cláudio comprou o doce *de que* Gabriela gosta.
(Cláudio comprou o doce.) (Gabriela gosta do doce.)

PREDICATIVO

Ele é o artista, *que* muitos admiram.
(Ele é o artista.) (Muitos admiram o artista.)

ADJUNTO ADNOMINAL

A menina *cuja* mãe é médica quer ser atriz.
(A menina quer ser atriz.) (A mãe da menina é médica.)

COMPLEMENTO NOMINAL

Tenho medo *que* os lobos ataquem.
(Tenho medo de lobos.) (Os lobos atacam.)

ADJUNTO ADVERBIAL

Não conheço o bairro *onde* você mora.
(Não conheço o bairro.) (Você mora em um bairro.)

O jeito *como* ele cantou foi impressionante.
(O jeito foi impressionante.) (Ele cantou de um jeito.)

356 UMA GRAMÁTICA SIMPÁTICA

AGENTE DA PASSIVA

O bolo *que* foi feito pela minha avó está delicioso.
(O bolo está delicioso.) (*O bolo foi feito pela minha avó.*)

DICAS:

– *cujo* sempre funciona como *adjunto adnominal*.

– *cujo* indica posse:

O menino, *cujo* pai é cantor, é talentoso.
O menino é talentoso. / O pai do menino é cantor.

– *onde* sempre funciona como *adjunto adverbial de lugar*.

– *como* sempre funciona como *adjunto adverbial de modo*.

Pronome interrogativo

Quem, *que*, *qual* (e variações), *quanto* (e variações).

QUEM

Tem sempre função substantiva (e, assim, pode exercer as funções do substantivo).

Quem é ela?	(sujeito)
Quem Babeth convidou para a festa?	(objeto direto)

QUE

Com função substantiva (no sentido de *que coisa*).

Que aconteceu ontem?   (sujeito)

Com função adjetiva (no sentido de *que espécie de*).

Que história é aquela?   (adjunto adnominal)

QUAL (E SUAS FLEXÕES)

Normalmente acompanham um substantivo e exercem a função sintática de adjunto adnominal.

Qual camisa é a sua?   (adjunto adnominal)

QUANTO (e suas flexões)

Normalmente acompanham um substantivo e exercem a função sintática de adjunto adnominal.

Quantos filhos você tem?   (adjunto adnominal)

TESTANDO OS SEUS CONHECIMENTOS

***

FIM DE FESTA

— *Que* aconteceu ontem no final da festa?
— Falaram que você ainda faz xixi na cama.
— *Que* história é essa? *Quem* falou isso?
— Aquela menina debochada da turma B.
— Por que ela disse isto? *Qual* pessoa ainda faz xixi na cama na nossa idade?
— Ninguém acreditou. Ela estava apenas brincando.
— Brincar com estas coisas? *Quantos* anos ela tem?

☺ Dê a função sintática dos pronomes interrogativos.

Pronome indefinido

Algum, nenhum, outro, muito, pouco, ninguém, quem, cada, qualquer.

– Quando exercerem a função de pronomes substantivos (representam um substantivo), desempenharão as funções sintáticas de um substantivo.

> *Alguém* está mentindo.   (sujeito)

– Quando exercerem a função de pronomes adjetivos (acompanham um substantivo), desempenharão as funções sintáticas de um adjetivo.

> *Nenhum* menino faltou à aula.   (adjunto adnominal)

TESTANDO OS SEUS CONHECIMENTOS

★★★

INTERROGATÓRIO

Depois de *várias* horas de interrogatório, *ninguém* confessou o crime.

— *Alguém* está mentindo — disse o inspetor.

— É o mordomo! — concluiu o detetive, acostumado com histórias de suspense.

☺ Indique a função sintática dos pronomes marcados.

***

TRÊS PEDIDOS

No meio do deserto, um viajante acha uma lâmpada que parece ser encantada. Esfrega com força. Um gênio vem, oferece três pedidos. O viajante responde sem hesitar:
— Quero ficar muito rico, viajar pelo mundo e ter um belo palácio.
O gênio se preocupa:
— Desculpe me intrometer, mas será que não seria bom pedir saúde?
— Claro, gênio! Quero ficar muito rico, viajar pelo mundo e ter muita saúde.
— Desculpe-me novamente, mas... e amor, caro amo? Será que...
— Por isso te chamam de gênio! Amor, claro! Quero ficar muito rico, ter muito amor e muita saúde.
— Desculpe-me mais uma vez, mas será que...
— Gênio, o que é que vem agora? Se não terei um belo palácio, não viajarei pelo mundo, será que ao menos posso ser muito rico?
— Bom, eu ia sugerir felicidade, mas se assim já está bom...

☺ Se você achasse uma lâmpada mágica, quais seriam os seus três pedidos?

PARTE 6:
FIGURAS DE LINGUAGEM

(recursos utilizados na linguagem
para tornar mais expressiva a mensagem)

25. Figuras de linguagem

As FIGURAS DE LINGUAGEM são recursos do idioma para tornar as mensagens mais expressivas e/ou significativas. São divididas em:

– Figuras de sintaxe (ou de construção)

– Figuras de pensamento

– Figuras de palavras

Aí vão algumas delas.

Figuras de sintaxe (ou de construção)

ELIPSE: omissão de termo que pode ser entendido pelo contexto.

> Na mesa, cadernos e canetas.
> (*há*)

ZEUGMA: omissão de termo que já apareceu antes.

> Daniela gosta de chocolate; Eduardo, de sorvete.
> (*gosta*)

POLISSÍNDETO: repetição de conectivos.

> Laura canta e dança e sapateia.

PLEONASMO: uso da redundância para reforçar uma ideia.

> Subir para cima.
> Chovia uma chuva molhada.

SILEPSE: a concordância não se faz com a forma gramatical, mas com o sentido. Pode ser de gênero, de número e de pessoa.

— DE GÊNERO:

> Vossa Excelência está certo.

(O pronome de tratamento é feminino, mas a concordância está sendo feita com alguma autoridade do sexo masculino. *Certo* funciona como predicativo.)

— DE NÚMERO:

> O casal viajou e conheceram muitos lugares.

(A concordância é feita com a ideia de plural que decorre do casal.)

— DE PESSOA:

> Os brasileiros somos fortes.

ANÁFORA: repetição de uma palavra ou expressão para reforçar o sentido.

> Quem tem medo do lobo?
> Quem tem medo do burro?
> Quem tem medo do bobo?
> Quem tem medo do escuro?

Figuras de pensamento

ANTÍTESE: palavras de sentido oposto.

> Não escondia o amor e o ódio que sentia.

A antítese pode gerar um paradoxo, quando os termos opostos criam uma contradição.

> Quanto mais te vejo, mais sinto saudade de você.

EUFEMISMO: suaviza fato ou atitude.

> Ele foi para o céu. (= morreu)
> Ela faltou com a verdade. (= mentiu)

HIPÉRBOLE: exagero de uma ideia com finalidade enfática.

> Estou morto de fome.
> Já te falei mil vezes.

IRONIA: utilização de termo em sentido oposto ao seu significado habitual, com objetivo de crítica ou de humor.

> Este prato está sem sal e sem tempero: uma delícia!

PROSOPOPEIA OU PERSONIFICAÇÃO: atribui a seres inanimados características de seres animados.

> O computador resolveu viajar com a impressora.

TESTANDO OS SEUS CONHECIMENTOS

★★★

HIPÉRBOLES

— Pai, cadê minha água? Estou morrendo de sede!

— Filho, já lhe falei um milhão de vezes que seu exagero é demais.

— Exagero? Você demora mil anos para pegar um simples copo d'água e eu que sou exagerado?

— Viu? Tudo para você é em excesso. Este seu exagero me dá uma preocupação do tamanho do universo. Onde você aprendeu a ser assim?

☺ Marque as expressões do texto que indicam hipérboles.

Figuras de palavras

COMPARAÇÃO: comparação de duas coisas, usando um conectivo no meio.

Seus olhos azuis são como um oceano.

METÁFORA: palavra ou expressão que faz comparações implícitas dando sentido figurado à pessoa ou à coisa referida.

Aquele jogador é um touro.

(Um homem não pode ser um touro. A metáfora traduz a ideia da força do jogador: forte como um touro.)

Ana Letícia se derreteu com a carta de amor.

(Se derreter aqui é usado no sentido de se emocionar.)

METONÍMIA: consiste no emprego de uma palavra por outra, com a qual se acha relacionada.

Dentre outras, pode ser:

– do autor pela obra:

Zé Roberto adora Shakesperare.

(Zé Roberto adora a obra do escritor e não o escritor.)

– do continente pelo conteúdo:

Dani e Sergio tomaram duas garrafas de vinho.

(Dani e Sérgio tomaram o vinho e não as garrafas.)

– da parte pelo todo:

Eduardo tem mil cabeças de gado.

(Eduardo tem mil bois.)

– do concreto pelo abstrato:

Gisela tem ótima cabeça.

(Gisela é inteligente.)

– do inventor pelo invento:

> Cibele e Juliano compraram um Ford.

(Inventor da marca Ford: Henri Ford.)

– da marca pelo produto:

> Márcia, Adriana e Gilberto gostam de Nescau com leite.

(Nescau corresponde a chocolate em pó.)

– do gênero pela espécie:

> Os *homens* cometeram barbaridades.

CATACRESE: atribui-se, por analogia, um nome a algo que não tem nome específico.

> Céu da boca.
> Asa da xícara.

ANTONOMÁSIA OU PERÍFRASE: uso de uma palavra ou expressão para designar algo ou alguém.

> Cidade Luz (Paris)
> Cidade Maravilhosa (Rio de Janeiro)
> Rei do futebol (Pelé)

SINESTESIA: mistura de sensações.

> O cheiro doce da flor.

(cheiro = olfato; doce = paladar)

> Um grito amargo de solidão.

(grito = audição; amargo = paladar)

FIGURAS DE LINGUAGEM   367

TESTANDO OS SEUS CONHECIMENTOS

★★★

CATACRESE

Chama-se catacrese a utilização de um termo fora de seu significado real, diante da ausência de um termo próprio. Ainda assim, no céu da boca não há estrelas, o pé da mesa não tem dedos, o braço da cadeira não abraça, a batata da perna não é doce nem salgada, a asa da xícara não ajuda a voar, o dente de alho não usa flúor, a cabeça do prego não pensa, a árvore genealógica não tem folhas.

☺ Indique as expressões em que há catacrese.

★★★

COMO EXPLICAR?

Talvez tenha sido a voz doce,
ou o abraço quente,
ou quem sabe os olhos de mar.
O fato é que, de repente,
se viu perdidamente apaixonado.
E então, sem qualquer questionamento ou condição,
pediu a mão dela em casamento,
e, imediatamente, entregou seu coração.

☺ Indique as figuras de linguagem do texto.

***

O TERNO CINZA

O terno cinza vivia amargurado.

No começo, logo que foi comprado, tudo era festa. Eram muitos casamentos, recepções e eventos chiques. Naquela época, era comum ser elogiado por seu corte inglês. Mas, com o tempo, foi perdendo espaço. Até que um dia, lamentavelmente, apareceu no guarda-roupas um terno azul-marinho. Belo corte e tecido de qualidade, tinha que reconhecer, mas extremamente esnobe. Vivia de nariz em pé, orgulhoso pela preferência, sem perceber que também ele haveria de desbotar.

O terno cinza não se conformava. Se não servia mais para eventos importantes, porque não era destinado para o dia a dia? Ou por que não era dado para alguém que dele precisasse? Qual a razão para viver em confinamento? Arrasado, via-se cada vez mais cinza.

Sentia falta do agito, do convívio com outras roupas e do conforto do melhor *spa* do mundo: o tintureiro.

Apesar disso tudo, nada, mas nada mesmo, era mais doloroso do que a falta que sentia do vestido estampado. Colorido, alegre, leve. Toda vez que o via, seu coração batia tão forte, que quase saía pela boca.

☺ Responda:

1) Esta história se utiliza de uma figura de linguagem. Qual é ela?
2) Que figura de linguagem existe em "vivia de nariz em pé"? O que esta expressão quer dizer?
3) Que figura de linguagem existe em "se via cada vez mais cinza"? O que esta expressão quer dizer?

***

DESPEDIDA

Chega uma hora em que chega ao fim.
Mas o *fim é sempre um começo. Ufa*!
E *o livro está feliz.*
Espero que tenha sido *bom para você como foi para mim.*
Daqui, da *Cidade Maravilhosa,*
te mando meu *caloroso abraço.*
Com meu *coração inundado de coisas boas,*
eu, canceriano, vou morrer de saudades.

☺ Indique a figura de linguagem das palavras grifadas.

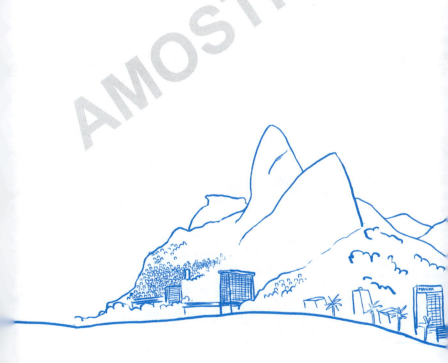

ÍNDICE DE ASSUNTOS

A

ACENTO: agudo, circunflexo, grave 23; acento diferencial 29

ACENTUAÇÃO GRÁFICA: 22

ADJETIVO: 76; locução adjetiva 78, 114; classificação (simples e compostos; primitivos e derivados; adjetivos pátrios) 107; flexão de gênero (masculino e feminino) 108; flexão de número (singular e plural) 108; graus (comparativo e superlativo) 109-110; outras formas de superlativo 110; quatro adjetivos com comparativos e superlativos anômalos 110; plural nos adjetivos simples 112; plural nos adjetivos compostos 112; concordância do adjetivo com o substantivo 114

ADJUNTO: função sintática do adjunto 277; adverbial 279; adnominal 286; complemento nominal x adjunto adnominal 286; predicativo do objeto x adjunto adnominal 292; adjunto adnominal x aposto 293

ADVÉRBIO 76, 197; locução adverbial 197; advérbios interrogativos 198; flexão em grau: comparativo, superlativo 198; advérbio terminados em *mente* 199; classificação dos advérbios (de afirmação, de negação, de dúvida, de intensidade, de tempo, de modo, de lugar) 200; função sintática do advérbio 341

AFIXO: 60

AGENTE DA PASSIVA: 266; 356

ALFABETO: 16

ANTONOMÁSIA OU PERÍFRASE: 366

ANTÍTESE: 363

ANTÔNIMO: 37

APOSTO: 281; adjunto adnominal x aposto 293

APÓSTROFO: 29

ARTIGO: 76; 84; classificação (definidos e indefinidos; femininos e masculinos; singular e plural) 101; curiosidades sobre bairros, cidades e países 104; adjunto adnominal 277; concordância nominal 323; função sintática do artigo 341

ASPAS: 49

C

CATACRESE: 366

CEDILHA: 18

COMPARAÇÃO (figura de palavras): 365

COMPARAÇÕES: ; complemento nominal x objeto indireto 285; complemento nominal x adjunto adnominal 286; predicativo do sujeito x predicativo do objeto 291; predicativo do objeto x adjunto adnominal 292; adjunto adnominal x aposto 293

COMPARATIVO (grau): adjetivo 109; advérbio 198

COMPOSIÇÃO: 69, 71

COMPLEMENTO: nominal 261, 267; verbal 263, 267 (ver também objeto direto 263, objeto indireto 264 e agente da passiva 266-267)

CONCORDÂNCIA NOMINAL: regra geral 323; casos diferentes (um adjetivo que se refere a mais de um substantivo) 324; bastante, muito, pouco, caro, barato, longe, meio, sério, alto 324; só 325; a sós 325; é bom, é necessário, é proibido, é preciso; anexo, incluso, obrigado, mesmo, próprio 325; menos, alerta, pseudo 327; concordância com nomes de cores 326; particípio 326; pronome de tratamento, 327

CONCORDÂNCIA VERBAL: regra geral 316; casos diferentes (substantivos coletivos 316; sujeito composto 316; nomes no plural 317; pronome relativo que 317; quem 317; sujeito formado por expressão partitiva 318; mais de um, mais de dois, mais de... 318; expressões que representem porcentagem 318; números fracionários 318; cerca de, perto de 318; concordância de alguns verbos diferentes 319; haver e fazer impessoais 319; parecer seguido de infinitivo 319; verbo ser 319

CONJUGAÇÃO: dos verbos 175; dos abundantes 176; dos defectivos 176; dos pronominais 177; dos verbos regulares 180; dos verbos ter, haver, ser e estar 183

CONJUNÇÃO: 76-77; coordenativas (aditivas, adversativas, alternativas, conclusivas, explicativas) 215-216; subordinativas (causais, comparativas, concessivas, condicionais, conformativas, consecutivas, finais, proporcionais, temporais, integrantes) 216-217, 306-307

CONSOANTE: 4; encontro de consoantes 12

CRASE: regras 226-229; casos especiais: crase antes de *casa* e *terra* 230

D

DEFECTIVOS (verbos): 176

DEMONSTRATIVO (pronome): 131; 352

DERIVAÇÃO: prefixal, sufixal, parassintética, regressiva, imprópria 69-70

DÍGRAFO: 12

DITONGO: 10; 26

DOIS-PONTOS: 46; 239; 281

E

ÊNCLISE: 145-146

ELIPSE: 362

ETIMOLOGIA: 56

EUFEMISMO: 364

F

FRASE: tipos de frases (interrogativas, exclamativas e interrogativas) 238-239

FONEMAS: 2-5

FONÉTICA E FONOLOGIA: 2-12

FUNÇÕES SINTÁTICAS: da preposição, da conjunção e da interjeição 340; do artigo e advérbio 341; dos verbos 342; dos substantivos 343; dos adjetivos 345; dos pronomes (substantivos, adjetivos, pessoais reto, pessoais oblíquos 349-350; possessivos, demonstrativos, relativos, interrogativos, indefinidos) 352-358

G

GERÚNDIO: 164

H

HIATO: 11
HIBRIDISMO: 72
HÍFEN: 30-35; 94; 150
HIPÉRBOLE: 364
HOMÔNIMO: 38

I

IMPERATIVO: 153; 160-161; 182; 185
INDEFINIDO (pronome): 140; locuções pronominais indefinidas 141
INDICATIVO (modo): 153, 158
INFINITIVO: flexionado e infinitivo não flexionado 166-167; orações reduzidas de infinitivo 312
INTERJEIÇÃO: 221; locuções interjetivas 222
INTERROGATIVO (pronome): flexão; emprego 138; 356-357
IRONIA: 364

L

LETRA: 16.
LOCUÇÃO: verbal 78, 174; adjetiva 78, 114; adverbial 78, 197

M

MESÓCLISE: 143-144; 149
METÁFORA: 365
METONÍMIA: 365
MORFEMA: 58-60

N

NUMERAL: 76; cardinais, ordinais, multiplicativos, fracionários, coletivos 210-212

O

OBJETO: direto 263; indireto 264; objeto direto preposicionado 274; objeto direto pleonástico 275; predicativo do objeto 275

ONOMATOPEIA: 72

ORAÇÃO: oração e seus termos 238; orações coordenadas: assindéticas e sindéticas (aditivas, adversativas, alternativas, conclusivas, explicativas) 298-299; orações subordinadas: substantivas (subjetivas, objetivas diretas, objetivas indiretas, predicativas, completivas nominais, apositivas) 301; adjetivas (explicativas e restritivas) 304; adverbiais (causais, comparativas, concessivas, condicionais, conformativas, consecutivas, finais, proporcionais, temporais) 306-307; orações reduzidas (de infinitivo, de particípio e de gerúndio) 312-313

ORTOGRAFIA: 16-17

P

PARÊNTESES: 50

PARÔNIMO: 38

PARTICÍPIO: 149-150, 165, 327

PERÍODO: simples e composto 239

PESSOAL (pronome): do caso reto 119, 121; do caso oblíquo 119, 122; reflexivos e recíprocos 123

POLISSÍNDETO: 362

PONTUAÇÃO: ponto 45; ponto de interrogação 45; ponto de exclamação 46; dois-pontos 46; vírgula 46-47; ponto e vírgula 48; travessão 48; aspas 49; reticências 50; parênteses 50

POR QUE, PORQUE, PORQUÊ E POR QUÊ: 40

PLEONASMO: 362

POSSESSIVO (pronome): 119; concordância 129-130

PLURAL: 85; dos substantivos simples e compostos 90-95; dos adjetivos simples e compostos 112

PREDICADO: tipos de predicado (nominal, verbal, verbo-nominal) 248-249, 258

PREFIXOS: 60, 67

PREPOSIÇÃO: 76; encontro da preposição com o artigo 102-103; simples 204; compostas 205;

PRÓCLISE: 143

ÍNDICE DE ASSUNTOS   375

PRONOME: 76; 119; pessoal (do caso reto, do caso oblíquo, reflexivos e recíprocos) 121-123; de tratamento 126; possessivo 129-130; demonstrativo 131-132; relativo 136-137; interrogativo 138; indefinido 140; próclise, ênclise e mesóclise 143-145; encontro de alguns verbos com pronomes (em casos de ênclise) 146; colocação dos pronomes nas locuções verbais 150; pronome oblíquo no começo das frases 150

PROSOPOPEIA: 364

R

RADICAIS: 58; de origem grega 61-63; de origem latina 63

REGÊNCIA VERBAL: 329-330; regência de alguns verbos: aspirar, assistir, chamar, implicar, olhar, precisar, proceder, querer, reparar, visar 332-334

RELATIVO (pronome): 136-137

RETICÊNCIAS: 50

S

SE: 295

SEMIVOGAIS: 3

SÍLABAS: 3; 6; 8-9

SILEPSE: 363

SINESTESIA: 366

SINÔNIMO: 37

SUBJUNTIVO (modo): 153, 159, 181, 189, 192, 193

SUBSTANTIVO: 76; classificação (comum e próprio, primitivo e derivado, concreto e abstrato, coletivo) 80-81; flexão de gênero (substantivos biformes e substantivos uniformes) 84-85; flexão de número (singular e plural) 85; flexão de grau (aumentativo, diminutivo, diminutivos eruditos) 86; plural nos substantivos simples 90-92; plural nos substantivos compostos 94; coletivos 96.

SUFIXO: 64-66

SUJEITO: 242; colocação do sujeito na oração 246; concordância entre sujeito e verbo 243; tipos de sujeito: sujeito determinado (simples, composto e oculto ou desinencial) 243-244; sujeito indeterminado (indeterminado e oração sem sujeito) 244

SUPERLATIVO: 109-110; grau 198

T

TERMOS: 242; essenciais 243-259; integrantes 261-275; acessórios 277-295.

TIL: 28

TRATAMENTO (pronome): 126; (ver também pessoal) 121

TRAVESSÃO: 48

TREMA: 29
TRITONGO: 11

V

VERBO: 76, 152; quanto à função: auxiliar e principal 179; quanto à flexão: regulares, irregulares, defectivos, abundantes, pronominais 175-177; regulares 180-182; irregulares 183-185; conjugação 172, 180-185, 191-194; uma dica para a conjugação 171; estrutura (radical, vogal temática, desinência) 172-173; formas rizotônicas e arrizotônicas 173; tempo composto 189-194; variação de acordo com pessoas, número, tempo, modo 152-153, vozes do verbo 155-156; tempos verbais: indicativo 158, subjuntivo 159, imperativo (afirmativo e negativo) 160-161; gerúndio 164; infinitivo 166; particípio 165; verbos de ligação 252-253; verbos transitivos (diretos, indiretos e diretos e indiretos) 254; verbos intransitivos 255

VÍRGULA: 46-47

VOCATIVO: 281, 343, 349

VOGAIS: 3-5

VOZES DO VERBO: ativa; passiva (analítica e sintética) 155; reflexiva 156

Z

ZEUGMA: 362

REFERÊNCIAS BIBLIOGRÁFICAS

AULETE, Caldas. *Novíssimo Aulete*: dicionário contemporâneo da língua portuguesa. Rio de Janeiro: Lexikon, 2011.

AZEVEDO, Francisco Ferreira dos Santos. *Dicionário analógico da língua portuguesa*: ideias afins/thesaurus. 2ª ed. atualizada e revista. Rio de Janeiro: Lexikon, 2010.

BECHARA, Evanildo. *Gramática fácil*. Rio de Janeiro: Nova Fronteira, 2014.

_____. *Gramática escolar da língua portuguesa*. 2ª ed. ampliada e atualizada pelo novo Acordo Ortográfico. Rio de Janeiro: Nova Fronteira, 2010.

_____. *O que muda com o Novo Acordo Ortográfico*. Rio de Janeiro: Nova Fronteira, 2008.

CUNHA, Celso & CINTRA, Lindley. *Nova gramática do português contemporâneo*. 7ª ed. de acordo com a nova ortografia. Rio de Janeiro: Lexikon, 2017.

HENRIQUES, Cláudio Cezar. *Sintaxe*. 3ª ed. revista e atualizada. Rio de Janeiro: EPU, 2015.

GEIGER, Paulo & SILVA, Renata de Cássia Menezes da. *A nova ortografia sem mistério*: do ensino fundamental ao uso profissional. Rio de Janeiro: Lexikon, 2009.

HOUAISS. *Pequeno dicionário Houaiss da língua portuguesa*, São Paulo: Editora Moderna, 2015.

KURY, Adriano da Gama. *Português básico e essencial*. 2ª ed. Rio de Janeiro: Lexikon, 2017.

_____. *Para falar e escrever melhor o português*. 2ª ed. revista e atualizada. Rio de Janeiro: Lexikon, 2012.

LIMA, Rocha. *Gramática normativa da língua portuguesa*. 53ª ed. revista segundo o Novo Acordo Ortográfico. Rio de Janeiro: José Olympio, 2017.

NEVES, Luiz Eduardo de Castro. *Histórias que os bichos gostam de contar*. Rio de Janeiro: Odisseia, 2013.

PEREIRA, Cilene da Cunha; SILVA, Edila Vianna da; PAULIUKONIS, Maria Aparecida Lino e ANGELIM, Regina Célia Cabral. *Nova gramática para concursos*: praticando a língua portuguesa. Rio de Janeiro: Lexikon, 2016.

SANTOS, Arenildo dos. *Gramática básica para concursos*. 2ª ed. Rio de Janeiro: Ferreira, 2016.

SILVA, Deonísio da. *De onde vêm as palavras*: origens e curiosidades da língua portuguesa. 17ª ed. revista e atualizada. Rio de Janeiro: Lexikon, 2014.

TERRA, Ernani. *Curso prático de gramática*. 6ª ed. São Paulo: Scipione, 2011.

TERRA, Ernani e NICOLA, José de. *Gramática de hoje*. São Paulo: Scipione, 2008.

Lista de abreviações

adj. adv.	adjunto adverbial
adv.	advérbio
comp.	comparativo
conj.	conjunção
fut.	futuro
gerún.	gerúndio
imper.	imperativo
imperf.	imperfeito
ind.	indicativo
indef.	indefinido
indeterm.	indeterminação
infinit.	infinitivo
m-q-perf.	mais que perfeito
or. coord.	oração coordenada
or. subord.	oração subordinada
part.	particípio
perf.	perfeito
pess.	pessoal
pres.	presente
pret.	pretérito
pron.	pronome
subj.	subjuntivo
suj.	sujeito
subord.	subordinativa
superl.	superlativo

GABARITO

1. Fonética e fonologia

O corpo humano (p. 9)
1) mão, pé, rim; 2) dedo, braço, peito, costas, boca, olho, pulmão; 3) cintura, joelho, pescoço, cílios, pâncreas, coração, cabeça, virilha; 4) tornozelo, panturrilha, sobrancelha; 5) mão, pé, rim, pulmão, coração; 6) dedo, mão, braço, tornozelo, peito, cintura, costas, boca, olho, joelho, pescoço, panturrilha, sobrancelha, cabeça, virilha; 7) cílios, pâncreas.

Desafio (p. 13)
1) ENCONTROS CONSONANTAIS PERFEITOS: cabra, cobra, crocodilo, tigre; – HIATOS: babuíno, coelho; – DÍGRAFOS: aranha, burro, cachorro, carrapato, coelho, galinha, passarinho, piolho; – DITONGOS: besouro, boi; – ENCONTROS CONSONANTAIS IMPERFEITOS: cisne, corvo, elefante, mosca, vespa. 2) Os que não acharam placas: bode, jacaré. 3) O coelho ficou na dúvida para onde ir, por ser um hiato e possuir um encontro consonantal imperfeito.

O leão que achava que era um tritongo (p. 14)
1) Porque o leão é composto de um ditongo e um hiato *le-ão*. 2) Os dois dígrafos do cachorro são: *ch* e *rr*.

A louca (p. 18)
1) Porque a palavra cedilha começava com "c" e não com "ç". 2) Não. Porque, de noite, era a louça que lavava a louca.

A dieta real (p. 20)
1) jardim, palácio, chafariz, aproximou, majestade, descanso, vossa, regime, peso, jeito, viagem, assuntos, urgente, xarope, poção, mágica, ginástica, cuidadosa, vagem, berinjela, ameixa, abacaxi, tangerina, xícara, chá, geleia, zebra, péssimo, digestão, agitado, sugestão, enxaqueca, irritadíssima. 2) a) Para adiar a dieta, o leão disse que precisava fazer uma viagem muito importante. b) O leão irritou-se quando o macaco disse que, na dieta, o leão não poderia comer churrasco de zebra. c) Eu não sei o que você acha, mas, se eu fosse o leão, eu teria esperado a enxaqueca melhorar.

À noite (p. 21)
Porque à noite a menina voltava a ser criança.

Acentos (p. 24)
Sobre artes: músico, esplêndido, público, pé, crítica, também. – *Sobre ciências*: ciências, fóssil, réptil, será, último, espécie, será, contemporâneo. – *Sobre finanças*: milionário, excêntrico, abundância, prudência, decadência, penúria. – *Sobre os destinos do mundo*: conferência, países, cônsul, única, saída, será, armistício, já, consequências, catastróficas. – *Sobre mim*: míope, óculos, médica, íris, é (amor), à (primeira vista); / tênis, sofá, álbum, família, avós. – *Sobre dúvidas* (sérias ou sem importância): dúvidas, sérias, importância, chá, café, açúcar;

380 UMA GRAMÁTICA SIMPÁTICA

/ turbulência, emergência, caíram, máscaras, oxigênio, será, ônibus. – *Sobre cotidiano*: às (vezes), à (praia), táxi; / índio, cipó, árvore. – *Sobre mistérios*: mistérios, substância, líquida, polícia, plástico, perícia, é (sempre). – *Sobre delírios*: delírios, gênio, lâmpada, trópicos, ócio. – *Sobre disputas*: ímpar.

O contra-almirante (p. 36)
contra-almirante: encontro de letras iguais; – *coordenou*: letras iguais com prefixo *co-* (formam uma única palavra); – *contraofensiva*: encontro de letras diferentes (formam uma única palavra); – *super-herói*: segunda palavra iniciada com *h*; – *arqui-inimigo*: encontro de letras iguais; – *ultrassigilosa*: encontro de vogal com *s* (dobra-se a consoante); – *recém-chegado, ex-chefe* e *vice-presidente*: há hífen após os prefixos *recém-, ex-* e *vice-*; – *bem-humorado*: em palavra com advérbio *bem* seguido de palavra iniciada por *h*.; – *erva-doce*: espécie botânica.

Uma noite no teatro (p. 39)
xá, concerto, cavalheiro, chá, assento.

O cumprimento do cavalheiro (p. 39)
PARÔNIMOS: cumprimento e comprimento; cavalheiro e cavaleiro; tráfego e tráfico; inflação e infração; emigrar e imigrar; retificar e ratificar. – HOMÔNIMOS: banco (banco de sentar x banco de dinheiro); chá e xá; conserto e concerto.

Curiosos (p. 41)
Por quê?: usado no final das frases; – *Porque* não quero saber mais nada: correspondente a pois; – Mas *por quê?*: usado no final das frases; – *Porque* estou satisfeito assim: correspondente a pois; – *Por que* você mudou?: correspondente a por qual razão; – Qual é o *porquê* disso?: causa, motivo; – Medo? *Por quê?*: usado no final das frases.

Por que você não veio ontem? (p. 42)
— *Por que* você não veio ontem? / — Você anda muito curioso. *Por quê?* / — Eu não sou nada curioso. *Por que* você está dizendo isso? / — *Porque você* me faz perguntas demais. Não sei *por que* você quer saber de tudo. / — Muito curioso? Saber de tudo? Você me critica sem parar e não sei *por quê*. / — Sinceramente, não estou entendendo o *porquê* da sua irritação. / — É muito simples: você não veio ontem e eu quero saber *por quê*. *Por que* você não me conta? / — *Porque* você me pergunta demais.

Conversa de insetos (p. 44)
Há quanto tempo... – Ele se mudou *há* um ano! ... – *Ah*! Que coisa boa! *Há* sapos demais nesse mundo... – *Há* veneno... – Daqui *a* pouco... – *Ah*! mundo injusto! ... – Ele continua morando *a* três quadras daqui?... – Ele saiu *há* uns quinze minutos e voltará daqui *a* uma hora.

Classificados do futuro (p. 51)
Imagino que em algum tempo será possível ver nos classificados o seguinte anúncio: Vendo apartamento em Saturno, três quartos, sol da manhã, com bela vista para os anéis. Prédio com sistema de oxigênio próprio. Aceito troca por casa em Marte. Imperdível!

GABARITO **381**

Encomenda (p. 51)
— Oi. Tudo bem? / — Tudo. E você? / — Estou ótima! / — Estou ligando porque queria saber se... / — Saber o quê? / — É que você vai viajar e queria pedir que me trouxesse uma encomenda. / — Sem problemas. O que é? / — Uma bota de esqui. / — Uma bota de esqui... (! ou ?).

Cadê o Chico? (p. 51)
— Oi, Sofi, você viu o Chico? / — Ele saiu com o Felipe e com a Luiza. / — Você sabe se a Catarina e o André foram com eles? / — Não. Por que você não pergunta para a Carol? / — Porque ela saiu com o Bruno.

A bruxa (p. 52)
A bruxa chega em casa: / — Querido, você sabe onde está minha poção de embelezamento? / — Acho que está em cima da pia da cozinha, ao lado da sua vassoura — ele responde. / — Meu bem, você já conseguiu consertar o meu caldeirão? / — Hoje, liguei para a loja. Disseram que fica pronto na semana que vem. / — Uma semana para consertar um simples caldeirão? Como é que eu trabalho durante todo este tempo? — ela reclama. / — Querida, o furo estava enorme. Tiveram que mandar para um especialista. O que foi que você colocou ali dentro? / — Meu bem, você sabe onde está minha poção contra estresse?

A proposta (p. 52)
O leão teria benefícios de comida, segurança e plano de saúde, mas perderia sua liberdade.

2. Morfologia

Recém-casados (p. 68)
recém-casados (prefixo: recém); – perdidamente (sufixo: mente); – apaixonados (prefixo: a; sufixo: nados); – encantamento (prefixo: em; sufixo: mento); – barulhento (sufixo: ento); – implicante (sufixo: ante).

O inventor de palavras (p. 74)
1) O pai do menino era acusado de ser inventor de palavras, porque inventava palavras e as escrevia em um dicionário, de forma a não esquecê-las, e ainda as ensinava às crianças. 2) Dicionarizador. A palavra foi criada com o sentido de indicar uma doença ligada à gramática. 3) No dicionário encontrado havia novas palavras anotadas e palavras riscadas.

O que aconteceu? (p. 75)
Toc-toc (alguém bateu na porta); – *Din-don* (alguém tocou a campainha); – *Cocoricó. Cocoricó!* (o galo cantou); – *Tchibum!* (alguém caiu em uma piscina, num rio etc); – *Aatchim!* (alguém espirrou); – *Nhac!* (alguém deu uma mordida); – *Smack!* (alguém deu um beijo); – *Ai!* (alguém se machucou); – *Uhuu!* (alguém recebeu uma notícia boa).

Concretos e abstratos (p. 81)
SUBSTANTIVOS CONCRETOS: pedra, crianças, avô, amigos, mãe, mundo, bicicleta, passarinhos; – SUBSTANTIVOS ABSTRATOS: sonhos, felicidade, viagem, beijo, beleza, fome, mentira, brincadeira, amor, paz.

382 UMA GRAMÁTICA SIMPÁTICA

Alguns aumentativos e diminutivos (p. 87)
DIMINUTIVOS: ilhota (de ilha), burrico (de burro), ruela (de rua), vilarejo (de vila), barbicha (de barba), frangote (de frango); – AUMENTATIVOS: homenzarrão (de homem), corpanzil (de corpo), cabeçorra (de cabeça), chapelão (de chapéu), canzarrão (de cão), sabichão (de sábio), bobalhão (de bobo).

O astronauta brasileiro (p. 88)
astronauta, Lua, saudades, feijão, amigos, rua, família, ilha, Terra, América do Sul.

Caixa de costura (p. 89)
caixa, botão, dedal, contador, histórias, marcas, agulha, tesoura, tecido, trabalho, interesse, linha, carretéis, abotoadura, harmonia, caixa. OBSERVAÇÃO: costura e vida são substantivos, mas aqui são locuções adjetivas, como vimos na página 114.

De óculos, com anzol azul (p. 93)
país: oxítonas terminadas em s ganham *es* = *países*; – *óculos*: terminados em s não oxítonas permanecem iguais; – *jornal*: terminadas em *al* trocam *l* por *is* = *jornais*; – *anel*: terminadas em *el* trocam *l* por *is* = *anéis*; – *anzol*: terminadas em *ol* trocam *l* por *is* = *anzóis*; – *azul*: terminadas em *ul* trocam *l* por *is* = *azuis*; – *coração*: terminadas em *ão* o plural pode ser *ões* = *corações*; – *irmão*: terminadas em *ão* o plural pode ser *ãos* = *irmãos*; – *amigão*: em *ão* o plural pode ser *ões* = *amigões*; – *cão*: terminadas em *ão* o plural pode ser *ães* = *cães*; – *frágil*: terminadas em *il* não oxítonas trocam *il* por *eis* = *frágeis*; – *febril*: terminadas em *il* oxítonas trocam *l* por *s* = *febris*; – *tórax*: terminadas em *x* ficam iguais; – *feliz* e *mar* terminadas em z e r ganham *es* = *felizes* e *mares*.

Os abaixo-assinados dos tenentes-coronéis (p. 95)
sextas-feiras: numeral e substantivo (geralmente os dois vão para o plural); – *tenentes-coronéis*: dois substantivos (geralmente os dois vão para o plural); – *abaixo-assinados* e *bate-bocas*: primeiro termo é verbo ou palavra invariável (só o segundo vai para o plural); – *mangas-rosa* e *bananas-prata*: o segundo termo é substantivo e limita ou determina o primeiro (só o primeiro varia); – *pães de ló*: termos unidos por preposição (só o primeiro varia); – *guarda-chuvas*: primeiro termo é verbo ou palavra invariável (só o segundo vai para o plural).

Cáfila (p. 99)
1) *cáfila* (camelos); – *matilha* (cachorros); – *colmeia* (abelhas); – *alcateia* (lobos); – *pelotão* (soldados); – *constelação* (estrelas). 2) A cáfila não tinha medo de ser atacada por estrelas, porque não poderia ser atacada por elas. Por isto, apenas admirava as estrelas.

Final alternativo (p. 100)
É você quem escolhe o final alternativo. Não há certo ou errado.

As roupas (p. 105)
1) ARTIGOS DEFINIDOS: as, os, a, o; – ARTIGOS INDEFINIDOS: um, uma; – ARTIGOS FEMININOS: as, a, uma; – ARTIGOS MASCULINOS: os, o, um. 2) à (*a + a*); pela (*por + a*) e na (*em + a*).

GABARITO **383**

O mercadinho (p. 106)
1) Com a crise e violência atuais, os preços sobem, falta gasolina, o dólar dispara, as pessoas ficam ansiosas e procuraram por "medo". 2) Ainda havia "esperança" no mercadinho.

O urso (p. 111)
mais forte: superl. relativo de superioridade; – *tão perigoso quanto*: comp. de igualdade; – *menos irritável do que*: comp. de inferioridade; – *extremamente feroz*: superl. absoluto analítico; – *perigosíssimo*: superl. absoluto sintético; – *o mais amoroso dentre*: superl. relativo de superioridade.

Os novos acordos luso-brasileiros (p. 113)
luso-brasileiros: nos adjetivos compostos, apenas o último elemento recebe a forma plural; – *azul-piscina, amarelo-ouro* e *verde-oliva*: adjetivos referentes a cores são invariáveis quando o segundo elemento da composição é um substantivo; – *greco-romanas* e *norte-americanos*: nos adjetivos compostos, apenas o último elemento recebe a forma plural.

No médico (p. 115)
abdominal (de abdômen); ótico (de visão); renal (de rim); pancreático (de pâncreas).

A caixa de costura (adjetivos – p. 117)
ADJETIVOS: grande, pequeno, colorido, feio, bonito, prosa, orgulhoso, medrosa, valente, afiada, atrevida, cansada, preocupada, novas, velhas, cheios, vazios, velha; – LOCUÇÕES ADJETIVAS: de costura e da vida.

O porteiro noturno? (p. 118)
noturno (da noite); – *de coragem* (corajoso); – *de anjo* (angelical); – *bélico* (de guerra); – *humano* (do homem); – *capilares* (de cabelo); – *estomacais* (de estômago); – *auditivos* (de audição); – *infantil* (de criança); – *de chuva* (chuvosas); – *rural* (do campo); – *lunar* (da lua).

Retos e oblíquos (p. 124)
PRONOMES RETOS: eu, nós, ela, elas; – PRONOMES OBLÍQUOS: conosco, nos, comigo; – PRONOME DE TRATAMENTO: você.

Cena final (p. 125)
PRONOMES RECÍPROCOS: Eles *se* encontram; vamos *nos* separar; Nós *nos* amamos; Eles *se* aproximam; *se* beijam; – PRONOMES REFLEXIVOS: já *me* decidi; *me* sinto; Vou-*me* embora; Ele *se* desespera; Tu *te* enganas; vou *me* matar; – PRONOMES OBLÍQUOS: Olho para *mim*; O espelho *te* engana; Se *te* perder; Você *me* ama; que seria de *mim* sem você?; não *me* deixe.

Perguntas informais para pessoas formais (p. 127)
1) Com uma pessoa com maior formalidade. 2) Com um rei, com uma rainha, com um imperador ou com uma imperatriz. 3) Com o Papa. 4) Com um príncipe, princesa, arquiduque(esa), duque(sa). 5) Com uma alta autoridade. 6) Com um reitor (ou reitora) de faculdade.

Montanha-russa (p. 134)
Bel ficou enjoada e Antônia adorou a montanha-russa.

UMA GRAMÁTICA SIMPÁTICA

Mal-entendido (p. 134)
PRONOMES DEMONSTRATIVOS: *o* que me falaram (o = aquilo que); *mesmos* fazemos (mesmos = próprios); *o* que falaram (o = aquilo que); *aquela* menina; *semelhante*; *tal coisa* (tal); *própria*; *isso*; o que disseram (= aquilo que); *mesmas* pessoas (mesmas).

O não da noiva (p. 135)
1) A noiva não explicou o motivo. 2) Não. Uma madrinha e a mãe da noiva gostaram do não.

Um dia (p. 142)
a *ela*: pronome pessoal reto; *ela* vai e *ela* está: pronome pessoal reto; – *você*: pronome de tratamento; – *me*: pronome oblíquo; – *você*: pronome de tratamento; – *se*: pronome reflexivo; – *eu*: pronome pessoal reto; – *lhe*: pronome oblíquo.

Eu ou mim (p. 142)
eu; mim; mim; mim.

Os pronomes (p. 142)
PRONOMES RETOS: eu, tu; PRONOMES OBLÍQUOS: me, te; PRONOMES DEMONSTRATIVOS: estes, esses, aqueles; PRONOMES POSSESSIVOS: meus, teus, nossos; PRONOMES INTERROGATIVOS: quais.

O correto local dos pronomes (p. 148)
Não *os* culpo: próclise (palavra em sentido negativo "não" é atrativa); – Jamais *os* condenaria: próclise (palavra de sentido negativo "jamais" é atrativa); – Diga-*me*: ênclise (verbo iniciando oração); – Você já *se* sentiu inadequado: próclise (já é advérbio); – Falar-*te*-ei a verdade: mesóclise (verbo no futuro do pretérito do indicativo); – Não *lhe* diria: próclise (palavra em sentido negativo "não" é atrativa); – Defendo-*os*: ênclise (verbo iniciando oração); – Daí que *lhe* dou um conselho de amigo: próclise (pronome relativo "que" é atrativo); – Estude-*os*: ênclise (verbo no imperativo afirmativo); – Aprenda a admirá-*los*: ênclise (verbo no infinitivo impessoal); – Quem *lhe* disse que é impossível: próclise (orações iniciadas por palavras interrogativas); – Tornando-*nos* estudiosos: ênclise (verbo no gerúndio); – encontrá-*los* nos lugares adequados: ênclise (verbo no infinitivo impessoal).

O varal (p. 148)
Já *te* (já é advérbio, tem força atrativa); – nunca *me* (nunca é palavra com sentido negativo, tem força atrativa); – Sinto-*me* (frase iniciada por verbo que não está no futuro); – não *nos* (palavra com sentido negativo tem força atrativa); – Quem *te* (pronome interrogativo tem força atrativa); – Isso *me* (pronome demonstrativo tem força atrativa).

O pôr do sol (p. 151)
1) Antônio acredita que houve uma luta entre o sol e o mar. 2) O pôr do sol alegrou Antônio porque ele não gostava do calor excessivo que o sol trazia.

O tom (p. 156)
1) Ele se angustiou. O tom se escondia. 2) Aplaudiram o cantor.

GABARITO **385**

A ferida (p. 157)
1) A pequena ferida avisou à grande ferida que o menino estava tomando remédio e que elas iriam desaparecer. 2) A grande ferida achou que a pequena ferida era invejosa por estar interessada apenas em parte do seu pus.

O soldado (p. 163)
faça, ame; – faças, ama; – façam ou amem (ou, caso o soldado se inclua na frase: façamos, amemos).

As gravatas-borboletas (p. 168)
A contradição é que as gravatas e as cartolas estão reclamando dos novos tempos, mas a cartola reconhece que as máquinas de escrever não são mais usadas.

Gerúndio e particípio (p. 169)
PARTICÍPIO: já tinha *se* aprontado; já tinha *chegado* no local *combinado*; – GERÚNDIO: estava se *arrumando*; estava *chegando*; se *preocupando*; o deixou *esperando*. OBSERVAÇÃO: No texto, *irritado* e *aborrecido* tem a função de adjetivo, já que exprimem o estado ou uma qualidade do sujeito da frase, sem qualquer relação temporal. Nestes casos, não há tempo composto (veja que as referidas palavras poderiam ser substituídas por um adjetivo, como, por exemplo, "Depois, o Particípio ficou triste."; "Não teve jeito, o Particípio ficou muito triste...").

A corda (p. 169)
pulo: pres. ind.; – *tive*: pret. perf. ind.; – *gostava*: pret. imperf. ind.; – *pegava*: pret. imperf. ind; – *rompeu*: pret. perf. ind.; – *fiz*: pret. perf. ind.; – *tenho*: pres. ind.; – *pularia*: fut. pret. ind.; – *comprarei*: fut. pres. ind.

Coisas do coração (p. 170)
PARTICÍPIO: tenho *pensado*; – tem *andado*; – te *ligado*. GERÚNDIO: *gostando* dela; – está *esperando*; – está *sentindo*; – está *gostando*; – está *falando* sério; – está *brincando*; – me *animando*; – está *namorando*; – te *encontrando*; – Estava *viajando*; – está *gostando*; INFINITIVO: o que *falar*; – *expressar*; – iria *brincar*; – e vou *aguentar*. OBSERVAÇÃO: No texto, *preocupado, inibido, envergonhado, arrasado* e *apaixonado* tem função de adjetivo, já que exprimem o estado ou uma qualidade do sujeito da frase, sem qualquer relação temporal. Nestes casos, não há tempo composto (veja que as referidas palavras poderiam ser substituídas por um adjetivo, como, por exemplo, "fico feliz").

O galo e o lobo (p. 186)
1) *era*: pret. imp. ind.; – *uivava*: pret. imp. ind.; – *conheceu*: pret. perf. ind.; – *cacarejava*: pret. imp. ind.; – *gostaria*: fut. do pret. ind.; *ruminando*: gerún.; – *franziu*: pret. perf. ind.; – *considero*: pres. ind.; *completasse*: pret. imp. subj. – *interrompida*: part.; – *procurar*: infinit.; – *acordo*: pres. ind.; *cacarejar*: infinit.; – *levantem*: pres. subj.; – *conteve*: pret. perf. ind.; – *não seja*: imper. neg.; – *sabendo*: gerún.; – *vire*: pres. subj.; – *arrasado*: infinit. 2) PRET. PRES.: Acordei a fazenda toda e fiz questão de cacarejar antes do nascer do sol. FUT. PRES.: Acordarei a fazenda toda e farei questão de cacarejar antes do nascer do sol.

386 UMA GRAMÁTICA SIMPÁTICA

A fofoqueira (p. 187)
1) A fofoqueira achava a vida dela boa, mas, na verdade, era vazia. 2) Para se sentir importante, ela fazia fofoca. 3) Eu também conheço. Nem te conto...

Alguém do futuro (p. 188)
1) *chegará*: fut. pres. ind.; – *dirá*: fut. pres. ind.; – *viveram*: pret. perf. ind.; – *levamos*: pres. ind.; – *trará*: fut. pres. ind.; – *fico pensando*: (locução verbal, só o verbo auxiliar é flexionado) pres. ind.; – *acontecesse*: pret. impef. subj.; – *faria*: fut. pret. ind.; – *pediria*: fut. pret. ind.; – *viajar*: infinit.; – *sei*: pres. ind.; – *conhecer*: infinit.; – *saber*: infinit.; – *encontrar*: infinit.; – *descobrir*: infinit.; – *darei*: fut. pres. ind.; – *pensou*: pret. perf. ind. 2) Não quero interferir na sua resposta, embora esteja curioso para saber o que você decidiu.

A prova (p. 190)

tem andado (TC); – vou fazer (LV); – pretendo fazer (LV); – tenho estudado (TC); – costumo dormir (LV); – tento ficar (LV); – estou estudando (LV); – deve estar sabendo (LV); – foi adiada (LV); – estava brincando (LV).

Rotina (p. 190)
LOCUÇÕES VERBAIS: chega em casa; – está lendo; – está trabalhando; – vai melhorar; – precisa relaxar; – estou pensando. TEMPO COMPOSTO: tenho ouvido.

O mensageiro do rei (p. 195)
1) Os problemas que o mensageiro narrou para o Rei foram a fome, um surto de peste e a guerra. 2) O Rei não era um bom governante porque jamais enxergou a realidade. Apenas acreditou nas falsas informações trazidas pelo mensageiro.

Identificando os advérbios (p. 202)
Neste anúncio: atrás, perto, bastante, simplesmente; – *Nesta discussão*: não, ontem, já, tarde, muito, amanhã; – *Na dieta*: mal, agora, menos, já, bem, melhor; – *Nesta dúvida*: agora, realmente, provavelmente; — *Nesta comunicação*: não, não, calma, ordenadamente.

E-mail (p. 203)
pouco: adv. de intensidade; – *muito*: adv. de intensidade; – *de manhã*: adv. de tempo; – *de tarde*: adv. de tempo; – *ao lado*: adv. de lugar; – *aqui*: adv. de lugar; – *perto*: adv. de lugar; – *com certeza*: adv. de afirmação; *ainda*: adv. tempo; – *não*: adv. de negação.

Os piratas (p. 207)
após, contra, com, em, de, para, sob, durante, até, do (de+ o), em, diante, dos (de + os).

A epiglote (p. 208)
1) A epiglote agia de forma diferente porque achava engraçado fazer brincadeiras. 2) Quando o coração disse que pararia de bater, os rins aderiram à ameaça de greve e o risco de falência múltipla assustou os órgãos mais medrosos. Além disto, a epiglote chamou o apêndice de inútil. 3) A epiglote não aceitou a imposição do coração porque achava que o senso de humor era fundamental para a vida. 4) Isto significa que o coração aceitou as condições impostas pela epiglote.

GABARITO **387**

Pizzas (p. 213)
duas: numeral cardinal; – *meia*: numeral fracionário; – *dobro*: numeral multiplicativo; – *primeiro*: numeral ordinal.

A barraca de biscoitos (p. 214)
NUMERAIS CARDINAIS: duas, quatro, três, uma, cem; – NUMERAIS ORDINAIS: primeiro, quarta; – NUMERAIS MULTIPLICATIVOS: triplo; – NUMERAIS FRACIONÁRIOS: meio, metade, um terço; – NUMERAIS COLETIVOS: dúzias.

Conjunções (p. 218)
CONJUNÇÕES COORDENATIVAS – *e, nem*: aditivas; *mas*: adversativa: *ou... ou*: alternativa. CONJUNÇÕES SUBORDINATIVAS – *já que*: causal; *à medida que*: proporcional; *caso:* condicional; *tão... que*: consecutiva; *que*: integrante.

Interjeições (p. 223)
opa; ah; se Deus quiser.

Amigos (p. 223)
oi; puxa; ai de mim; oba; hum; ah; que bom; tomara.

3. Crase

Padaria Braga (p. 233)
entregamos a domicílio: 'domicílio' é palavra masculina; – *são as regras*: verbo 'ser' não pede preposição (veja: são os termos da padaria); – *A senhora conhece*: há apenas artigo (veja: o senhor conhece); – *à esquerda, à direita*: locuções adverbiais femininas que expressam ideia de lugar; – *verá a padaria*: verbo transitivo direto não pede preposição (veja: verá o supermercado); – *à tarde* locução que indica parte do dia; – *manobrista até às 17 horas*: crase opcional; – *à vontade*: locução adverbial feminina que expressa ideia de modo; – *À noite*: locução adverbial feminina que expressa ideia de tempo; – *a sexta*: há apenas preposição (veja: de segunda a sábado); – *às 7 horas, às 22 horas, às 8 horas*: indicação de horas; – *a prazo*: prazo é palavra masculina; *à vista*: locução adverbial feminina que expressa ideia de modo; – *Às vezes*: locução adverbial feminina que expressa ideia de tempo; – *a ajudar*: não há crase antes de verbo no infinitivo.

Um dia de sol (p. 234)
às sete; às oito; à praia; à milanesa; às três; à noite; às avessas.

A floricultura (p. 235)
foi à floricultura (foi ao mercado); – *a mais bela rosa* (o mais belo cravo); – *entregou a flor à namorada* (entregou o bilhete ao namorado); – *às 20 horas* (horas); *à porta* (ao portão); – *reclamações à gerência* (reclamações ao gerente); – *demoraram a entregar a encomenda* (entregar: verbo/ entregar o pacote); – *que as orquídeas estavam feias* (que os lírios estavam feios); – *a loja ficava cheia* (o estabelecimento ficava cheio); – *de amantes à moda antiga* (à moda: locução adverbial de modo); – *idênticas àquelas compradas* (idênticas a + aquelas); – *à procura* (à procura: locução prepositiva feminina); – *dia a dia* (repetição); – *regavam as plantas* (regavam os vasos); – *adubavam a terra* (adubavam o solo); – *atendiam a todos* (todos: pronome indefinido); – *a funcionária mais antiga* (o funcionário mais antigo); – *bife à parmegiana* (à moda parmegiana); – *a mais engraçada* (o mais engraçado); – *foi à Bahia* (foi para a Bahia); – *iria a Fortaleza* (iria para For-

388 UMA GRAMÁTICA SIMPÁTICA

taleza); – *a dona da floricultura* (o dono da floricultura); – *compareceu à cerimônia* (compareceu ao evento); – *agradeceu muito a homenagem* (agradeceu muito o prêmio); – *à noite* (locução adverbial de tempo); – *as pessoas iam embora* (os homens iam embora); – *a vontade das flores era relaxar* (o desejo das flores era relaxar); – *à vontade* (à vontade: locução adverbial de modo).

4. Sintaxe

O camelo (p. 241)
O camelo se olhou no espelho e achou lindas suas corcovas.

O saci (p. 241)
1) E pior: está fumando! 2) Você sabe o que isto significa?

Um sujeito indeterminado (p. 245)
(1) sujeito indeterminado; – (2) sujeito simples (ele); – (3) sujeito oculto (ele); – (4) sujeito oculto (ele); – (5) sujeito indeterminado; – (6) sujeito indeterminado; – (7) sujeito oculto (ele); – (8) sujeito simples (eu); – (9) sujeito oculto (eu, em razão da desinência); – (10) sujeito indeterminado (reclamam) e sujeito oculto (eu) (existo); – (11) sujeito indeterminado – (12) oração sem sujeito.

As nuvens (p. 247)
1) Sujeito inexistente: *escurece*; *chove*; – 2) Sujeito composto: *o raio e o trovão*; – 3) Sujeito invertido: *lá vêm várias nuvens negras*.

A compra da segunda lua (p. 250)
1) A razão principal apresentada para justificar a compra da segunda lua era colocar o mundo no patamar de outros importantes planetas. 2) A segunda lua teve um efeito negativo sobre o clima. Além disto, denúncias indicaram que ela foi comprada por preço bem superior ao que valia no mercado interplanetário. 3) Exceto os apaixonados, as pessoas ficaram insatisfeitas com a compra da segunda lua.

Órion (p. 251)
1) predicado verbal. 2) predicado nominal. 3) predicado verbal. 4) predicado nominal.

Três irmãos (p. 257)
é engraçada: de ligação; – *gosta* de sorvete: transitivo indireto; – *está* animada: de ligação; – me *surpreende*: transitivo direto; – me *diverte*: transitivo direto; – me *entende*: transitivo direto; – *sorri*: intransitivo; – *canta* alto: intransitivo; – *come* sushi: transitivo direto.

Trabalho (p. 260)
preocupado; inteligente; responsável; interessante; exausto.

Mudanças (p. 260)
era (predicativo do sujeito: forte); – *era* (predicativo do sujeito: feia); – se *tornou* (predicativo do sujeito: linda), – *parece* (predicativo do sujeito: enfraquecido).

Diálogo (p. 262)
com os resultados; de você; em você; da sua amizade.

GABARITO ·389

Cotidiano (p. 265)

OBJETO DIRETO: café; um ônibus; os cabelos; um doce; um suco; o dever de casa; a matéria; um livro, música; um banho; meus pés; o telefone. – OBJETO INDIRETO: da escola; ao barbeiro; de português; de xampu; em muitas coisas; com você.

Campeonato (p. 267)

VOZ ATIVA: O pior time conquistou o campeonato. Pelas ruas, cantaram o hino do clube. – AGENTE DA PASSIVA: pelo pior time.

O velho circo (p. 269)

pelos leões: agente da passiva; – *o equilíbrio*: objeto direto; – *sem graça*: predicativo do sujeito; – *aos comandos*: objeto indireto; – *de cordas*: objeto indireto; – *uma magia no ar*: objeto direto (no ar: complemento nominal); – *o cheiro do picadeiro*: objeto direto (do picadeiro: complemento nominal); – *da lona encantada*: objeto indireto (encantada: adjunto adnominal); – *a um sentimento de infância*: objeto indireto (de infância: complemento nominal); – *por todos*: agente da passiva.

As placas (p. 273)

uma placa foi colocada em um poste: voz passiva analítica; – *Alugam-se bicicletas*: voz passiva sintética; – *várias bicicletas foram alugadas*: voz passiva analítica; – *Consertam-se fogões*: voz passiva sintética; – *Precisa-se de mecânicos*: sujeito indeterminado; – *Compra-se ouro*: voz passiva sintética; – *Vendem-se placas*: voz passiva sintética; – *A curiosidade de todos foi despertada pela placa*: voz passiva analítica; – *a pessoa amada seria trazida?*: voz passiva analítica; – *A mensagem não foi entendida por ninguém*: voz passiva analítica.

Um romântico (p. 276)

(1) *Objeto direto pleonástico*: se fosse dito apenas "Ele entregou as flores a ela", só haveria um objeto direto. Mas, diante da ordem da frase, há dois objetos diretos. – (2) *Objeto direto preposicionado*: amar é verbo transitivo direto. No entanto, "a quem" está com preposição. – (3) *Predicativo do objeto*: romântico é uma característica do rapaz, que é objeto direto. Veja com a substituição pelo pronome: "ela o considerava um romântico". – (4) *Objeto indireto*: precisava: verbo transitivo indireto. – (5) *Objeto direto preposicionado*: enganar: é verbo transitivo direto. No entanto, nesta oração o objeto está com preposição. – (6) *Objeto direto preposicionado*: amar: é verbo transitivo direto. No entanto, nesta oração o objeto está com preposição.

À venda (p. 278)

um, uma, velho, manchada, furado, rasgada.

Pela rua (p. 280)

pela rua: adj. adv. de lugar; – *com os amigos*: adj. adv. de companhia; – *muito*: adj. adv. de intensidade; – *depois de tudo*: adj. adv. de tempo; – *para a lua*: adj. adv. de lugar; – *em silêncio*: – adj. adv. de modo; *rapidamente*: – adj. adv. de modo; – *com certeza*: adj. adv. de afirmação; – *não*: adj. adv. de negação.

O tapete mágico (p. 280)

1) Em cima do tapete mágico, o menino sobrevoou palácios e pirâmides, conheceu mercados com encantadores de serpentes, fugiu de um ataque inesperado de bárbaros. 2) O menino tinha imaginação.

390 UMA GRAMÁTICA SIMPÁTICA

O descobrimento (p. 282)
Mariana; professora; Carol; professora; Juliana; professora.

Festa no céu (p. 283)
1) Que nada, *crocodilo*; *Crocodilo*, você mesmo disse que é meio nervoso...; *Tucano*, você está me irritando. 2) Vocativos não têm função sintática. 3) uma ave inexpressiva; um animal com mordida suficientemente forte para quebrar ossos de uma zebra.

Conselho (p. 283)
APOSTOS: não deixe nada para a última hora; meu primo. – VOCATIVOS: Zé Guilherme; Eduardo.

A feira de monstrinhos (p. 284)
1) O monstrinho fazia festa quando o pai chegava, ficava no pé dele enquanto lia jornal, abanava o rabo quando eles saíam para passear. 2) destruía móveis, comia chinelos, urinava onde não podia, soltava pelos; agora já mais crescido.

Diferenças (p. 285)
OBJETO INDIRETO: de flores, no futuro; – COMPLEMENTO NOMINAL: do escuro, por futebol.

A mulher do vizinho (p. 287)
ADJUNTOS ADNOMINAIS: do vizinho; de ouro; de joias; de couro; de crédito. COMPLEMENTOS NOMINAIS: de tudo.

Um menino falante (p. 289)
aquele e falante: termos que acompanham o substantivo sem preposição (AA); – *com a minha vida*: se relaciona com adjetivo (CN); – *da escola*: se relaciona com advérbio (CN); – *de brinquedos*: se relaciona com substantivo concreto (AA); – *O amor da minha mãe*: a mãe sente amor, é agente do amor (AA); – meu amor *pela minha mãe*: amor é sentido pela mãe (CN); – *medo de fantasmas*: fantasmas causam medo (CN).

Os três porquinhos (p. 289)
(AA): livro *de histórias*; – na mesa *de cabeceira*; – *os três* porquinhos; – *o primeiro* porquinho; – uma casa *de palha*; – casa *de madeira*; – *do segundo* porquinho; – o menino *curioso*; – *um* porquinho *indefeso*; – *um poderoso* lobo; – (CN): medo *do lobo mau*; – contente *com seu novo lar*; – cheio *de energia*; – problemas *de respiração*. OBSERVAÇÃO: Às vezes, o complemento nominal pode ser uma oração inteira, como vimos na página 301. No texto, a frase "de que o lobo tinha problemas respiratórios" tem um papel de complemento nominal, por isto é chamada de oração substantiva completiva nominal.

A fábrica de amor (p. 290)
A fábrica de amor estava sendo sabotada, ao que tudo indica pelo ódio.

A audiência (p. 291)
PREDICATIVO DO SUJEITO: lotada, feio, malvestido, inteligente, engraçado, inocente. – PREDICATIVO DO OBJETO: culpado.

Um anjo torto (p. 294)
APOSTO: poeta *Drummond*; – ADJUNTO ADNOMINAL: poesia *de Drummond*.

GABARITO **391**

Um barão excêntrico (p. 294)
um barão excêntrico: objeto direto (um e excêntrico: adjuntos adnominais); – *com uma doce baronesa*: objeto indireto (uma e doce: adjuntos adnominais); – *à beira de um lago*: adj. adv. de lugar; – *pelo jardim*: adj. adv. de lugar; – *as flores do campo*: objeto direto (do campo: adjunto adnominal); – *de bicicleta elétrica*: objeto indireto (elétrica: adjunto adnominal de meio); – *sorvete de flocos*: objeto direto (de flocos: adjunto adnominal); – *na rede*: adj. adv. de lugar; – *o piano desafinado*: objeto direto (desafinado: adjunto adnominal); – *um pedaço de pizza*: objeto direto (um e de pizza: adjuntos adnominais); – *um rápido cochilo*: (um e rápido: adjuntos adnominais [rápido funciona como como adjetivo]); – *vinho tinto*: objeto direto (tinto: adjunto adnominal); – *seu amor*: objeto direto (seu: adjunto adnominal); – *à baronesa*: objeto indireto; – *um sono profundo*: objeto direto (um e profundo: adjuntos adnominais).

Se (p. 296)
Ele se arrependeu: pron. pess. reflexivo; – *Se tivesse esperado*: conj. subord.; – *fazem-se perguntas*: pron. apassivador; – *precisa-se de explicações*: índice de indeterm. do suj.; – *o se nem se preocupe*: pron. pess. reflexivo.

O carro velho (p. 300)
e o pneu está gasto: sindética aditiva; – *mas não funciona bem*: sindética adversativa; – *porque já tinha combinado*: sindética explicativa; – *ou vai ficar a pé*: sindética alternativa.

De manhã (p. 300)
mas se levanta: or. coord. sindética adversativa; – *ou chegará atrasado*: or. coord. sindética alternativa; – *e prepara o café*: or. coord. sindética aditiva; – *ora se anima ora se aborrece*: or. coord. sindética alternativa; – *pois tem um novo projeto*: or. coord. sindética explicativa; – *portanto será promovido*: or. coord. sindética conclusiva; – *porém o sono ainda é grande*: or. coord. sindética adversativa; – *mas não pode*: or. coord. sindética adversativa.

A invasão marciana (p. 303)
que os marcianos estão fortemente armados: or. subord. subst. subjetiva; – *que eles vão invadir à Terra*: or. subord. subst. objetiva direta; – *que você pensa que estamos sozinhos no Universo*: or. subord. subst. predicativa; – *de que há milhares de planetas e galáxias*: or. subord. subst. objetiva indireta; – *de que os marcianos venham*: or. subord. subst. completiva nominal; – *que nos deixem viver livremente*: or. subord. apositiva.

O cocoricó que irritava (p. 305)
que cantava alto: or. subord. adjetiva restritiva; – *que tinha sono leve*: or. subord. adjetiva explicativa; – *que reclamava de tamanha insensibilidade*: or. subord. adjetiva explicativa; – *que despertava a todos*: or. subord. adjetiva explicativa – *que eram inúmeras*: or. subord. adjetiva explicativa; – *que era um homem de bem*: or. subord. adjetiva explicativa; – *que tanto o irritou*: or. subord. adjetiva restritiva.

Somos diferentes? (p. 305)
Ontem encontrei meu primo que mora em Teresópolis.: or. subord. adjetiva restritiva (A pessoa que escreve tem mais de um primo e encontrou o que mora em Teresópolis). *Ontem encontrei meu primo, que mora em Teresópolis.*: or. subord. adjetiva explicativa (A pessoa que escreve tem apenas um primo e pretende informar que ele mora em Teresópolis).

392 UMA GRAMÁTICA SIMPÁTICA

O lobo bom (p. 308)
tanto mais se angustiava: or. subord. adverbial proporcional; – *que era muito inteligente*: or. subord. adjetiva (explicativa); – *embora mudasse os fatos*: or. subord. adverbial concessiva; – *porque ficava nervoso*: or. subord. adverbial causal; – *que não concordava com aquelas histórias*: or. subord. substantiva objetiva direta; – *para que alguém ouvisse*: or. subord. adverbial final; – *que ficou exausto*: or. subord. adverbial consecutiva; – *que o homem mau não se abalou*: or. subord. substantiva predicativa.

Sim / não (p. 309)
No texto *Sim* o choro é de alegria; no texto *Não* o choro é de tristeza pelo desencontro.

Cartas para Julieta (e suas respostas) (p. 310)
(1) or. subord. adverbial causal; – (2) or. subord. adverbial proporcional; – (3) or. subord. adverbial final; – (4) or. subord. adverbial conformativa; – (5) or. subord. adverbial concessiva; – (6) or. subord. adverbial condicional; – (7) or. subord. adverbial temporal; – (8) or. subord. adverbial proporcional; – (9) or. subord. adverbial causal; – (10) or. subord. adverbial condicional; – (11) or. subord. subjetiva predicativa; – (12) or. subord. adverbial proporcional; – (13) or. subord. adjetiva restritiva; – (14) or. subord. objetiva direta; – (15) or. subord. adverbial condicional; – (16) or. subord. objetiva direta.

A princesa e o sapo (p. 314)
(1) *casar com você*: or. subord. apositiva reduzida de infinitivo; – (2) *fazer você feliz*: or. subord. predicativa reduzida de infinitivo; – (3) *desorientada*: predicativo do sujeito; (4) – *de beijar você*: or. subord. completiva nominal reduzida de infinitivo; (5) *perdida*: predicativo do sujeito; – (6) *precisar de um tempo*: or. subord. objetiva direta reduzida de infinitivo; – (7) *entrando em casa*: oração adverbial temporal reduzida de gerúndio; – (8) *a largar tudo*: or. subord. completiva nominal reduzida de infinitivo; – (9) *começar uma nova vida*: or. subord. predicativa reduzida de infinitivo; – (10) *arrumarem suas malas*: or. subord. objetiva direta reduzida de infinitivo; – (11) *arrependida*: predicativo do sujeito.

As pessoas da aldeia (p. 315)
No final de uma rua de terra: adj. adv. de lugar; – *destelhada*: predicativo do objeto; – *as pessoas da aldeia*: sujeito; – *um velho solitário*: sujeito; – *rabugento e violento*: predicativo; – *num armário*: adjunto adverbial de lugar; – *um lobo*: objeto direto; – *para a lua cheia*: adj. adv. de lugar; – *uma velha senhora*: sujeito; – *má e vingativa*: predicativo; – *a cada dia*: adj. adv. de tempo; – *novas histórias do velho, de seu cachorro e da sua empregada*: sujeito; – *os*: objeto direto; – *na velha casa abandonada*: adj. adv. de lugar.

A festa do conde drácula (p. 321)
Fazia; havia; Eram, pensava ou pensavam; achou.

O batalhão (p. 321)
Eram quatro: o verbo que indica hora, dias, ou distância concorda com o numeral; – *batalhão*: substantivo coletivo: o verbo fica no singular. Apenas iria para o plural se o coletivo também estivesse no plural (*os batalhões festejaram*); – *Havia soldados*: o verbo haver no sentido de existir conjuga-se no singular; – *cerca de*: em expressão de quantidade aproximada, o verbo vai para o plural;

GABARITO **393**

– *um quinto*: em números fracionários o verbo concorda com o numerador; – *a maior parte*: o verbo pode ficar no singular ou no plural (*a maior parte deles estavam salvas*); – *Mais de um*: o verbo concorda com o numeral; – *mais de trinta*: o verbo concorda com o numeral; – *Não só... mas também...*: em expressões correlativas o verbo vai para o plural; – *com* (ligando sujeitos): o verbo vai para o plural; – *fazia dois anos*: o verbo fazer impessoal fica no singular.

A rima (p. 322)
1) O rinoceronte queria encontrar rimas, porque iria a uma roda de poesias e achava que não entenderia a conversa se não soubesse falar rimado. 2) A frase poética que o rinoceronte fala é "A formiga escreve versos na lua". 3) O rinoceronte achou que o coelho o ajudou porque depois de conversar com ele, o rinoceronte conseguiu achar rimas.

Meio sonolenta (p. 328)
1) *meio sonolenta*: advérbio; – *bastante agitada*: advérbio; – *muitos conflitos*: pron. ind.; – *muitas guerras*: pron. indef.; – *poucas pessoas*: pron. indef.; – *ri alto*: advérbio; – *meia taça*: adjetivo; – *não se sente só*: adjetivo. 2) *O mundo está perdido*: particípio concorda com o substantivo; – *É preciso ter esperança e fé*: quando "é preciso" está em expressão genérica, usa-se o masculino; – *É bom beber menos café*: quando "é bom" está em expressão genérica, usa-se o masculino.

A regência (p. 331)
estava irritadíssimo: verbo de ligação; – *lhe informara* (informado a ele): transitivo indireto; – *tinham regência própria*: transitivo direto; – *estava nervoso*: verbo de ligação; – *preciso de*: transitivo indireto; – *têm* regência: transitivo direto; – *não acredito*: verbo intransitivo; – *não comanda os verbos*: transitivo direto; – *maestros regem suas orquestras*: transitivo direto.

Uma rosa (p. 331)
compra: transitivo direto e indireto; – *está*: verbo de ligação; – *corre*: intransitivo; – *cai*: intransitivo; – *vê*: transitivo direto; – *permanece*: verbo de ligação.

Histórias da vovó (p. 335)
Entendo seu ponto de vista. Eu acho que o telefone celular é um meio muito importante de comunicação e de obtenção de informações, mas precisamos ter atenção com o seu uso excessivo.

A mala extraviada (p. 336)
1) A mala acredita ter sido extraviada porque dormiu na hora do desembarque e não prestou a atenção que deveria. 2) Em caso de extravio, a mala tinha sido orientada a não se afastar da esteira e de só sair dali com o pessoal da companhia aérea. 3) Caso a mala fosse levada por um estranho, ela gritaria o mais alto possível para que a polícia aparecesse e também para que fosse colocada no voo certo.

5. Morfosintaxe

Os sem função sintática (p. 340)
PREPOSIÇÃO: *desde*; – CONJUNÇÃO: *e* – INTERJEIÇÃO: *puxa*.

O mágico (p. 341)
ARTIGOS: *o* (mágico), *uma* (cartola), *um* (coelho), *um* (lenço), *uma* (flor), *um* (funil), *os* (adultos), *um* (truque), *as* (crianças); – ADVÉRBIOS: dentro; rapidamente; não. Função sintática dos artigos: adjunto adnominais; dos advérbios: adj. adv. de lugar e adj. adv. de modo.

Um e o outro (p. 342)
VERBOS SIGNIFICATIVOS: reclama, dança, canta, pediu, deu, acorde, ria, perca, achou; – VERBOS DE LIGAÇÃO: fica, vive, parece, ficou, permanece.

A feira e a fera (p. 344)
(*é um*) *menino*: predicativo do sujeito; – (*gosta de*) *doces*: objeto indireto; – *mãe* (*disse*): sujeito; – *filho*, (*vá até a feira*): vocativo; – (*compre um*) *doce*: objeto direto; – (*tenho medo de*) *leões*: complemento nominal; – *mãe* (*achou graça*): sujeito; – (*meu*) *querido*: aposto; – *leões* (*não vão à feira*): sujeito; – *o menino* (*era*): sujeito.

O canto da sereia (p. 344)
canto: sujeito; – *marinheiro*: objeto direto; – *mar*: adjunto adverbial de lugar; – *amor*: objeto direto. OBSERVAÇÃO: no caso "amor eterno" é uma expressão única; por isso, se analisa *eterno* junto com *amor*.

A abelha (p. 346)
a abelha ficou *irritada*: predicativo do sujeito; – abelha *irritada* preparou: adjunto adnominal; – estava *feliz*: predicativo do sujeito; – abelha *culpada*: predicativo do objeto.

Açougue (p. 347)
Vou separar *três*: objeto direto; – *Três* é muito: sujeito; – Preciso de *dois*: objeto indireto; – *Dois* quilos são suficientes: adjunto adnominal.

A água milagrosa (p. 348)
Sinceramente, gostaria de saber o que você faria.

Ele (p. 351)
Onde *ele* está?: sujeito; – não *me* surpreendo: objeto direto; – *Ele nos* garantiu que viria: (*ele*) sujeito, (*nos*) objeto indireto; – *Eu lhe* disse: (*eu*) sujeito, (*lhe*) objeto indireto; – que *ele* é enrolado: sujeito; – Pode *se* conformar: objeto direto; – *nós nos* arrumamos: (*nós*) sujeito, (*nos*) objeto direto; – Se *eu o* encontrar: (*eu*) sujeito, (*o*) objeto direto; – não sei o que vou *lhe* dizer: objeto indireto; – *ela* avisou: sujeito; – Quem é *ela*?: predicativo do sujeito.

Confusão (p. 351)
te: objeto indireto; – *ele* (não irá): sujeito; – (falar com) *ele*: objeto indireto; – *o* (chateou): objeto direto; – *eu*: sujeito.

Difícil situação (p. 353)
este: adj. adnominal; – *aquela*: adj. adnominal; – *isso*: sujeito.

Colmeia (p. 354)
própria (= essa): adj. adnominal; – *a* (= aquela que): sujeito; – *mesmo*: predicativo; – *tal* (= essa): adj. adnominal.

Fim de festa (p. 357)
que aconteceu: sujeito; – *que* história: adj. adnominal; – *quem* falou isso: sujeito; – *qual* pessoa: adj. adnominal; – *quantos* anos: adj. adnominal.

Interrogatório (p. 358)
várias: adj. adnominal; – *ninguém*: sujeito; – *alguém*: sujeito.

Três pedidos (p. 359)
Não quero me meter na sua decisão, mas pense bem no que você vai escolher.

6. Figuras de linguagem

Hipérboles (p. 364)
morrendo de sede; – um milhão de vezes; – mil anos para; – do tamanho do universo.

Catacrese (p. 367)
céu da boca; – pé da mesa; – braço da cadeira; – batata da perna; – asa da xícara; – dente de alho; – cabeça do prego; – árvore genealógica.

Como explicar? (p. 367)
voz doce: sinestesia; – *abraço quente*: sinestesia; – *olhos de mar*: metáfora; – *perdidamente apaixonado*: hipérbole; – *pediu a mão dela em casamento*: metonímia; – *entregou seu coração*: metáfora.

O terno cinza (p. 368)
1) A figura de linguagem usada no texto é a *prosopopeia*. 2) A figura de linguagem usada é a *metáfora*. A expressão significa que o terno azul era metido a besta, esnobe. 3) A figura de linguagem usada é a *metáfora*. A expressão significa que o terno cinza estava cada vez mais triste.

Despedida (p. 369)
Chega uma hora que chega ao fim: anáfora; – Mas *o fim é sempre um começo*: paradoxo; – *ufa!*: onomatopeia; – E *o livro está feliz*: prosopopeia; – *bom para você como foi para mim*: comparação; – da *Cidade Maravilhosa*: antonomásia ou perífrase; – te mando *meu caloroso abraço*: sinestesia; – *coração inundado de coisas boas*: metáfora; – *eu, canceriano*: elipse; – *vou morrer de saudades*: hipérbole.

ÍNDICE (AFETIVO) DE NOMES

Para os exemplos do livro utilizei os nomes da minha mulher e dos meus filhos, dos meus pais, avós, irmãos, cunhados, tios, sobrinhos e afilhados, dos meus amigos, dos filhos dos meus amigos ou de amigos dos meus filhos. Infelizmente, faltaram exemplos para incluir algumas pessoas queridas:

Adriana (Amorim), 366
Adriana (Benchimol), 343
Adriana (Borgeth), 279
Adriana (Mendes), 313
Adriana (Santini), 307
Afonso (Barbosa), 147
Alan (Guelman), 307
Alan (Hadid), 257
Alan (Zisman), 279
Alessandra (Hadid), 257
Alexandre (Velloso), 174
Alexia (Galhardo), 253
Alice (Dantas), 30
Aline (Hadid), 257
Amanda (Benchimol), 126
Amelia (Barbosa), 249
Amir (Zisman), 254
Ana (Campos), 268
Ana Letícia (Gualda), 365
Ana Paula (Lemos), 312
Anabela (Serruya), 246
André (Benchimol), 226
André (Cerqueira), 253
André (Dantas), 226
André (Datz), 248
André (Saboya), 217
André (Sigelmann), 332
André (Telles), 51
André (Valle), 312
Andrea (Rabi), 136
Ângela (Reiniger), 355
Aninha (Velloso), 43
Antônia (Lobo), 134
Antonia, (Pinho), 158
Antonio (Beloch), 136
Antonio (Bergallo), 343

Antônio (Duarte), 147
Antônio (Torres), 151
Antônio (Vargas), 275
Babeth (Bittencourt), 356
Bárbara (Bosisio), 264
Beatriz (Brito), 167
Beatriz (Velloso), 174
Bel (Castro Neves), 277
Bel (Costa), 134
Benjamim (Serruya), 246
Beny (Zisman), 279
Bernardo (Bosisio), 264
Bernardo (Gandara), 259
Bernardo (Sequeira), 77
Bernardo (Távora), 226
Beth (Machado), 263
Beto (Zusman), 295
Bia (Binenbojm), 345
Bia (Duarte), 48
Bianca (Laufer), 155
Braga (Fabiana e Hegel), 233
Bruna (Amorim), 48
Bruna (Dalem), 123
Bruno (Afonso), 51
Bruno (Bensadon), 226
Bruno (Bonini), 279
Bruno (Lopes), 264
Bruno (Saboya), 227
Carlos (Ferrari), 343
Carlos (Viana), 137
Carlos Alexandre (Lobo), 333
Carlos Augusto (Lacerda), 312
Carol (Afonso), 51
Carol (Lobo), 333
Carol (Parente), 47
Carol (Rielo Santos), 282

ÍNDICE (AFETIVO) DE NOMES   397

Carol (Sequeira), 77
Catarina (Telles), 51
Cecília (Bonini), 279
Cecilia (irmã), 281
Chico (Carvalho), 51
Cibele (Assunção), 366
Ciça (Macedo), 239
Clara (Assunção), 48
Clarice (Velloso), 246
Clarisse (Lopes), 264
Cláudia (Rodrigues), 136
Cláudio (Ferraz), 355
Cláudio (Janowitzer), 292
Cláudio (Serruya), 43
Cláudio (Soares), 211
Cris (Galhardo), 254
Custódia (Bernardes), 263
Dani (Benchimol), 226
Dani (Mandelblatt), 365
Daniel (Benchimol), 48
Daniel (Braga), 78
Daniel (Melo), 351
Daniel (Sznajder), 288
Daniel (Velloso), 246
Daniela (Parente), 362
Daniela (Peres), 355
Dany (Zisman), 279
Davi (Berto), 344
Diego (Ferreira), 312
Diogo (Benchimol), 198
Dionísio (Queiroz), 109
Donna (Benchimol), 49
Doris (Bonini), 330
Doris (mãe), 329
Duda (Castro Neves), 281
Duda (Duarte), 48
Duda (Gomes), 158
Duda (Viana), 298
Duda (Vereza), 343
Eduardo (Amorim), 48
Eduardo (Bitran), 252
Eduardo (Bonini), 179
Eduardo (Bourbon), 253

Eduardo (Duarte), 365
Eduardo (Majzels), 47
Eduardo (Oberg), 283
Eduardo (Parente), 362
Elisa (Barbosa), 249
Elisa (Janowitzer), 286
Emerson (Mendes), 190
Érika (Rangel), 355
Ernesto (avô), 316
Fabiana (Zusman), 295
Felipe (Barbosa), 323
Felipe (Fortini), 51
Felipe (Fraga), 279
Felipe (Guimarães), 229
Felipe (Janowitzer), 249
Felipe (Leta), 109
Felipe (Mandelblatt), 48
Fernanda (Castro Neves), 238
Fernando (Majzels), 130
Flávio (Datz), 103
Flávio (Salles), 227
Gabi (Carneiro), 210
Gabriel (Albuquerque), 217
Gabriel (Benchimol), 179
Gabriel (Brakarz), 351
Gabriel (Darriba), 129
Gabriel (Datz), 248
Gabriel (Galhardo), 253
Gabriel (Guelman), 307
Gabriel (Leonardo), 288
Gabriel (Zagury), 249
Gabriela (Falcão), 355
Gabriela (Faur), 258
Gilberto (Amorim), 366
Gisela (Duarte), 365
Gisele (Lourenço), 238
Guilherme (Assunção), 48
Guilherme (Benchimol), 342
Guilherme (Castro Neves), 279
Guilherme (Sznajder), 227
Guilherme (Sequeira), 77
Guilherme (Tostes), 164
Guilherme (Velloso), 43

398 UMA GRAMÁTICA SIMPÁTICA

Gustavo (Benchimol), 211
Gustavo (Direito), 283
Gustavo (Parente), 47
Helena (Lobo), 324
Henrique (Assunção), 48
Henrique (Parente), 46
Ignacio (Ipiña), 281
Igor (Benchimol), 198
Ilana (Brakarz), 334
Isabela (Capistrano), 279
Isabela (Farias), 355
Isabela (Rabi), 232
Isac (Langier), 312
Isadora (Serruya), 246
Israel (Benchimol), 179
Jayne (Serruya), 43
Joana (Cerqueira), 253
Joana (Holanda), 48
João (Amado), 282
João (Barbosa), 323
João (Bueno do Prado), 261
João (Fraga), 279
João (Viana), 297
João Henrique (Leal), 47
João Pedro (Castro Neves), 279
Joaquim (Bueno do Prado), 261
Joaquim (Herculano), 282
José (avô), 317
José (Serruya), 246
Júlia (Benchimol), 249
Júlia (Ruela), 226
Júlia (Sigelmann), 228
Juliana (Barroso), 255
Juliana (Montenegro), 215
Juliana (Rielo Santos), 282
Juliano (Assunção), 366
Kaluf (Duek), 343
Lara (Galhardo), 253
Lara (Gomes), 211
Lara (Janowitzer), 249
Laura (Benchimol), 249
Laura (Binenbojm), 345
Laura (Schmidt), 362
Lavínia (Holanda), 334

Letícia (Bosisio), 264
Letícia (filha), 165
Liana (Benchimol), 43
Lorena (Bines), 294
Lourdes (Cruz), 263
Lucas (Ipiña), 281
Lucas (Melo), 351
Lucas (Mendes), 109
Luciana (Barcelos), 313
Luciano (Galhardo), 254
Luiza (Assunção), 48
Luisa (Beloch), 345
Luiza (Calaça), 124
Luisa (Fortini), 51
Luisa (Gualda), 228
Luiz Márcio (Pereira), 147
Luiza (Melo), 351
Mabi (D'Arcy), 351
Malu (Brakarz), 351
Manu (Ferraz), 279
Marcelo (Dickstein), 261
Marcelo (Madureira), 297
Manuela (Mandelblatt), 48
Marcelo (Gesualdi), 82
Marcelo (Barbosa), 334
Márcia (Datz), 123
Márcia (Holanda), 366
Márcio (Campos), 332
Márcio (Leal), 333
Margarida (Bernardes), 263
Mari (Viana), 297
Maria (Cabral), 263
Maria (Calaça), 124
Maria Antônia (Lobo), 324
Maria Antônia (Soares), 48
Maria Clara (Vasconcelos), 253
Maria Laura (Soares), 48
Mariana (Bonini), 179
Mariana (Capistrano), 279
Mariana (Olivieri), 334
Mariana (Penedo de Andrade), 223
Mariana (Pimenta), 229
Mariana (Rocha), 282
Marina (Bourbon), 253

ÍNDICE (AFETIVO) DE NOMES 399

Marina (Holanda), 48
Marina (Janowitzer), 249
Marina (Salles), 244
Mateus (Ferraz), 279
Maurício (Abadi), 123
Michel (Benchimol), 48
Michel (Guelman), 43
Michele (Duek), 301
Miguel (Ipiña), 281
Mirela (Bitran), 252
Mirelle (Mi), 277
Mônica (Bonini), 229
Mônica (Tostes), 164
Nair (avó), 317
Natalie (Campos), 332
Nenzinha (Simplício), 263
Nicolas (Berredo), 260
Nicolau (Olivieri), 334
Nicole (Benchimol), 199
Nina (Benchimol), 329
Nina (Cypriani), 254
Nina (Fraga), 158
Nina (Moretto), 190
Nina (Sigelmann), 228
Patricia (Menezes), 333
Patricia (Viana), 137
Paulo (Geiger), 211
Paulo (Souza), 334
Paulo César (Mello), 329
Paulo Henrique (Cerqueira), 253
Pedro (Barbosa), 155
Pedro (Beloch), 345
Pedro (Coutinho), 332
Pedro (Ferreira de Souza), 47
Pedro (Ipiña), 281
Pedro (Janowitzer), 286
Pedro (Motta Gueiros), 248
Pedro (Salles), 244
Pedro Henrique (Vasconcelos), 255
Pietra (Bines), 294
Priscila (Sigelmann), 332
Rafael (Carmiol), 109
Rafael (filho), 165
Rafael (Majzels), 47

Rafael (Mandelblatt), 48
Rafael (Soares), 48
Rafael (Sznajder), 288
Rafaela (Faur), 258
Raphael (Benchimol), 179
Raphael (Raphão), 49
Raphael (Serruya), 43
Raphaela (Alves), 297
Regina (Castro Neves e Beribos), 342
Rejane (Gondim), 292
Renata (Mendes), 190
Renata (Miod), 229
Roberta (Salles), 227
Roberto (pai), 329
Rodrigo (Penedo de Andrade), 223
Rodrigo (Barroso), 255
Rodrigo (Duek), 301
Rodrigo (Penedo), 302
Sabrina (Balassa), 234
Selma (Hinds), 312
Sérgio (Mandelblatt), 365
Silvia (Castro Neves), 238
Simone (Majzels), 130
Sofi (Carvalho), 51
Sofia (Bonini), 179
Sofia (Gualda), 228
Sofia (Lobo), 324
Sonia (Hey), 295
Taly (Ajdelsztajn), 211
Tauti (avó), 316
Tiago (Ferraz), 279
Tomás (D'Arcy), 351
Tuca (Vereza), 343
Valentina (Bonini), 179
Valentina (Távora), 226
Vera (Gondim), 43
Vicente (Vianini), 291
Victor (Carneiro), 210
Vitória (Cypriani), 254
Vivian (Leonardos), 288
Zé Guilherme (Vasi Werner), 283
Zé Roberto (irmão), 365
Zeca (Ferreira de Souza), 333
Zizi (Araújo), 313

O ASTRONAUTA BRASILEIRO

Quando o astronauta brasileiro
pisou na Lua,
sentiu falta do feijão tropeiro
e dos amigos de sua rua.

Teve saudades da família,
agora dele tão distante,
e, pensou naquele instante,
estar vivendo em uma ilha.

A Terra é azul!
— isto já tinha sido dito,
mas o que achava mais bonito
era ver a América do Sul.

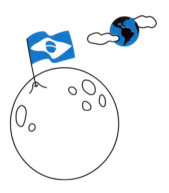

Luiz Eduardo de Castro Neves é carioca, juiz de Direito, casado e pai de dois filhos.
Autor dos livros *Pelo sim, pelo não: poemas em prosa, contos em poesia*; *Histórias que os bichos gostam de contar*; *Muito, muito, muito... (escolha a sua história)*; *A bacalhoada que mudou a história*; *Uma mentira leva a outra*; *As cartas de Antônio*; *O Brasil quase rimado*.